Nikolaus Piper
Felix und das liebe Geld

Für Waltraud und David,
ohne die dieses Buch
nie entstanden wäre.

Nikolaus Piper

Felix und das liebe Geld

Vom Reichwerden und anderen wichtigen Dingen

Roman

Nikolaus Piper, geboren 1952 in Hamburg, aufgewachsen in Bad Schussenried (Oberschwaben), Dipl. Volkswirt, arbeitete u. a. bei der Badischen Zeitung, Vorwärts, Associated Press und der ZEIT. Heute ist er Wirtschaftsredakteur bei der Süddeutschen Zeitung. Er veröffentlichte *Die großen Ökonomen* (Hrsg.) und *Die neuen Ökonomen* (Hrsg.), *Stars, Vordenker und Macher deutschsprachiger Wirtschaftswissenschaft* (eine Artikelserie der ZEIT) und wurde mit dem Vogel-Preis für Wirtschaftspublizistik ausgezeichnet. Er ist verheiratet, hat einen Sohn und lebt in Hamburg und München.
Felix und das liebe Geld ist sein erster Roman.

3 1969 01839 8296

2. Auflage 1998
© 1998 Beltz Verlag, Weinheim und Basel
Programm Beltz & Gelberg, Weinheim
Alle Rechte vorbehalten
Lektorat Frank Griesheimer
Neue Rechtschreibung
Titelbild von Peter Knorr
Einbandtypographie von Max Bartholl
Gesamtherstellung
Druckhaus Beltz, 69494 Hemsbach
Printed in Germany
ISBN 3 407 79785 0

1. Kapitel

Geld muss arbeiten

Es war an einem Montag, genau gesagt am 4. Mai, im Morgengrauen, als Felix Blum beschloss, reich zu werden.

Ein Frühlingsgewitter hatte ihn aus dem Schlaf gerissen. Draußen rauschte und prasselte es wie wild. Ein Blitz warf giftige Schatten an die Wand, gefolgt von einem wütenden Donnerschlag. Richtig unheimlich war es im Zimmer. Felix fröstelte. Er ging ans Fenster, zog den Vorhang zurück und blickte in den Wolkenbruch hinaus. Im Schein der Straßenlampe sah er, dass sich die Terrasse unten in einen Stausee verwandelt hatte. Ein breiter Bach ergoss sich quer über den Rasen und verschwand unten am Hang in der Weißbuchenhecke. Die Glocke der Stadtkirche schlug fünf Mal. Felix warf sich wieder aufs Bett und horchte in den Regen hinein.

Um wieder einschlafen zu können, versuchte er es mit einem Zahlentrick. Er sagte sich die Abfahrtszeiten der Züge in Richtung Kreisstadt auf, das hatte schon manchmal ganz gut funktioniert: 6.28 Uhr, 6.58, 7.28, 7.58, 8.34 Uhr. Aber nach 9.34 Uhr verlor er den Faden und wechselte zu den Primzahlen. Das sind solche Zahlen, die man nur durch 1 oder sich selbst teilen kann. Niemand wisse genau, wie viel Primzahlen es gebe, hatte Herr Löwenstein, Felix' Mathematiklehrer, erzählt. Immer mal wieder würden neue entdeckt. Seither träumte Felix davon, selbst einmal eine Primzahl zu entdecken. Leise murmelte er vor sich hin: »1, 2, 3, 5, 7, 11, 13, 17, 19, 23, 29, 31, 37, 41, 43, 47, 49 ...« Dann fiel ihm ein, dass man 49 ja durch 7 teilen kann, und er gab auf.

In seinem Kopf herrschte Durcheinander, das ließ sich nicht bestreiten. Gestern, am Abendbrottisch war es gewesen, da hatten seine Eltern ihm so ganz nebenbei eröffnet, dass sie dieses Jahr nicht in den Sommerurlaub fahren würden. Einfach so. Wegen Geldmangel. »Du musst den Tatsachen ins Auge sehen«, hatte seine Mutter gesagt. »Wir können uns die Fahrt nicht leisten. Kein Geld. Basta. Andere Familien bleiben auch daheim in den Ferien.«

Dann hatten sie ihm noch erzählt von dem neuen Auto, das sie demnächst brauchen würden, und vom Dach des Hauses, das repariert werden müsse. Sein Vater meinte, sie könnten den Urlaub ja vielleicht im nächsten Jahr nachholen. So ein Quatsch, das war doch kein Trost! »Sparen, sparen, immer nur sparen in dieser idiotischen Scheißfamilie«, hatte er seinem Vater ins Gesicht geschrien. Dann war er in sein Zimmer gerannt und hatte sich eingeschlossen.

Felix Blum fand seine Eltern eigentlich ganz passabel. Jedenfalls waren sie nicht wesentlich schlechter als andere Eltern, die er kannte. Aber einen schlimmen Fehler hatten sie: Sie machten einen furchtbaren Wirbel ums Geld. Immer war nicht genug da und immer gab es Streit darum. Das war so, seit sich Felix erinnern konnte. Es verging fast kein Tag, an dem seine Eltern sich nicht gegenseitig vorwarfen, dass ihnen das Geld nicht reichte. »Das können wir uns nicht leisten«, war der Lieblingssatz seines Vaters. »Würdest du dich mehr um die Haushaltskasse kümmern, dann *könnten* wir es uns leisten«, gab dann seine Mutter zurück. Alles endete meist damit, dass die beiden sich anschrien, und häufig bekam auch Felix sein Fett weg. »Glaubst du, wir haben einen Goldesel im Keller?«, schnauzte ihn die Mutter an, wenn er sich mal wieder ein Loch in die Hose gerissen hatte. Die Luft im Haus war vergiftet und Felix kam sich vor wie der überflüssigste Mensch auf der Welt, wenn seine Eltern so stritten.

So auch jetzt. Es war nicht nur die Enttäuschung darüber, dass er nun in den Ferien zu Hause bleiben musste. Felix hatte das sichere Gefühl, angelogen zu werden. Denn sechs Wochen vor Ferienbeginn eine Urlaubsreise absagen, das brachten normalerweise selbst seine Eltern nicht fertig. Und das Ganze nur, um irgendwann ein neues Auto zu kaufen oder das Dach zu reparieren? Eine innere Stimme sagte ihm: An dem plötzlichen Sinneswandel seiner Eltern stimmte etwas nicht. Felix hasste es, ein überflüssiger Junge von zwölf Jahren zu sein, über dessen Kopf hinweg die Erwachsenen ihre Entscheidungen trafen. Man müsste auf eigenen Füßen stehen und selbst Geld verdienen. Und zwar so viel, dass man nie wieder den Satz zu hören bekam: Das können wir uns nicht leisten.

Draußen war das Unwetter weitergezogen. Der Donner grummelte noch in der Ferne, aus dem Wolkenbruch war ein gleichmäßiger Regen geworden. Der Gedanke an das eigene Geld hatte sich in Felix' Kopf festgesetzt. Er spürte einen mächtigen Trotz in sich, so wie damals, als er zum ersten Mal in seinem Leben vom Drei-Meter-Brett ins Schwimmbecken gesprungen war, obwohl unten die halbe Klasse darauf gewartet hatte, dass er mal wieder beschämt die Leiter hinuntersteigen würde, weil er sich nicht traute.

Felix wollte reich werden. Wer reich war, war auch stark. Und frei. »Hast du was, bist du was«, sagte sein Vater immer.

Und warum sollte ein Junge von zwölf Jahren eigentlich nicht aus eigener Kraft reich werden können? Sein Vater hatte ihm von berühmten Leuten erzählt, die schon mit achtzehn eine

Firma besaßen oder, wie zum Beispiel Wolfgang Amadeus Mozart, mit zwölf eine Oper komponiert hatten. Im Grunde war es also höchste Zeit, dass er damit anfing.

Felix stand auf und ging zum Kleiderschrank. Von dort holte er seine geheime Schatzkiste. Das war eine alte, zerfledderte Schuhschachtel, schief und an den Kanten zehnmal mit Klebestreifen geflickt. Darin bewahrte er all die Dinge auf, die ihm sehr wichtig waren: einen Seestern, das Foto einer Dampflokomotive aus Amerika, Taschenmesser, Kompass, Trillerpfeife, eine Tüte mit dem ersten Milchzahn, der ihm damals in einem Brötchen stecken geblieben war. Dazu sein Tagebuch und – Geld. Der Zwanzigmarkschein, den ihm sein Vater am Monatsersten immer als Taschengeld gab, der kam da hinein.

Felix zählte genau 234 Mark und 37 Pfennig. Das war mehr, als er erwartet hatte, aber natürlich längst kein Reichtum. Was konnte er damit anfangen?

Eine Schuhschachtel sei kein Ort, um Taschengeld aufzubewahren, sagte sein Vater immer. »Geld muss man anlegen, damit es arbeiten kann.« Ein Junge in seinem Alter brauche ein Sparbuch – das bringe Zinsen* und außerdem sei das Geld sicher für den Fall, dass Einbrecher kämen. Felix fand die klugen Ratschläge seines Vaters immer lästig. Wozu ist Geld gut, wenn es auf einem Sparbuch liegt, also gar nicht richtig da ist? Geld muss man anfassen können, fand er. Überhaupt war sein Vater in Gelddingen doch wohl ein schlechtes Vorbild.

Trotzdem wollte ihm dieser eine Satz, den sein Vater gesagt hatte, nicht mehr aus dem Kopf: *Geld muss arbeiten!*

---

* Mit einem Sternchen gekennzeichnete Wörter sind am Ende des Buches kurz erklärt.

»Gut«, sagte Felix laut. »Ich werde reich werden. Die sollen sich noch alle wundern.«

Allerdings hatte er keine Ahnung, wie er das anfangen sollte. Immerhin hatte er einen Beschluss gefasst. Und das war ja schon mal was. Wenn Geld das Problem seiner Familie war, dann würde er dieses Problem eben lösen. Irgendwie. Den Beschluss wollte er fürs Erste streng geheim halten; sie würden ihn ja sonst nur auslachen. Man würde sehen.

Draußen war es schon hell, die Amseln trällerten und irgendwo setzte jemand scheppernd sein Auto in Gang. Felix war ziemlich zufrieden mit sich, als er noch einmal einschlief.

*

Eigentlich hatte Felix erwartet, dass seine Eltern beim Frühstück noch einmal etwas wegen des Urlaubs sagen würden, mindestens jedoch rechnete er mit einem Anpfiff wegen seines Abgangs gestern Abend. Aber nichts dergleichen geschah. Sie taten, als sei nichts gewesen. Sie saßen am Frühstückstisch, hatten den *General-Anzeiger* unter sich aufgeteilt und lasen.

»Guten Morgen, Papa, guten Morgen, Mama«, sagte Felix.

»Guten Morgen, Felix«, murmelten beide.

Felix machte sich einen kalten Kakao, strich sich ein Marmeladenbrot und kaute schweigend. Nach einer Weile sagte er ganz beiläufig: »Papa, ich will ein Sparbuch haben.«

»Hhmmh.«

»Gerold, hast du gehört, was dein Sohn gesagt hat? Vielleicht lernt er ja im Gegensatz zu dir, mit Geld umzugehen.«

»Ja, ja, komm nach der Schule bei mir in der Redaktion vorbei, dann gehen wir schnell zusammen zur Bank.«

Das war alles, was sein Vater sagte. Er verschwand gleich wieder hinter der Zeitung. Ein merkwürdiges Verhalten. Er wunderte sich nicht, dass es seinem Sohn plötzlich wichtig war, ein Sparbuch zu besitzen, er überhörte die Spitze seiner Frau und las einfach weiter Zeitung. Da stimmte wirklich etwas nicht. Felix beschloss, wachsam zu sein.

Eigentlich hätte Felix' Vater in Gelddingen gut Bescheid wissen müssen, schon wegen seines Berufs. Gerold Blum war Journalist beim Schönstädter *General-Anzeiger* und dort für all die Artikel zuständig, die mit Banken, Fabriken, Geld und so etwas zu tun haben – er leitete den Wirtschaftsteil* der Zeitung. Nur leider führte sein Wissen über Geld nicht dazu, dass sie zu Hause mehr davon hatten. »Du könntest ruhig die klugen Dinge, die du schreibst, auch mal für deine Familie einsetzen«, sagte Felix' Mutter immer, wenn es mal wieder Streit gab.

Herr Blum arbeitete im zweiten Stock des *General-Anzeiger*-Hauses am Kartoffelmarkt. Hier, auf dem größten Platz des Städtchens, wurden wirklich Kartoffeln verkauft, allerdings nur samstags, denn dann war hier Wochenmarkt. Außerdem gab es auf dem Platz zwei Telefonzellen und ein Parkhaus, das die eine Hälfte der Schönstädter am liebsten abreißen wollte, weil sie es so hässlich fand; die andere Hälfte aber stellte dort zum Einkaufen ihr Auto ab, weshalb das Parkhaus wohl auch noch in vielen Jahren dort stehen würde. Neben dem Parkhaus führte eine schmale Treppe den Kirchberg hinauf. Dort, hinter einem kleinen Lindenwäldchen, machte sich die alte, behäbige Schönstädter Stadtkirche aus dem 15. Jahrhundert breit. Direkt daneben war das Kant-Gymnasium, wo Felix die Klasse 6a besuchte. Die Stufen der Kirchbergtreppe waren so flach, dass man mit einem guten Fahrrad und ein wenig Geschick hinunter zum Kartoffelmarkt brettern konnte. Das war zwar verboten, aber es machte Felix umso mehr Spaß. Es war der normale Weg für ihn, wenn er seinen Vater besuchte.

Das alte Verlagshaus des *General-Anzeigers* war aus rotem Sandstein gebaut und schon über hundert Jahre alt. Über dem Eingang trugen zwei steinerne Engel einen prächtigen Giebel. »Das sind unsere Musen«, pflegte Felix' Vater zu sagen. »Sie küssen uns und dann haben wir gute Ideen.« Felix wusste nicht genau, was Musen waren, aber er stellte es sich schön vor, von einem Engel am Computer geküsst zu werden.

Unten im Erdgeschoss des *General-Anzeiger*-Hauses war die Geschäftsstelle des Verlages. Dort konnte man die Zeitung abonnieren, sich beschweren, wenn die Journalisten etwas Falsches geschrieben hatten oder wenn die Zeitung morgens nicht pünktlich zum Frühstück da war, weil die Austrägerin mit Grippe im Bett lag. Man konnte dort auch Annoncen* aufgeben. Wenn zum Beispiel jemand umziehen wollte, dann annoncierte er unter der Rubrik *Wohnungsmarkt*: »Schöne 3-Zi-Whng. in Schönst. u. Umg. ges.« oder so ähnlich. Andere gaben bekannt, dass sie ihr Auto verkaufen wollten, dass sie heiraten würden oder dass Tante Elly gestorben war. Außerdem konnte man in Schaukästen die neueste Ausgabe des *General-Anzeigers* lesen, die dort mit Reißzwecken angeheftet war. Es gab Leute, die waren zu geizig, um zwei Mark für die Zeitung auszugeben; die konnte man dann mit einem kleinen Block vor den Schaukästen stehen sehen, wie sie die Ergebnisse der Handball-Bezirksliga abschrieben.

Eines der schönsten Dinge im *General-Anzeiger*-Haus war der Aufzug, fand Felix. Es war nämlich kein gewöhnlicher Aufzug, sondern ein Paternoster – der einzige in Schönstadt. Wie immer, wenn er seinen Vater in der Redaktion besuchte, stieg Felix im Erdgeschoss ein, fuhr hinunter zum Keller, wo an der Wand das Schild hing: *Bitte aussteigen. Weiterfahrt ungefährlich.* Er erschauerte ein bisschen, als die quietschenden Zahnräder des Laufwerks in der Düsternis an ihm vorbeizogen, ließ sich von der Gondel wieder hinauftragen und stieg im zweiten Stock aus. Dort stieß er eine Milchglastür auf und stand vor einem großen Schreibtisch, hinter dem eine Dame mit sehr roten Locken und zwei sehr großen Ohrringen saß. Das war Carola Marcks, die Sekretärin der Wirtschaftsredaktion.

»Grüß dich, Felix. Schön, dich auch mal wieder zu sehen«, sagte Frau Marcks und strahlte über das ganze Gesicht. Das tat sie eigentlich immer. Felix hatte Frau Marcks überhaupt noch nie mit schlechter Laune gesehen. Vielleicht lag das daran, dass sie nicht verheiratet war und deshalb mit keinem Mann und keinem Kind das Anschnauzen hatte üben können. Felix mochte Frau Marcks, er mochte auch den Geruch von Papier, Staub, Parfum und Bohnerwachs in der Redaktion. Hier fühlte er sich zu Hause.

Felix öffnete die Tür mit der Aufschrift *Gerold Blum Wirtschaftsredaktion* und es bot sich ihm der gewohnte Anblick: Den Boden hatte sein Vater gleichmäßig mit zerlesenen Zeitungen bedeckt, die Füße lagen auf dem Schreibtisch, zwischen Schulter und Ohr war der Telefonhörer geklemmt; auf den Knien lag ein Schreibblock, in den er etwas hineinkritzelte. Herr Blum nannte das »recherchieren« – das heißt, er telefonierte mit irgendwelchen wichtigen Leuten, schrieb auf, was sie sagten, und machte daraus einen Artikel.

»Hm, hm, hmm«, brummte Herr Blum. Und dann noch einmal: »Hm, hm, hmmm. Also, Sie sind ganz sicher, dass das

Fischsterben im Krebsbach nichts mit *Pulp und Co* zu tun hat? Aber wo sollten die Schadstoffe denn sonst herkommen – aus unserer Druckerei vielleicht?« Jetzt schlug er jenen ironischen Ton an, den Felix an seinem Vater nicht leiden konnte. »Ja, Herr Doktor Schacht. Die sind gemessen worden. Vom Gewerbeaufsichtsamt.« Er verdrehte die Augen und bekam eine ganz schmale Unterlippe. »Hören Sie, Herr Doktor Schacht, der *General-Anzeiger* lässt sich nicht unter Druck setzen. Selbstverständlich werde ich den Artikel drucken, sobald wir alle Fakten ganz genau überprüft haben. Notfalls auch ohne Ihre Stellungnahme. Auf Wiederhören, Herr Doktor Schacht.« Und mit einem tiefen Seufzer warf Herr Blum den Hörer aufs Telefon.

»Tag, Felix, hast du schon zu Mittag gegessen?«, sagte er zur Begrüßung.

»Ja«, log Felix. »Du, Papa, was ist mit den Fischen im Krebsbach los?«

»Hast du noch nicht davon gehört, das Fischsterben unterhalb der Stadt?«

Nein, davon hatte Felix noch nichts gehört. Der Krebsbach entsprang oben, jenseits des Schönstädter Forsts, durchfloss zuerst die Altstadt und danach ein Industriegebiet. Und dort war die Papierfabrik *Pulp und Co.* Wenn er die passiert hatte, war der Krebsbach nicht mehr besonders sauber. Sein Wasser sah braun aus und es stank. Trotzdem lebten noch Fische in der trüben Brühe.

»Unten, an der Schleuse, sind Dutzende toter Forellen angespült worden. Im Wasser hat man erhöhte Schadstoffwerte gemessen, höher als erlaubt. Das kann nur Pulp gewesen sein.«

»Wirst du das morgen schreiben, Papa?«

13

»Morgen nicht, aber sobald ich alle Fakten zusammen habe. Komm, lass uns gehen.« Sein Vater stopfte sich den Rest eines Käsebrötchens in den Mund. »Ich bin mal eine halbe Stunde weg«, nuschelte er Frau Marcks zu, dann stiegen sie in den Paternoster und fuhren ins Erdgeschoss.

Gleich links neben dem *General-Anzeiger*-Haus auf dem Kartoffelmarkt war das *Rialto*, die Eisdiele von Giuseppa Giampieri. Im Sommer gab Felix ungefähr die Hälfte seines Taschengeldes dort aus. Das lag vor allem an dem sagenhaft guten Nusseis, das Frau Giampieri selbst herstellte, ein bisschen aber auch an deren Tochter ... Sie hieß Gianna, war zwölf Jahre alt und ging in Felix' Klasse. Felix fand Gianna lustig, hübsch und furchtbar schnippisch, leider schien sie sich nur für ältere Jungen zu interessieren wie die ganzen anderen Mädchen in seiner Klasse.

Nach dem *Rialto* kam die *Kreditbank*. Felix und sein Vater betraten die Schalterhalle.

»Aha, heute mit dem Herrn Sohn«, rief ihnen ein Mann hinter dem Schalter zu. Das war Ingo Fischer, der Leiter der Bankfiliale. »Felix, bist du aber groß geworden! Hör bloß bald mit Wachsen auf, sonst stößt du an der Decke an und wir müssen eine neue Schalterhalle bauen. Na, womit kann ich euch beiden denn dienen?«

Felix hasste Anspielungen auf seine Körpergröße, die sich die Erwachsenen offenbar nie verkneifen konnten. Denn er musste sich dann vorstellen, wie das wäre, wenn er wirklich so groß würde, dass er überall an die Decke stieß. Felix legte einen braunen Umschlag mit seinen 234 Mark auf den Banktresen und versuchte, dabei nicht mürrisch auszusehen.

»Ich möchte gerne ein Sparbuch!«, sagte er.

»Sehr vernünftig«, meinte Herr Fischer gönnerhaft.

»Wie viel Zinsen gibt es denn auf so einem Sparbuch?«

»2,5 Prozent bei gesetzlicher Kündigungsfrist*. Bei 234 Mark wären das also genau ...« Herr Fischer tippte etwas in seinen Taschenrechner. »5 Mark 85 nach einem Jahr.«

»Das ist aber wenig!«

»Du darfst von einem Sparbuch jederzeit etwas abheben. Es ist also fast wie Bargeld*. Wenn du allerdings bereit wärest, dein Geld für zwei Jahre fest anzulegen*, dann bekämst du schon 4,5 Prozent, das wären dann im ersten Jahr ...«, Herr Fischer tippte wieder auf seinem Taschenrechner, »... 10 Mark 53, und nach zwei Jahren hättest du mit Zins* und Zinseszins* ... 255 Mark 53.«

»Waaas – 255 Mark in zwei Jahren? So werde ich doch nie reich!«, rief Felix.

Verdammt! Das war ihm so rausgerutscht. Seinen großen Plan hatte er doch geheim halten wollen. Felix' Ohren liefen rot an und es kam, wie es kommen musste: Herr Fischer lachte.

Und sein Vater lachte mit: »Reich werden, mein lieber Felix – findest du nicht, dass das ein bisschen früh ist?«

Felix hätte weinen können vor Wut. Über sich selbst, über seinen Vater und diese ganze dämliche Bank. Sein toller Plan hatte schon nach einem halben Tag damit geendet, dass die Erwachsenen ihn lächerlich fanden. Und er selbst sich auch.

»Nimm's nicht tragisch«, sagte Herr Fischer, als er ihm sein Sparbuch aushändigte. »Wer den Pfennig nicht ehrt, ist des Talers nicht wert. Nur wer früh mit dem Sparen anfängt, kann später reich werden. Ich habe schon mit sieben Jahren mein erstes Sparbuch gehabt ...«

»Und, sind Sie reich geworden?«

Zum Glück war Felix diese Frage noch eingefallen. Das Grinsen von Herrn Fischer gefror.

»Hmm, na ja, ich bin zufrieden.« Der Filialleiter lächelte süßlich, als Herr Blum seinen Sohn zum Schalterraum hinauszog.

Felix kochte innerlich.

»Komm, nun schmoll nicht«, sagte sein Vater.

»Du sollst mich nicht auslachen. Das war gemein von dir. Außerdem finde ich das mit den Zinsen wirklich blöd: So lange warten und so wenig Zinsen.«

»Tut mir Leid. Ich habe es doch nicht böse gemeint. Man muss klein anfangen, das ist wie überall im Leben. Die Bank hat nichts zu verschenken. Sie muss die Zinsen ja auch erst verdienen, indem sie Geld verleiht.«

»Die Bank leiht *mein* Geld aus? Ich dachte, ich kann jederzeit zurückbekommen, so viel ich will?«

»Kannst du doch auch.«

»Aber wie denn, wenn es weg ist?«

»Die Bank verleiht ja nicht alles Geld. Sie sorgt schon dafür, dass jeder, der will, an sein Geld kommt. Natürlich gibt es keine Garantie, dass du genau den Zehnmarkschein wiederbekommst, den du eingezahlt hast.«

»Na hör mal, ich bin doch nicht blöd! Ich dachte nur, es gibt viel mehr Zinsen. Du hast immer gesagt, Geld muss arbeiten.«

»Tut es doch auch. Und zwar, indem die Bank anderen Leuten Kredite* gibt, die dann damit arbeiten.«

»Was gibt sie denen?«

»Kredite. Sie leiht Menschen Geld, die im Moment selber nicht genug haben, um die Dinge zu kaufen, die sie brauchen.«

»Du sagst aber immer, dass man sich nichts kaufen soll, das man sich nicht leisten kann.«

»Das stimmt ja auch im Prinzip. Aber es gibt Ausnahmen. Mama und ich haben uns zum Beispiel viel Geld von der Bank geliehen, um unser Haus zu kaufen. Das nennt man eine Hypothek*. Nun zahlen wir jeden Monat Zinsen an die Bank und tragen ein bisschen was von unseren Schulden ab. Es ist auf jeden Fall besser, als einem Vermieter Geld in den Rachen zu werfen.«

»Aber warum habt ihr nicht gespart, bis ihr das Haus richtig bezahlen konntet?«

»Bis wir das Geld zusammengespart hätten, wären wir beide alte Leute und du längst ein erwachsener Mann. Wir wollten das Haus aber schon früher haben, solange nämlich unser Zwerg noch klein war ...«, sagte Herr Blum und strich seinem Sohn mit der Hand durch den Haarschopf.

Felix blickte sich ängstlich um. Weiß der Teufel, was seinen Vater plötzlich überkommen hatte. Ihn in der Öffentlichkeit zu streicheln. Fehlte nur noch, dass er ihn küsste!

»Wie viel Schulden haben wir denn?«, fragte er vorsichtig.

»So 250.000 Mark. Aber erzähl das nicht herum.«

»Und was ist, wenn wir unsere Schulden nicht mehr bezahlen können ...«

Felix sah, dass sich die Miene seines Vaters verfinsterte.

»Wir haben das alles gut ausgerechnet. Das hat schon seine Ordnung.«

»Aber so habe ich das doch gar nicht gemeint. Ich möchte nur gern wissen, was passiert, wenn derjenige, dem die Bank mein Geld ausleiht, es nicht zurückzahlen kann.«

»Dann muss Herr Fischer für Ersatz sorgen.«

»Und wenn das nicht geht?«

»Dann ist die Bank pleite* und muss schließen. Aber das

17

kommt zum Glück praktisch nie vor. Und selbst dann helfen die anderen Banken der Bank aus, die pleite ist. Du kannst also ganz beruhigt sein ...«

Felix war überhaupt nicht beruhigt, aber aus anderen Gründen, als sein Vater dachte. Die Bank war ihm ziemlich egal. Was ihn beschäftigte, war die Sorge, ob seine Eltern vielleicht gerade ein besonders großes Geldproblem hatten. Und hingen der Urlaub und das Haus damit zusammen? Sein Vater drehte sich unter dem Giebel mit den beiden Engeln noch einmal um und fragte: »Sag mal, willst du wirklich reich werden?«

Felix blickte ernst und nickte heftig.

Kopfschüttelnd ging sein Vater hinauf in die Redaktion.

2. Kapitel

Eigentum ist Diebstahl

Früher war Felix oft traurig darüber gewesen, dass er keine Geschwister hatte. Mit einem Bruder und einer Schwester würde das Leben viel einfacher sein, dachte er damals. Er beneidete alle Kinder, die nicht alleine in ihrem Zimmer schlafen mussten, sondern sich im Bett noch gegenseitig Gruselgeschichten erzählen konnten.

Inzwischen fand er es ganz in Ordnung, so wie es war. Er hatte seine Ruhe. Und außerdem hatte er Peter.

Peter Walser war Felix' bester Freund und ging mit ihm in dieselbe Klasse. Die beiden hatten sich angefreundet, obwohl sie so unterschiedlich waren, wie zwei Jungen nur sein können.

18

Felix war der größte Junge in der Klasse, Peter der zweitkleinste. Felix hasste es, viel reden zu müssen, und träumte gerne vor sich hin. Peter dagegen konnte nicht ruhig sitzen. »Man muss was auf die Beine stellen, sonst ist das Leben viel zu langweilig«, sagte er immer. Und dass Felix »verratzt und verfatzt« wäre, wenn er ihm nicht gelegentlich in den Hintern treten würde. So einer war Peter.

Felix war in der Schule ziemlich gut. Und weil er seit seinem zehnten Lebensjahr eine Brille tragen musste, nannten sie ihn in der Klasse »Professor«. Felix fand das ziemlich blöd, aber wenn man so einen Spitznamen mal hat, dann wird man ihn nicht wieder los. Peter dagegen war froh, wenn er in Mathe, Deutsch und Englisch keine Fünf schrieb und die Klasse nicht wiederholen musste. Felix hasste Sport, Peter war Stadtjugendmeister über 100-Meter-Brustschwimmen. Und so ging das weiter. Trotzdem waren sie dicke Freunde und trafen sich fast jeden Tag. Sie spielten beide im Schulorchester mit. Felix spielte Klarinette, Peter den Kontrabass. »Der kleinste Mann am größten Instrument«, sagte Frau Böhm-Bewark, die Leiterin des Schulorchesters.

Peters Eltern besaßen die Tankstelle unten am Hang, wo die Bergstraße in die Hauptstraße mündete. Dort konnte man nicht nur tanken, sondern auch Zeitungen und Schokolade kaufen und sein Auto waschen lassen. Außerdem reparierte Herr Walser Fahrräder, wenn die Speichen locker waren oder die Gänge nicht mehr funktionierten. Peter hatte einen Bruder und eine Schwester: Robert war achtzehn und Patricia sechzehn. Peter sagte oft, ältere Geschwister seien eine Plage. Aber in Wirklichkeit fand er es doch ziemlich gut, wie es war. Zum Beispiel hatte Peter von Robert alles gelernt, was man über Computer wissen musste; der Bruder besaß einen nagelneuen Laptop, den Peter mindestens ebenso gut zu bedienen verstand wie Robert.

Von seinem Zimmer aus konnte Felix Peters Fenster sehen. Und wenn dieser sehr laut auf den Fingern pfiff, konnte er ihn sogar hören.

Nach der Geschichte mit dem Sparbuch beschloss Felix, Peter in seine hochfliegenden Pläne einzuweihen – er war der Einzige, den er für vertrauenswürdig hielt. Die beiden verabredeten sich am nächsten Tag in der Schule und kurz nach dem Mittagessen stand der Freund mit seinem Fahrrad vor Felix' Tür in der Bergstraße. Er hatte, wie meistens, seinen blauen Overall an.

»Hi, Felix! Alles klar?«

»Hi! Alles klar!«

»Komm, lass uns zur Ziegelei fahren.«

»Okay, ich hol nur noch mein Fahrrad.«

Von Blums Haus führte die Bergstraße steil den Hang hinauf. Nach etwa hundert Metern endete sie auf einem kleinen Parkplatz. Dort war eine Schranke, damit keine Autos unbefugt in den Schönstädter Forst fahren konnten. Hinter der Schranke begann ein Sandweg, der durch den Wald ziemlich steil hinauf zu dem alten Pestkreuz führte; es war vor über 300 Jahren von den Bürgern Schönstadts errichtet worden, um Gott für das Ende der Pest in ihren Mauern zu danken, wie auf einer Gedenktafel zu lesen war. Vom Pestkreuz aus ging es nur noch bergab und man konnte das Rad bis zur Ziegelei hinunterrollen lassen.

Die Ziegelei war das geheime Reich der beiden Jungen. Schon seit vielen Jahren wurden dort keine Ziegel mehr gebrannt. Aber alles, was man früher zum Ziegelbrennen brauchte, war noch da. Die Grube, aus der früher Ton gewonnen wurde, zum Beispiel. Sie hatte sich in einen halb zugewachsenen See verwandelt, an dessen Ufer Enten brüteten. Die alten Loren, auf denen der Ton transportiert worden war, standen verrostet und klapprig auf ihren verbogenen Gleisen. Die Fabrikhalle war bis auf die zerbrochenen Fenster noch intakt; im Inneren führte eine alte, schmierige Stahltreppe bis unter das Dach in ein kleines Zimmer. Peter und Felix nannten es das »Chefzimmer«. Sie stellten sich vor, dass hier früher einmal der Direktor der Ziegelei gearbeitet hatte. Hier waren sogar noch die Fenster heil und in einer Ecke stand ein alter Kanonenofen, den man heizen konnte, wenn es draußen kalt war.

Für Felix gab es nichts Schöneres, als mit Peter im Chefzimmer zu sitzen, wenn es draußen regnete, auf den bullernden Ofen zu lauschen, zu reden, zu schweigen und darüber nachzudenken, was das Leben ihnen beiden noch bringen würde.

Dieser Dienstag war ein richtiger Ziegelei-Tag. Felix kam es vor, als hätte das Gewitter gestern die Luft gereinigt: Es war fast sommerlich warm, die Sonne strahlte von einem blank geputzten Himmel, die Vögel sangen, der Schönstädter Forst stand in frischem Grün. Da wurden trübe Gedanken fast von selbst weggeblasen.

»Liegt was an?«, fragte Peter, als sie ihre Räder unter den Holunderbüschen bei der Ziegelei versteckten.

»Meine Eltern haben mal wieder Ärger mit dem Geld«, antwortete Felix. »Unsere Urlaubsreise nach Finnland fällt ins Wasser. Ich muss die Ferien zu Hause verbringen.«

»Find ich gut.«

Felix schluckte. »Wieso gut? Bist du verrückt?«

»Nein, gar nicht. Wenn du hier bleibst, dann können wir doch zusammen was unternehmen. Wärt ihr nach Finnland gefahren, hätte ich die ganzen Ferien mit Robert und Patricia verbringen können. Nee, danke!«

Daran hatte Felix gar nicht gedacht: Peter war mit seinen Eltern noch nie in den Ferien weggefahren. Die Tankstelle musste offen bleiben, besonders im Sommer, wenn die Touristen nach Schönstadt kamen. »Eine Tankstelle kennt keine Betriebsferien«, sagte Herr Walser immer. Felix beschloss, dieses Thema vorläufig nicht mehr anzusprechen.

»Findest du nicht auch, dass das Frühlingswetter hungrig macht?«, sagte Peter plötzlich.

»Na, ich weiß nicht ...«, antwortete Felix. Dabei wusste er genau, was Peter vorhatte. Vor der Ziegelei floss der Krebsbach vorbei. Hier hatte er noch schönes, klares Wasser und war gerade so breit, dass man ihn an den meisten Stellen mit Anlauf überspringen konnte. Es gab auch wirklich Krebse im Krebsbach, deshalb hieß er wohl auch so; vor allem jedoch war er voller Forellen, schöner, großer Bachforellen. Und Peter war ein Meister im Fischen. Er konnte die Forellen mit der bloßen Hand fangen und Felix fragte sich immer, wie so was überhaupt möglich war. Allerdings fühlte er sich auch unbehaglich, wenn sein Freund Forellen fing. Ihm taten die Fische Leid, wenn sie hinterher ohne Eingeweide auf der Wiese lagen und ihn mit ihren toten Augen anglotzten.

Und verboten war die Fischerei natürlich auch. Das Fischrecht hatte der alte Herr Becker aus der Unterstadt gepachtet und niemand außer ihm durfte sich dort Forellen holen.

»Sei kein Angsthase«, sagte Peter. »Der alte Becker soll uns erst mal erwischen. Außerdem hat er das Fischrecht gar nicht verdient. Eigentum* ist Diebstahl, sagt Robert.«

Peters Bruder hatte gerade das Abitur gemacht und wusste viele kluge Sprüche. Und auch weniger kluge. Felix lachte und schüttelte den Kopf. »Wenn Eigentum Diebstahl ist, dann ist ja alles irgendwie Diebstahl.«

»Ist es ja auch«, antwortete Peter. »Du musst das so sehen: Wer hat die Forellen gemacht? Der liebe Gott. Und für wen hat er die Forellen gemacht? Für Menschen, die Hunger haben. Und wer hat Hunger? Wir beide. Die Sache ist ganz einfach.«

»Wenn alle hungrigen Menschen hier fischen würden, wäre der Krebsbach bald leer gefischt. Es ist also notwendig, dass die Dinge jemandem gehören, sonst gibt es bald nichts mehr, was man stehlen kann. Das ist doch logisch. Mein Vater sagt, früher, als die Schüler ihre Schulbücher noch selbst kaufen mussten, hätten sie viel besser darauf aufgepasst. Was allen gehört, gehört niemandem.«

»Das hast du sehr klug gesagt, Herr Professor. Du hast mich überzeugt: Ohne Eigentum kein Diebstahl. Das gilt aber auch umgekehrt: Ohne Diebstahl kein Eigentum. Wenn wir sie ihm nicht klauen, dann weiß der alte Becker gar nicht, was er an seinen Forellen hat. Außerdem sagt meine Mutter, dass der Becker ein Schwein ist und dass er seine Frau schlägt, wenn er betrunken ist. Wir sind also der Arm der Gerechtigkeit, stimmt's?«

Felix wollte antworten, dass es kein Recht im Unrecht gibt, wie sein Vater immer sagte. Aber er behielt seine Bedenken dann doch für sich, sonst glaubte Peter noch tatsächlich, er habe Angst.

Vorsichtig schlichen sie nun am Ufer des Krebsbaches entlang. Beide achteten sorgsam darauf, nicht auf knackende Zweige zu treten und so die Fische zu verscheuchen. Sie zwängten sich durch Büsche, Schilf und Brombeerranken bis zu einer uralten Trauerweide. Zwischen deren Wurzeln hatte das Wasser eine kleine Höhle ausgewaschen und dort war der beste Platz, um Forellen mit der bloßen Hand zu fangen.

Die beiden Jungen knieten sich ins Moos und suchten vorsichtig die Wasseroberfläche ab. Erst konnten sie unter dem Licht- und Schattenspiel der Wellen nichts erkennen. Aber dann zischte Peter: »Pssst. Siehst du da hinten, ein riesiger Brocken!« Felix schlich etwa zwanzig Schritte bachabwärts. Dann stampfte er zweimal kräftig auf. Es knackte, die Forelle erschrak und schoss pfeilschnell in die Höhle unter der Weide, wo sie sich sicher wähnte. Aber das war ein tödlicher Irrtum. Peter hatte seine Hände schon ins Wasser gehalten. Augenblicklich packte er zu, holte den zappelnden Fisch aus dem Wasser und schnitt ihm mit dem Taschenmesser das Genick durch. Der Fisch war größer als Peters Unterarm. Peter schnitt den Bauch des Tieres auf, holte die Innereien heraus und warf sie ins Unterholz.

Auf dieselbe Weise fing Peter noch eine zweite, etwas kleinere Forelle, dann schlichen sie zurück zur Ziegelei. Sie sammelten Fichtenreisig und bald prasselte an der früheren Auffahrtrampe ein kleines Lagerfeuer. Peter holte ein Stück Aluminiumfolie aus der Tasche seines Overalls, wickelte die beiden Forellen hinein und legte sie ins Feuer.

Nun war Zeit, sich in Ruhe zu unterhalten.

»Ich will reich werden«, sagte Felix, ohne lange drumherum zu reden.

»Tolle Idee. Und wie?«

Felix erzählte ihm die Geschichte mit dem Sparbuch und wie er sich in der Bank über seinen Vater geärgert hatte. Als er fertig war, brach Peter in schallendes Gelächter aus.

»Das darf doch nicht wahr sein! Reich werden mit einem Sparbuch – lächerlich! Das wird doch nie was.«

»Na, ich dachte, so für den Anfang. Außerdem ist es besser als
nichts. Sagt mein Vater auch.«

»Väter gehören abgeschafft«, entgegnete Peter. »Reich wird
man ganz anders. Man fängt als Tellerwäscher an ...«

»Als Tellerwäscher? Ich will reich werden und nicht Geschirr
spülen.«

»Au Mann, bist du schwer von Begriff, du sollst doch nicht
zu Hause abwaschen. Das muss man ja sowieso und es ist am
besten, sich davor zu drücken. Nein, man fängt irgendwo an zu
arbeiten, in einem Hotel oder in einem Restaurant in der Küche. Mit Kartoffelschälen zum Beispiel. Oder eben mit Teller-
spülen. Das Geld, das man dabei verdient, spart man, und dann
kauft man sich eine Fabrik und dann noch eine und bums – ist
man Millionär. Hab ich selbst im Fernsehen gesehen.«

»Klingt, als ob es nicht funktioniert. Außerdem haben sie im
Weißen Kreuz eine Spülmaschine. Die brauchen keinen Tellerwäscher.«

»Halt dich doch nicht an dem blöden Tellerwäscher auf. Das
war doch nur ein Beispiel. Es geht ums Prinzip. Wir müssen
einfach irgendeine Arbeit finden, die sonst keiner macht und
mit der wir Geld verdienen können. Und dann sehen wir weiter.«

»Wir? Hast du eben ›wir‹ gesagt?«

»Na klar, ohne mich bist du verratzt und verfatzt. Außerdem
will ich auch reich werden. Mädchen mögen nämlich reiche
Jungs. Wir haben die ganzen Sommerferien dafür Zeit. Wir
werden die Champions.«

Inzwischen hatte sich im Feuer eine schöne Glut gebildet.

Peter drehte die eingewickelten Forellen herum, damit sie gleichmäßig gar wurden.

»Und was sollen wir deiner Meinung nach tun, wenn wir nicht als Tellerwäscher arbeiten können?«

»Wir müssen uns irgendwas überlegen, was wir gut können. Was kannst du?«

»Mathe.«

»Vergiss es. Das Einzige, was man mit Mathe machen kann, ist Nachhilfestunden geben. Eltern wollen aber Nachhilfelehrer, die mindestens sechzehn sind. Außerdem könnte ich dabei nicht mitmachen. Ich bräuchte selber Nachhilfe. Also weiter. Was kannst du noch?«

»Klarinette spielen.«

»Wie gut spielst du?«

»Ich müsste mal wieder üben.«

»Also Fehlanzeige. Was noch?«

Felix dachte angestrengt nach.

»Rasenmähen«, sagte er. »Ich könnte Frau Gabriel fragen, ob ich ihren Rasen mähen darf. Zu meiner Mutter sagt sie immer, sie werde mit ihrem Riesengarten nicht fertig. Das Unkraut wachse ihr über den Kopf.« Frau Gabriel war Zahnärztin und wohnte in der Bergstraße direkt neben ihnen.

Peter zog anerkennend eine Augenbraue hoch. »Na bitte. Das ist doch schon ein ganz brauchbarer Vorschlag ...«

»Aber reich werden wir damit auch nicht. Dafür wächst der Rasen bei der Gabriel nicht schnell genug. Bis die Sommerferien vorbei sind, könnte ich gerade dreimal mähen ...«

»Dann streng deine Phantasie eben noch ein bisschen an. Es geht natürlich nicht nur um eure Nachbarin. Du musst bei ganz vielen Leuten den Rasen mähen. *Think big*, sagt Robert.«

»Aber ich kann doch nicht alle Leute fragen, ob ich ihren Rasen mähen darf. Die meisten machen es ja sowieso selber.«

»Werbung*, verstehst du? Werbung!« Peter kam jetzt richtig in Fahrt.

»Werbung?«

»Klar! Dein Vater ist doch Journalist. Hast du noch nie was von Anzeigen gehört? Wenn man heute was werden will, muss man Reklame machen.«

»Geht nicht. Anzeigen sind viel zu teuer. So ein kleiner Streifen kostet über hundert Mark. Das weiß ich von meinem Vater.«

»Du hast aber nicht nur einen Vater, der bei der Zeitung ist, sondern auch einen Freund, der Eltern hat, die eine Tankstelle haben ...«

Jetzt ging Felix ein Licht auf. »Stimmt, und neben eurer Kasse habt ihr eine Pinnwand, an der viele Zettel hängen. Da hat auch meine Mutter schon mal einen Zettel aufgehängt, als sie mein altes Kinderfahrrad verkaufen wollte ...«

»... und an dieses Brett werden wir einen Zettel hängen, auf dem steht, dass Felix Blum und Peter Walser in den Sommerferien jedem in Schönstadt, der das will, für fünf Mark den Rasen mähen. Ist das eine Idee?«

»Das ist eine Idee.«

Die beiden Jungen schlugen die Hände gegeneinander und lachten. Gerade wollten sie sich über den gebratenen Fisch hermachen, da hörten sie plötzlich, wie es im Unterholz knackte.

»Mist, da kommt jemand«, raunte Peter. »Nichts wie weg.«

Felix versuchte noch, die Forellen aus der Glut zu holen, aber dabei verbrannte er sich bloß die Finger.

»Mach keinen Quatsch«, zischte Peter. Sie quetschten sich an der verrosteten Schiebetür vorbei in die Ziegelei, rannten die Treppe hinauf und versteckten sich im Chefzimmer. Keinen Augenblick zu früh – aus dem Unterholz trat, mit seiner Angeltasche über der Schulter, der alte Becker auf die Lichtung. Er sah das Feuer und fing an zu toben.

»Verdammte Saubande!«, schrie er und seine Stimme überschlug sich. »Feuer machen im Wald. Wenn ich euch erwische!« Der Mann fuchtelte drohend mit seiner Angel herum. Durch die verschmierten Glasscheiben des Chefzimmers sah Felix, wie Beckers Kopf unter den wenigen weißen Haaren rot angelaufen war. Jetzt hatte er die beiden Fische entdeckt.

»Das Schwarzfischen werde ich euch noch austreiben. Und wenn ich die Hunde auf euch hetzen muss. Hier habe ich das Fischrecht und sonst niemand. Verdammtes Pack! Na wartet, das nächste Mal hab ich meine Schrotflinte dabei.«

Felix und Peter wagten kaum zu atmen. Jeden Augenblick konnte Becker in die alte Ziegelei kommen, um hier nach ihnen zu suchen. Aber zum Glück kam er nicht auf diese Idee. Er zerstörte mit den Stiefeln das Lagerfeuer, griff sich einen Stock und holte die eingewickelten Forellen heraus. Die beiden Päckchen warf er in seine grüne Anglertasche und stapfte fluchend davon.

Eine Weile kauerten die beiden Jungen noch in ihrem Versteck, dann stiegen sie hinunter.

»So ein alter Gauner«, schimpfte Peter. »Unsere Fische wären jetzt gar gewesen.«

»Eigentum ist Diebstahl«, antwortete Felix und blickte in die qualmenden Überreste des Lagerfeuers. Dann holten sie ihre Räder hinter den Holunderbüschen hervor.

Solange es bergauf ging, traten sie schweigend in die Pedale.

Oben auf dem Hügelkamm sagte Felix:

»Du, Peter, meinst du, wir schaffen es?«

Peter sah den Freund zuerst fragend an. Dann verzog sich sein Gesicht zu einem breiten Grinsen.

»Natürlich schaffen wir es!«

»Wir werden also reich?«

»Steinreich!«

Da konnte Felix es nicht mehr aushalten. Es war Frühling, er hatte einen Freund, er hatte einen Plan und alles würde gut werden. So schnell konnten die Dinge sich ändern. Felix musste vor Glück schreien.

»Boooaaaaaaahhhh!«

Peter fiel in sein Gebrüll ein, so dass der Widerhall im ganzen Forst zu hören war. Der alte Becker kam wahrscheinlich aus dem Wundern nicht mehr heraus. Laut grölend fuhren sie in die Stadt zurück.

*

An diesem Tag aßen Felix und seine Eltern zum ersten Mal in diesem Jahr draußen auf der Terrasse zu Abend. Die Amseln sangen in den Ulmen und Felix' Haut roch noch nach Lagerfeuer und Ziegelei. Die letzten roten Sonnenstrahlen fielen auf den Abendbrottisch.

»Hast du dir denn schon überlegt, was du in den Ferien machen willst, jetzt, wo wir nicht wegfahren?«, fragte seine Mutter, nachdem Felix das letzte Käsebrot in sich hineingestopft hatte. »Du könntest Oma und Opa in Stuttgart besuchen.«

»Nein, nein«, erwiderte Felix schnell. »Nicht nötig, mir wird's schon nicht langweilig.«

Seine Mutter machte noch ein paar Vorschläge: Er könnte mit der Gemeindejugend wegfahren oder die Kusine im Schwarzwald besuchen. Aber Felix lehnte alles ab: «Nein, nein, besten Dank. Ich bleib lieber hier. Ich hab was mit Peter vor. Uns wird's nicht langweilig, ganz sicher.«

»Und darf ich wissen, *was* ihr vorhabt?«

Felix druckste herum. »Nichts Besonderes. Ein bisschen arbeiten.«

»Arbeiten in den Ferien? Was soll das denn geben?«, fragte sein Vater. »Hat das vielleicht damit zu tun, dass du reich werden willst?«

Felix wurde rot und berichtete seinen Eltern alles, was er und Peter am Nachmittag in der Ziegelei besprochen hatten. Als er fertig war, pfiff der Vater anerkennend: »Ein richtiger Plan. Alle Achtung.«

Alle Achtung – das war für seinen Vater schon ein gewaltiges Lob, fand Felix. Dafür machte seine Mutter nun ein bedenkliches Gesicht.

»Ich weiß nicht, ob es gut ist, wenn zwölfjährige Jungen schon der Profitsucht verfallen. Bloß weil die Väter nicht mit Geld umgehen können ...«

»Aber Renate«, sagte sein Vater. »Jetzt übertreib mal nicht. Ich finde es gut, wenn Felix sich schon früh an Arbeitsdisziplin gewöhnt. Und ein wenig Gewinnstreben kann auch nicht schaden. Mir gefällt euer Plan sehr gut, Felix. Vielleicht bist du in diesen Dingen ja einmal geschickter als wir.«

Seine Mutter räusperte sich, dann sagte sie: »Wenn's denn unbedingt sein muss, könntest du wenigstens mit unserem Rasen anfangen. Der hätte es schon lange mal wieder nötig.«

»Toll, mach ich gleich morgen. Ich könnte auch noch mit

anderen Dingen Geld verdienen, zum Beispiel könnte ich mein Zimmer aufräumen, Staub wischen, einkaufen gehen ...«

»Oh, oh, oh«, rief seine Mutter da. »Die Profitgier greift schon um sich! Nein, mein lieber Sohn. Für Pflichterfüllung gibt's bei uns kein Geld. Sonst verlange ich demnächst fünf Mark fürs Abendessen. Von jedem von euch. Und fürs Wäschewaschen und Bügeln auch. Wollt ihr in unserem Haus die Raffgesellschaft einführen?«

Felix fragte sich, was wohl eine »Raffgesellschaft« sein könnte, wollte der Frage aber lieber nicht auf den Grund gehen.

»Du, Papa, mögen Mädchen eigentlich nur reiche Männer?«

Sein Vater sagte gar nichts, dafür prustete seine Mutter los. »Wie kommst du denn auf die Idee?«

»Hat Peters Bruder gesagt.«

»Der hat Nerven. Ich will dir mal was sagen. Wenn Mädchen nur reiche Männer mögen würden, dann gäbe es dich gar nicht, mein Sohn. Als ich deinen Vater kennen lernte, war der arm wie eine Kirchenmaus. Der konnte mich nicht mal nach dem Kino zum Essen einladen. Ich glaube, wenn ich nicht damals schon Bücher übersetzt hätte, wären wir als Studenten glatt verhungert. Nein, nein, das mit den reichen Männern solltest du dir aus dem Kopf schlagen. Und überhaupt«, fügte sie jetzt ernst hinzu, »dein Vater hat dir erlaubt, dass du mit Peter zusammen Geld verdienst. In Ordnung. Aber merk dir, was ein amerikanisches Sprichwort sagt: *Money can't buy happiness.* Das heißt: Man kann sein Glück nicht kaufen. Das solltest du dir hinter die Ohren schreiben. Und du auch, Gerold.«

»Das musst ausgerechnet du sagen«, erwiderte sein Vater.

Felix spürte, dass schon wieder ein Streit in der Luft lag. Deshalb warf er schnell ein: »Was für Männer mögen Frauen dann?«

31

Frau Blum sah ihrem Mann tief in die Augen, dann sagte sie: »Männer sollen fürsorglich sein, aufmerksam, hilfsbereit, intelligent, zärtlich, gut aussehend ... Und sie sollten wissen, was sie wollen.«

»Sollen sie Geld wollen?«

»Ich hasse Männer, die nichts als Geld im Kopf haben. Männer sollen eine Ahnung davon haben, wozu sie überhaupt auf der Welt sind.«

Felix wunderte sich. Wenn es so war, wie seine Mutter sagte, warum beklagten seine Eltern sich dann immer über das fehlende Geld? Aber er behielt seine Gedanken lieber für sich.

Inzwischen war es dämmrig geworden und Felix wollte zu Bett gehen. Er stand schon an der Schwelle der Terrassentür, da rief ihn sein Vater noch einmal zurück. »Ach, übrigens ...« Er drehte die Augen bedeutungsvoll in den Abendhimmel. »Wenn man ins Geschäftsleben einsteigen will, dann sollte man tunlichst nicht mehr schwarz fischen. Die Leute mögen nämlich nur ehrbare Kaufleute.«

Felix spürte, wie seine Ohren dunkelrot wurden.

»Woher ich das weiß, willst du jetzt sicher wissen. Nun, dein Vater ist Journalist. Informiert sein ist mein Beruf. Und kurz vor Redaktionsschluss kam heute der alte Becker in unsere Lokalredaktion gestürmt. Es seien wieder Fischdiebe im Forst unterwegs und die hätten sogar zwei seiner Forellen im Wald gebraten. Und gegrölt hätten sie. Die Stadtverwaltung müsse endlich was gegen das Gesindel unternehmen. Und um den Leuten Beine zu machen, sollten wir einen Artikel darüber schreiben. Sonst werde er das Problem mit seiner Schrotflinte lösen. Die Kollegen vom Lokalen haben ihn dann weggeschickt. Wegen zwei Forellen in Alufolie schreibt man noch keinen Artikel. Aber als ich nach Hause kam und alles roch wie in einer Räucherkammer, da habe ich so meine Schlüsse gezogen. Im Ernst, wenn du dabei erwischt wirst, dann kriegst du einen Riesenärger, und zwar nicht nur mit deinen Eltern. Also lass das lieber in Zukunft.«

Felix stammelte etwas von wegen: Er selbst habe ja gar nicht gefischt, aber sein Vater ließ das nicht gelten.

»Der Hehler ist so gut wie der Stehler. In diesen alten Sprichwörtern steckt viel Wahrheit ...«

»Ja, und ich kenne auch eins«, wollte Felix eigentlich sagen, »Eigentum ist Diebstahl.« Aber er ließ es dann doch lieber bleiben. Sein Vater redete so von oben herab. Das bedeutete, dass er jetzt unberechenbar war.

»Und noch etwas, mein Sohn. Es ist eine schwere Sünde, Forellen zu braten, wenn man nicht die richtigen Zutaten hat. Ohne zerlassene Butter schmecken die doch gar nicht. Und Mandelplättchen braucht man und ein Stück Zitrone. Wer Geschäftsmann werden will, muss auch Lebensart haben.«

Felix lächelte erleichtert. Er war eigentlich gar nicht so übel, sein Vater. Jedenfalls manchmal.

3. KAPITEL

Der Kunde ist König

Am nächsten Nachmittag hing am schwarzen Brett in der Tankstelle von Familie Walser ein neuer, blütenweißer Zettel, auf dem stand:

Wir mähen Ihren Rasen für fünf Mark.
Peter Walser, Felix Blum. Tel. 21 99 67 / 34 56 70

Felix hatte den Zettel auf dem Computer geschrieben, der in ihrem Dachzimmer stand und an dem seine Mutter immer arbeitete, wenn sie Bücher aus dem Englischen übersetzte.

Ihre ersten fünf Mark verdienten sie sich noch am selben Tag im Garten der Familie Blum. Sie waren gerade damit fertig und ruhten sich bei einem Glas Eistee auf der Terrasse aus, da klingelte das Telefon.

»Jetzt staune ich aber wirklich,« sagte Frau Blum, als sie nach draußen kam. «Das war Frau Doktor Gabriel. Sie hat euren Zettel beim Tanken gelesen und aus der Praxis angerufen. Sie sagt, dass ihr gleich mit ihrem Rasen anfangen könnt. Der Rasenmäher steht im Schuppen, die Tür ist offen.«

»Na bitte«, sagte Peter. »Werbung!«

Die beiden gingen hinüber in den Garten von Frau Gabriel. Der hatte die Arbeit eines Gärtners wahrlich nötig: Die Ligusterhecke war schon seit Jahren nicht mehr geschnitten worden, an der Terrasse gediehen junge Brennnesseln, an Stelle des Rasens prangte eine Löwenzahnwiese in leuchtendem Gelb. Felix zog die knarrende Holztür auf und sah gleich, dass die fünf Mark hier schwer zu verdienen sein würden. Der Rasenmäher war ein großes, verrußtes Ungetüm. Als sie ihn hervorzogen, stürzte ein Stapel leerer Obstkisten über ihnen zusammen und Spinnweben klebten ihnen im Gesicht.

»Das fängt ja gut an«, meinte Peter. »Ich glaube, wir verlangen eine Schmutzzulage. So ein Saustall.«

»Kein böses Wort über unsere Kunden«, sagte Felix.

»Ja, ich weiß. Der Kunde ist König. Egal, wie verrückt er ist.«

Felix versuchte das Ungetüm in Gang zu setzen. Aber das erwies sich als gar nicht so einfach: Jedes Mal, wenn er am Starterkabel zog, gab das Gerät nur ein klägliches »Blubb« von sich.

»Lass mich mal«, sagte Peter, drehte den Rasenmäher um, stellte ihn wieder hin, schraubte einen Deckel ab und stöhnte: »Kein Benzin! Na, die verehrte Frau Zahnklempnerin hat ja Nerven. Zum Glück ist sie an zwei Fachleute geraten.«

Peter rannte zur Tankstelle hinunter und kam nach zehn Minuten mit einem Benzinkanister wieder. Sie füllten den Inhalt in den Rasenmäher und tatsächlich – das Ungetüm fing an zu knattern. Felix schob es nun entschlossen den Hang hinauf, säbelte gnadenlos Löwenzahn und Gänseblümchen um und rauschte in die jungen Brennnesseln hinein. Das Ungetüm ratterte und rauchte. Dabei kam es Felix vor, als rauche die Maschine immer mehr, je länger sie arbeiteten.

Plötzlich gab es einen gewaltigen Knall, aus dem Motor stieg eine große, schwarze Rauchwolke auf, dann kamen noch zwei oder drei klägliche Jauler, schließlich war alles still. Felix starrte erschrocken erst auf das rauchende Etwas vor ihm und dann auf den halb gemähten Rasen.

»Bist du sicher, dass du das Benzin in die richtige Öffnung gefüllt hast?«, fragte er seinen Freund.

»Na hör mal, für wen hältst du mich? Die geizige alte Ziege soll uns nicht so ein Schrottgerät hinstellen! Selber schuld, wenn es kaputtgeht. Als ob sie nicht genug verdienen würde. Ein Schmerzensgeld steht uns zu, jawohl.«

Frau Blum kam herübergerannt, weil sie den Knall gehört hatte. Als sie die Bescherung sah, schüttelte sie nur verwundert den Kopf. Sie ging weg, um zu telefonieren, und kehrte bald darauf mit einem merkwürdigen Grinsen um die Mundwinkel zurück.

»Es gibt eine Regel, die sollten alle Geschäftsleute beherzigen«, so fing sie umständlich an. »Halte nie andere Menschen für dümmer als dich selbst! Wisst ihr, was Frau Doktor Gabriel gesagt hat? Was, hat sie gesagt, die haben das alte Ungetüm herausgeholt? Aber warum denn? Die Kiste ist doch seit zehn Jahren nicht mehr benutzt worden. Ein Glück, hat sie gesagt, dass der Motor nicht in die Luft geflogen ist. Und warum ihr nicht den neuen Rasenmäher genommen hättet, der gleich rechts am Eingang steht. Und was sagt ihr jetzt, meine Herren?«

Felix hasste es, wenn Erwachsene ironisch wurden, und sagte gar nichts.

»Ach, und noch was: Wenn ihr es schafft, das Ungetüm auf den Schrottplatz zu bringen, könnt ihr euch nochmals fünf Mark verdienen, sagt Frau Doktor Gabriel.«

Später, als der Garten gemäht und der alte Rasenmäher beim Schrotthändler unten in der Talstraße war, stellte Peter fest: »Aber blöd ist sie doch. Das dämliche Ding so in unser Blickfeld zu stellen.«

Ansonst konnten Peter und Felix mit dem ersten Tag des Reichwerdens zufrieden sein: fünfzehn Mark. Felix stellte insgeheim schon Rechnungen an. Das Jahr hatte 365 Tage, und wenn sie an jedem Tag fünfzehn Mark verdienten, dann waren das ... 5475 Mark. Und am Abend riefen sogar noch zwei weitere Kunden an: eine unbekannte Frau aus der Unterstadt und der Musikalienhändler Adam Schmitz.

*

36

Adam Schmitz gehörte zu einer merkwürdigen Sorte Mensch, die es wohl in jeder Stadt gibt: Jeder kannte ihn, aber keiner wusste etwas über seine Herkunft, seine Familie, seine Eigenheiten. Schmitz lebte in einem der ältesten Fachwerkhäuser in der Unterstadt; im Erdgeschoss war sein Musikgeschäft, in der ersten Etage wohnte er – alleine. Hinter dem Haus war ein großer Obstgarten, der direkt an den Krebsbach grenzte. Früher hatten Felix und Peter sich dort manchmal Äpfel und Kirschen »ausgeliehen«, wie Peter das nannte, aber zum Glück waren sie nie dabei erwischt worden.

Felix fand Herrn Schmitz und seinen Laden immer ein wenig unheimlich. Alle paar Wochen musste er dorthin, etwa um neue Blättchen für seine Klarinette zu kaufen, neue Noten oder Notenpapier. Man trat durch eine niedrige, altmodische Tür in einen düsteren Ladenraum; der war voll gestellt mit Trompeten, Saxophonen, Liederbüchern und einem riesigen Schlagzeug. Die Fußbodendielen knarrten, wenn man an die Ladentheke trat, hinter der Herr Schmitz mit seiner Nickelbrille und seinem grauen Bart auf die Kunden wartete. Wenn er sich aufregte, etwa weil sich in seinem Laden ausnahmsweise einmal eine Schlange bildete, dann stotterte Herr Schmitz, nicht viel, aber doch so, dass einige Kinder ihn deshalb als »Schascha-Schmitz« verspotteten. Felix hatte diesen Spitznamen auch einmal seinem Vater gegenüber benutzt und sich damit einen solchen Anpfiff eingehandelt, dass er ihn seither nicht mehr in den Mund nahm.

Adam Schmitz war nicht nur Musikalienhändler, er spielte auch Tenorsaxophon bei den *Schönstadt All Stars*, der besten, weil einzigen Big Band in der Stadt. »Hinreißend« spiele der Schmitz, sagte Patricia, Peters Schwester, nach dem Schulfest im Kant-Gymnasium, bei dem die *All Stars* aufgetreten waren.

Bei diesem Herrn Schmitz also sollten die beiden Jungen am Donnerstag nach der Schule den Rasen mähen. Ein Glockenspiel klingelte, als sie die ewig klemmende Tür zu dem Musikladen aufstießen. Das Klingeln war eigentlich überflüssig, denn das Knarren der Dielen hätte sicher ausgereicht, um Kundschaft anzukündigen. Herr Schmitz trat aus dem Hinterzimmer an die Ladentheke, verschränkte die Arme und blinzelte die Jungen über den Rand seiner Brille an.

»Aha, die beiden Herrschaften von der Gartenbaufirma«, sagte er mit ausgesuchter Höflichkeit. »Ich bitte doch, mir zu folgen.« Dann gingen sie alle drei durch das Hinterzimmer und eine Steintreppe hinunter, wo Herr Schmitz eine Holztür zum Garten öffnete. Der war völlig verwildert. Heckenrosen wucherten an der Hauswand, Brombeerranken durchzogen die Büsche. Zwischen dem jungen Löwenzahn standen noch vertrocknete Stauden aus dem letzten Jahr; um diesen Garten hatte sich offensichtlich schon lange keiner mehr gekümmert.

»Hier, diese Holzhütte, das ist ein alter Hühnerstall«, sagte Herr Schmitz. »Da ist der Rasenmäher drin.«

Peter maß das Grundstück mit den Augen ab und sagte dann, wobei er sehr fachmännisch tat: »Das Grundstück ist aber sehr groß. Ich weiß nicht, ob wir das für fünf Mark schaffen.«

Herr Schmitz blinzelte über seine Brille hinweg: »Kostenvoranschlag* ist K-kostenvoranschlag.« Und weg war er.

»K-k-klugscheißer«, äffte ihn Peter halblaut nach, als er den Rasenmäher in Gang setzte.

Er war noch immer schlechter Laune, als sie fast zwei Stunden später triefend und mit hochrotem Kopf in das Hinterzimmer gingen, um ihren Arbeitslohn abzuholen.

Dieser Raum glich einer Höhle: Die Wände waren bis unter die Decke voll gepackt mit Büchern und Noten und auch auf dem Schreibtisch türmten sich Berge von Papier. Mittendrin stand Herr Schmitz vor einem Notenpult und übte Tenorsaxophon. Es war eine leichte und ein wenig traurige Melodie, die Felix irgendwo schon mal gehört hatte. Das ganze Zimmer duftete süßlich, was offenkundig mit der großen Tüte Popcorn zusammenhing, die halb ausgeschüttet auf einer freien Ecke des Schreibtisches lag.

»Oje, oje, das war wohl doch etwas viel für z-zwei so junge Herren«, sagte Herr Schmitz, nachdem er sein Saxophon abgesetzt hatte. Er blinzelte den beiden entgegen, ging an seinen Kühlschrank und holte eine große Flasche Limonade heraus.

«Kennt ihr das Lied, das ich gerade gespielt habe?«, fragte er, während er zwei große Gläser füllte, die er den beiden reichte. »Es heißt *Girl from Ipanema* und ist zur Zeit mein Lieblingslied: Baam-ba-bam-ba-baam-ba-bamba ... Geschrieben für eine junge Brasilianerin. Sie wurde auf diese Weise unsterblich. Baamba-baam-ba-baam ... Aber ihr seid ja wegen etwas ganz anderem hier. Ich fürchte fast, fünf Mark waren ein bisschen wenig für diese Arbeit, stimmt's?«

»Na ja ...«, sagte Felix.

»Stimmt«, sagte Peter und blickte sehnsüchtig nach der Popcorn-Tüte.

Herr Schmitz drückte Felix einen Zwanzigmarkschein in die Hand. Aber Felix kam gar nicht dazu, sich zu bedanken, denn nun fing der Musiker Peters Blick auf. »Ach, ich bin ja so z-zerstreut. B-bitte nehmt euch doch. P-popcorn ist mein Lieblingsgericht. Eures auch?«

Sie kauten eine Zeit lang in stiller Eintracht, dann sagte Herr Schmitz: »Was wollt ihr eigentlich mit dem vielen Geld machen, das ihr jetzt verdienen werdet? Die Urlaubskasse aufbessern? Oder soll ich lieber nicht fragen?«

»Klar dürfen Sie fragen«, sagte Felix, aber er war sich nicht ganz sicher, ob das stimmte. »Urlaub ist nicht drin in diesem Jahr. Wir bleiben zu Hause, alle beide.«

»Dann wollt ihr euch wohl was kaufen: eine elektrische Eisenbahn, Computerspiele ... Wie wär's mit einem Musikinstrument? Ich hätte da ein paar interessante Angebote ...«

»Nein, danke. Wir wollen einfach so Geld verdienen, für später.«

»Sagt bloß, ihr wollt reich werden?«

Felix schluckte, aber Peter sagte: »Klar wollen wir reich werden, steinreich.«

»Sieh an, sieh an. Eine hochinteressante Tätigkeit, das Reichwerden, pardon: das Steinreichwerden. Dafür könnte ich mich auch noch interessieren. Und wozu wollt ihr denn nun reich werden? Ihr seid ja noch ziemlich jung, wenn ich das mal sagen darf.«

»Mädchen mögen reiche Jungs«, meinte Peter. »Und überhaupt – Geld zu haben kann doch nicht schaden ...«

Herr Schmitz lachte laut auf, verschränkte die Arme und blinzelte wieder über den Rand seiner Brille. »M-mit den M-mädchen, das ist ein interessanter Gedanke. Aber sagt mal: Bis wann wollt ihr denn reich geworden sein? Wenn ihr immer nur für fünf Mark Rasen mäht, dann dauert das doch ziemlich lange ...«

»Wir wollten halt mal mit irgendwas anfangen«, sagte Felix. »Vielleicht fällt uns noch mehr ein, dachten wir uns.«

»Vielleicht erhöhen wir die Preise«, sagte Peter. »Alles andere wird ja auch immer teurer.«

»Könnt ihr machen. Falls der Markt * höhere Preise hergibt.«

»Falls wer sie hergibt?«, fragte Felix.

»Der Markt. Wisst ihr nicht, was der Markt ist?«

»Ich kenne nur den Kartoffelmarkt«, sagte Peter.

»Und den Wochenmarkt am Samstag«, fügte Felix hinzu. »Und mein Vater erzählt immer was von der Marktwirtschaft *. Aber was hat das mit uns zu tun?«

»Ich finde, so etwas müssten die Kinder heute schon in der Schule lernen. Wenn ihr noch Zeit habt, kann ich da vielleicht ein bisschen nachholen. Wie wär's mit einem kleinen Grundkurs in Wirtschaft?«

»Wenn's beim Reichwerden nützt«, sagte Peter.

»Ich denke schon. Jedenfalls habe ich noch nicht erlebt, dass es jemandem geschadet hätte, etwas von Wirtschaft zu verstehen. Was also ist der Markt? Nehmen wir den Kartoffelmarkt. Jeden Samstag kommen Bauern, Gemüsehändler, Würstchenbrater und Marktfrauen aus dem ganzen Landkreis zusammen, um hier ihre Waren anzubieten: Kartoffeln, Kohlköpfe, Eier, frisch geschlachtete Hühner und was weiß ich noch alles. Sie bieten etwas an – oder man kann auch sagen: Sie stellen das Angebot * bereit.«

»Logisch. Aber was hat das mit uns zu tun?«, fragte Felix.

»Abwarten. Am Samstag gehen aber nicht nur die Anbieter auf den Markt, sondern auch die Leute, die etwas einkaufen wollen, die Hausfrauen zum Beispiel ...«

»... oder die Kinder von den Hausfrauen, die samstags immer einkaufen müssen ...«

»... und alle wollen etwas haben, das heißt, sie fragen die

41

Marktfrauen, ob es bei ihnen das gibt, was sie brauchen. Deshalb sagt man auch: Sie fragen etwas nach, oder: Sie bilden die Nachfrage.«

»Ich kenn das«, sagte Felix. »Besonders an dem Stand mit dem biologischen Gemüse, da herrscht immer eine furchtbare Nachfragerei.«

»Genau. Und jetzt kommt der nächste Schritt: Was passiert auf dem Markt? Ich will es euch an einem Beispiel erklären. Wisst ihr, was ein Ei kostet?«

»Mittlere Größe, braun, von frei laufenden Hühnern, solche habe ich letzten Samstag für 40 Pfennig das Stück gekauft.«

»Gut, also 40 Pfennig. Jetzt stell dir vor, ein Bauer käme und verkaufte seine Eier für eine Mark das Stück.«

»Die würde ich nicht kaufen. Da wär ich ja schön blöd.«

»Und jetzt stell dir einen Bauern vor, der seine Eier für einen Pfennig verkaufen würde.«

»Dem würde ich alle Eier abkaufen und sie dann für 40 Pfennig weiterverkaufen«, sagte Peter.

»Siehst du, und weil alle so denken wie du, Peter, werden die Eier von frei laufenden Hühnern eben für 40 Pfennig verkauft. 40 Pfennig sind der Marktpreis. Bei diesem Preis wird der Markt geräumt, wie man auch sagt. Es gibt bei diesem Preis keinen Bauern, der auf seinen Eiern sitzen bleibt, es gibt aber auch keine Hausfrau, die keine Eier mehr bekommt.«

»Meine Mutter sagt aber, wenn man am Samstag zu spät auf den Markt kommt, hat der Fischhändler keine frischen Forellen mehr. Hat dann der Marktpreis nicht gestimmt?«

»Doch. Denn der Fischhändler weiß ja nicht genau, wie viel Leute an einem bestimmten Tag bei ihm einkaufen. Da er aber eine sehr verderbliche Ware hat, geht er auf Nummer sicher und nimmt nur so viele Fische mit auf den Markt, wie er wohl auf jeden Fall verkaufen wird. Sicherheitshalber.«

»Okay«, sagte Peter. »Aber wir wollen doch keine Eier verkaufen und auch keine Fische.«

»Aber auch ihr bietet auf einem Markt etwas an. Und zwar bietet ihr die Dienstleistung des Rasenmähens an.«

»Und wo wäre unser Markt?«, fragte Felix.

»Heutzutage braucht ein Markt für die meisten Waren gar keinen bestimmten Ort mehr. Deshalb ist der Markt eigentlich überall. Es genügt oft schon ein Telefon, um Angebot und Nachfrage zusammenzubringen. Oder ein Zettel am schwarzen Brett der Tankstelle. Es gibt Märkte für alles nur Erdenkliche: für Musikinstrumente, für Haareschneiden, für Arbeit, Geld – und eben auch für Rasenmähen. Und immer gibt es auch einen Marktpreis.«

»Aber das mit den fünf Mark haben wir doch einfach nur geraten«, sagte Felix.

»Dann habt ihr offensichtlich richtig geraten. Sonst hättet ihr ja keine Nachfrager gefunden wie mich. Außerdem habt ihr ja, soviel ich weiß, auf dem Schönstädter Markt das Monopol* für Rasenmähen. Das heißt: Ihr seid die einzigen Anbieter. Deshalb seid ihr in eurer Preisgestaltung freier, als wenn es noch einen zweiten Anbieter gäbe.«

»Wehe, wenn es einer wagen sollte«, sagte Peter.

»Solange ihr die Einzigen auf dem Markt seid, könnt ihr vielleicht mal eine Preiserhöhung versuchen. Ich würde mir das aber genau überlegen. Mit Preiserhöhungen verärgert man Kunden. Und verärgerte Kunden sind bald keine Kunden mehr. Glaubt mir, ich hab da Erfahrung.«

»Klingt, als ob Sie wirklich was davon verstehen«, sagte Peter.

»K-kann schon sein«, antwortete Herr Schmitz geschmeichelt.

»Haben Sie so was studiert? Ich dachte immer, Sie seien Musiker.«

»Bin ich auch. Aber mein V-vater war der Meinung, dass Musiker k-kein anständiger Beruf sei, und deshalb wollte er, d-dass ich was Anständiges lerne. Also habe ich einen Abschluss als Volkswirt gemacht. Aber das ist eine andere G-geschichte.«

»Und was sollen wir nun Ihrer Meinung nach tun, um mehr zu verdienen?«, fragte Peter. »Preiserhöhungen sind zu riskant, ohne Preiserhöhungen geht es aber zu langsam.«

»Vielleicht könnt ihr ja noch etwas anderes machen als Rasenschneiden?«

»Aber was? Wir haben weder Eier noch Fische zu verkaufen.«

»Denkt euch was aus. Es muss gar nichts Besonderes sein; es kommt nur darauf an, dass eine Nachfrage vorhanden ist und dass möglichst noch niemand auf dieselbe Idee gekommen ist. Ein berühmter Wirtschaftswissenschaftler hat dies mal am Beispiel von Wasser erklärt, dem gewöhnlichsten aller Produkte. Stellt euch eine Oase in der Wüste vor, mit einer Quelle. Sprudelt die Quelle so reichlich, dass das Wasser für alle Bewohner reicht, dann hat das Wasser keinen Wert. Es schmeckt zwar köstlich und ist überlebenswichtig, da es aber im Überfluss vorhanden ist, könnte niemand durch den Verkauf von Wasser Geld verdienen.«

»Klar, jeder kann sich ja selbst davon nehmen«, sagte Felix.

»Genau. Nun kommt aber alle paar Monate eine große Karawane in die Oase und es leben für einige Tage dreimal so viele Menschen dort wie gewöhnlich. Plötzlich wird das Wasser knapp, es bekommt einen Wert und die Bewohner der Oase können mit dem Wasserverkauf Geld verdienen. Wichtig ist es, dass die Nachfrage groß ist und das Angebot begrenzt. Dann kann man mit etwas ganz Einfachem Geld verdienen.«

»Aber was können wir denn anbieten, wofür es eine große Nachfrage gibt?«, sagte Felix. »Das meiste machen die Erwachsenen doch selbst: Staub saugen, Fahrrad putzen, Hecken schneiden, Katzen füttern, Kochen, Schuhe putzen,...«

»Das wär doch was: Schuhe putzen«, sagte Herr Schmitz.

»Kommt nicht in Frage«, sagte Peter. »Das hat Felix nur so dahin gesagt. Ich putze ja noch nicht mal meine eigenen Schuhe.«

»Aber in Amerika gibt es an jeder Straßenecke Schuhputzer. Das wäre doch ein Markt.«

In diesem Augenblick ging drüben im Laden die Klingel und Herr Schmitz verließ das Zimmer.

»Schuhe putzen – so ein Quatsch«, brummte ihm Peter hinterher.

Felix sah sich gedankenverloren in dem voll gestopften Zimmer um. Überall, auf dem Schreibtisch, dem Fußboden, selbst auf der Fensterbank stapelten sich Bücher. Das Fenster zum Garten war offensichtlich schon lange nicht mehr geöffnet worden; zwischen dem Griff und einem Bücherregal hatte eine Spinne feine Fäden gesponnen, die im Sonnenlicht glänzten. In dem Regal entdeckte Felix ein Foto in einem altmodischen Holzrahmen. Es zeigte einen Mann mit schwarzem Bart und neben ihm eine junge Frau, die ein Baby im Arm hielt. Der Mann sah aus wie eine jüngere Ausgabe von Herrn Schmitz.

»Siehst du, ich habe auch mal eine Familie gehabt«, sagte Herr Schmitz hinter ihm. Felix hatte gar nicht gemerkt, dass er wieder zurückgekehrt war.

»Ist Ihre Familie denn tot?«, fragte er.

45

«Nein, das nun auch wieder nicht. Jule, meine Frau, fand, dass ich mich mehr für mein Saxophon interessiere als für sie. Vielleicht hatte sie damit nicht einmal so Unrecht. «

»Und wo ist Ihre Frau jetzt?«, fragte Felix.

»In F-frankfurt. Mit unserer Tochter Sarah. Die ist jetzt zwölf Jahre ...«

»Genau wie wir«, sagte Felix.

»Sieh mal an, was für ein Zufall. Aber das ist eine andere Geschichte ... Wo waren wir stehen geblieben?« Herr Schmitz hatte eine neue Tüte Popcorn mitgebracht und stellte sie auf den Tisch.

»Schuhputzen ist jedenfalls nicht drin«, sagte Peter.

»Aber einkaufen. Ich finde einkaufen ganz witzig«, sagte Felix. »Zum Beispiel am Samstag auf dem Kartoffelmarkt.«

»Und ich fände es traumhaft, wenn ich morgens zum Frühstück frische Brötchen hätte, ohne erst zu Bäcker Mühlbach rüberlaufen zu müssen«, meinte Herr Schmitz.

»Man müsste also den Bäcker Mühlbach fragen, ob er nicht jemanden braucht, der ihm Brötchen ausfährt«, sagte Peter.

»Das ist doch eine tolle Idee«, sagte Herr Schmitz. »Mir scheint, von euch beiden wird man noch hören. Bäckerjungen, das hat es in Schönstadt sicher seit vierzig Jahren nicht mehr gegeben.«

»Meinst du denn, das können wir?«, wandte sich Felix an Peter. Er begann wieder Angst vor seiner eigenen Idee zu bekommen.

»Sei kein Angsthase«, sagte Peter. »Wir machen das. Im ganz großen Stil. Bäckerjungen, das ist doch viel besser als Schuhputzer.«

»Aber wir müssen doch in die Schule!«

»Wir werden eben nur samstags und sonntags Brötchen ausfahren, dann, wenn die Erwachsenen sowieso ausschlafen wollen. Du wirst sehen, das haut rein.«

»Wenn du meinst.«

Sie verabschiedeten sich von Herrn Schmitz und verließen das Geschäft durch die klemmende Eingangstür. Draußen auf der Straße sagte Peter: »Hab ich's nicht gesagt? Wir werden reich! Und wenn's klappt, kriegt der Schmitz von uns was ab. Eine Million oder so.«

»Man soll das Fell des Bären nicht zerlegen, ehe man ihn gefangen hat. Sagt mein Vater.«

*

An diesem Abend fand Felix seinen Vater mit finsterster Miene zu Hause vor. Gerold Blum setzte sich an den Abendbrottisch und schwieg. Er fragte Felix nicht, wie es in der Schule gewesen war, er redete auch mit seiner Frau nicht, sondern kaute nur stumm vor sich hin.

Irgendwann traute sich Felix zu fragen: »Papa, hast du dich über mich geärgert?«

»Nein, nein, Felix. Das hat nichts mit dir zu tun, wirklich. Nur ein bisschen Ärger bei der Arbeit.«

Felix' Mutter schüttelte den Kopf und sagte: »Gerold, dein Sohn ist kein Baby mehr, sondern fast ein junger Mann. Also red schon.«

»Mama hat wohl Recht. Ja, ich habe Ärger in der Redaktion, sehr großen Ärger sogar. Einen Ärger, von dem ich bis heute glaubte, dass ich ihn nie erleben würde. Erinnerst du dich noch, als du mich vor ein paar Tagen in der Redaktion besucht hast.

Da telefonierte ich doch mit dem Mann von *Pulp und Co.*«

»Genau, wegen dem Fischsterben im Krebsbach.«

»Ja. Und inzwischen haben wir auch Beweise dafür, dass *Pulp und Co* wirklich zu viel Schadstoffe abgelassen hat. Ein Ingenieur hat Gewissensbisse bekommen. Er hat beim *General-Anzeiger* angerufen und war bereit, alles zu erzählen, wenn wir niemandem sagen, von wem wir es haben. Er hat uns sogar die Aufzeichnungen aus der Firma gezeigt.«

»Aber das ist doch toll, jetzt hast du endlich deinen Artikel schreiben können. Dann steht dein Name morgen mal wieder auf der ersten Seite des *General-Anzeigers*«.

»Eben nicht. Herr List hat nämlich angeordnet, dass mein Artikel über *Pulp und Co* nicht gedruckt wird.«

»Waas? So eine Unverschämtheit!«

Fritz List, das war der Chefredakteur des *General-Anzeigers*. Er hatte, so weit Felix wusste, noch nie etwas an seinem Vater auszusetzen gehabt. Und umgekehrt auch nicht.

»Fand er den Artikel denn so schlecht?«, fragte Felix.

»Dazu hat er gar nichts gesagt. Aber er meinte, dass wir uns derartige Artikel zur Zeit nicht leisten könnten.«

»Wieso denn das?«

»Herr List sagt, dass *Pulp und Co* regelmäßig Anzeigen im *General-Anzeiger* veröffentlicht. Und dass die Papierfabrik der wichtigste Arbeitgeber* im Ort ist. Und dass der Chef der Fabrik, Herr Schacht, in der Industrie- und Handelskammer* großen Einfluss hat. Deshalb sollen wir mit kritischen Artikeln über *Pulp* die nächste Zeit ein wenig vorsichtig sein. Und darum steht morgen nicht mein Artikel auf der ersten Seite, sondern irgendetwas darüber, wie das Wetter in diesem Sommer sein wird.«

»Und das lässt du dir gefallen, Papa?«

»Was soll ich machen? Ich kann schlecht dem Herrn List mein Manuskript um die Ohren hauen. Dann würde ich rausgeworfen und bekäme kein Geld mehr.«

»Das macht doch nichts. Dann würde Mama halt ein paar Bücher mehr übersetzen und du würdest uns das Mittagessen kochen und wärst immer zu Hause. Außerdem verdiene ich ja jetzt auch was.«

»Das ist nett von dir, Felix«, sagte sein Vater und sah ihn nachdenklich an. »Leider geht es im Leben nicht so einfach.«

Später, als Felix schon im Bett lag, setzte sich sein Vater zu ihm auf die Bettkante und hielt seine Hand, so wie früher, als er noch ein kleiner Junge war.

Felix fragte vorsichtig: »Du, Papa, ist bei dir sonst alles in Ordnung?«

»Doch, doch, sonst ist alles in Ordnung. Weißt du, für einen Journalisten ist es eine ziemlich schlimme Sache, wenn seine Artikel nicht gedruckt werden. Da wird man schon nachdenklich. Aber sonst ist alles in Ordnung, wirklich.«

4. Kapitel

Heinzelmännchen & Co

Überhaupt nichts war in Ordnung. Felix' Vater lief durch die Gegend, als sei er von einer anderen Welt. Meist sagte er gar nichts, und wenn er etwas sagte, dann blickte er dabei durch seinen Sohn hindurch. Erzählte Felix ihm etwas, dann schien er gar nicht zuzuhören. Morgens ging er mit düsterem Gesicht aus dem Haus, abends kam er ebenso finster zurück. Felix war äußerst beunruhigt.

Ein Glück, dass es genügend Dinge gab, die ihn ablenkten. Gleich am nächsten Tag waren er und Peter nämlich tatsächlich zu Bäcker Mühlbach gegangen und hatten ihn gefragt, ob sie künftig bei ihm Brötchen austragen dürften.

»Brötchen austragen? Ihr?« Herr Mühlbach hatte die beiden schräg angesehen, als wollte er sich vergewissern, dass sie ihn nicht verkohlten.

»Ja. Als Bäckerjungen«, sagte Felix. »Das gab es doch früher auch.«

»Als Bäckerjungen? Und ihr traut euch das zu?« Mühlbach fing an, mit den Fingern auf seine Verkaufstheke zu trommeln. Dann strahlte er. »Wahnsinn! Richtige Bäckerjungen! Wie in den alten Zeiten. Das wird ein Erfolg, sage ich euch, ein Erfolg! Wir verkaufen nicht nur Brot, wir verkaufen Service*.«

Herr Mühlbach rieb seine breiten, mehligen Hände und murmelte leise vor sich hin: »Das wäre, also, da müsste man ... und dann könnte man ...«

Er nahm einen Filzstift und schrieb etwas auf ein Blatt Papier, das er Felix und Peter stolz zeigte:

*Brötchen am Sonntagmorgen? Wir bringen sie Ihnen ins Haus!
Wollen Sie diesen neuen Service in Anspruch nehmen, dann
geben Sie Ihre Bestellung bitte bis Samstag 13.00 Uhr auf,
gerne auch telefonisch.
Ihr Bäckermeister Johann S. Mühlbach.*

»Nicht samstags wollen die Leute zu Hause bedient werden, sondern sonntags! Seid ihr bereit?«

»Sind wir«, sagten Felix und Peter.

*

Am Sonntag kamen Felix und Peter morgens um sieben an der Bäckerei an, gerade rechtzeitig, als Herr Mühlbach die Ladentür aufschloss. Er begrüßte sie mit lautem Hallo. Nicht weniger als 30 Bestellungen hatte er erhalten, obwohl der Zettel mit der Ankündigung gerade mal einen Tag im Schaufenster hing. Der Bäcker legte jedoch fest, dass sie nur 20 davon erledigen durften; den anderen Leuten hatte er schon abgesagt. »Mehr ist nicht drin, ihr seid ja noch Kinder«, sagte er.

Mühlbach hatte zwei große Körbe bereitgestellt. In jeden legte er zehn verführerisch duftende Tüten. Dann drückte er jedem der Jungen noch einen Zettel in die Hand mit den Adressen, an die sie die Ware ausliefern sollten. Sie machten die Körbe auf ihren Rädern fest und rauschten los.

Felix war noch nie so früh an einem Sonntagmorgen durch die Stadt gefahren. Die Amseln zwitscherten, aber sonst lag eine tiefe Stille in den Straßen. Die meisten ihrer Kunden hatten um diese Zeit noch Morgenmäntel an. Sie fanden es wunderbar, bedient zu werden, und bezahlten nicht nur ihre Brötchen, sondern gaben den Jungen auch noch Trinkgeld; die meisten eine Mark, eine Frau drückte Felix sogar ein Fünfmarkstück in die Hand. Um halb zehn waren sie mit ihrer Tour schon fertig und erhielten in der Backstube bei Herrn Mühlbach ein zweites Frühstück: gefüllte Hörnchen und Rosinenschnecken, so viel sie wollten. Für jede Lieferung gab ihnen Herr Mühlbach eine Mark. Das bedeutete, dass sie an diesem Vormittag, zusammen mit ihrem Trinkgeld, nicht weniger als 47 Mark in ihre gemeinsame Schuhschachtel stecken konnten.

Eine unglaubliche Summe für einen Tag, fand Felix.

*

So ging das bis zu den Sommerferien: Jeden Sonntagmorgen ab sieben Uhr fuhren Felix und Peter Brötchen aus, so als hätten sie nie etwas anderes gemacht. Manchmal rief auch jemand an, der seinen Rasen gemäht haben wollte. Während der Schuhkarton immer voller wurde, begannen sich die Leute im Städtchen über die beiden merkwürdigen Jungen zu wundern, die so einen Wirbel machten. »Was haben die beiden denn *noch* vor?«, sagte Basilius Löwenstein, ihr Mathematiklehrer, zu Peters Vater, als er eines Nachmittags sein Auto voll tankte. Aber der zuckte nur mit den Schultern und murmelte etwas von der heutigen Jugend und dass Herr Löwenstein als Lehrer sich da doch wohl besser auskennen müsse. Und Frau Dr. Gabriel, die Zahnärztin, sagte zu Frau Blum, ihr Sohn komme ihr fast ein wenig besessen vor. »Ja, das ist die Macht des Geldes«, antwortete Felix' Mutter. »Ich hoffe, das geht bald vorbei.«

Nicht weniger als 287 Mark hatten die beiden verdient, als sie am letzten Schultag ihre Schultaschen in die Ecken warfen. Das war schon mehr Geld, als Felix auf seinem Sparbuch hatte. Sie fühlten sich großartig: Es war Sommer und warm und die Ferien hatten begonnen. Felix war sich ganz sicher, dass sie bald richtig reich sein würden.

So weit war es natürlich noch nicht, aber Felix und Peter beschlossen trotzdem, den Ferienbeginn zu feiern. Zwanzig Mark entnahmen sie der Schuhschachtel, um sie im Eiscafé *Rialto* auf den Kopf zu hauen.

Sie radelten zum Kartoffelmarkt und schlossen die Räder am Parkverbotsschild vor der *Kreditbank* an. Stolz schritten sie die Stufen zum Eissalon hinauf, wobei Peter versuchte, ein paar Zentimeter größer zu erscheinen, als er tatsächlich war. Sie setzten sich an eines der Café-Tischchen und studierten die Eiskarte. Das hatten sie noch nie gemacht, sondern immer an der Theke ihre Eiswaffel abgeholt, so wie die anderen Kinder auch. Frau Giampieri schaute die beiden eine Sekunde lang etwas befremdet an, fragte dann aber ganz geschäftsmäßig, was sie denn gerne essen wollten. Peter nahm zwei Kugeln Nuss- und drei Kugeln Waldmeistereis, mit Sahne und Schokostreuseln. Felix bestellte das größte Nusseis aller Zeiten: sieben Kugeln.

»So werden wir später jeden Tag leben«, sagte Peter, nachdem Frau Giampieri gegangen war. Felix dachte darüber nach, wie schön das wäre, bis ihn eine Stimme aus seinen Träumen aufschreckte.

»Guten Tag, die Herren Kapitalisten. Ich hoffe, das Eis wird Ihnen munden.«

Die beiden Eisportionen wurden auf den Tisch gestellt, aber nicht von Frau Giampieri, sondern von Gianna. Felix spürte, wie seine Ohren rot wurden, und er ärgerte sich, weil er nichts dagegen machen konnte. Gianna sah umwerfend aus: Sie hatte ein paar Strähnen ihrer dunkelblonden Haare knallgrün gefärbt und mitten hinein eine rosarote Schleife gebunden. Sie trug eine enge Jeans und ein kurzes T-Shirt, das ein Stück von ihrem Bauch frei ließ. Peter und Felix waren sprachlos.

»Ihr wollt mir jetzt sicher sagen, wie ihr meine neue Frisur findet«, sagte Gianna und verschränkte die Arme.

»Ich finde sie grün«, sagte Peter. Etwas Klügeres wäre mir auch nicht eingefallen, dachte Felix.

»Soso, grün. Das ist aber eine sehr nette Antwort. Du hättest ja auch sagen können, dass du meine Haare schön findest und dass du noch nie so schöne Haare gesehen hast. Aber so was kann man von Jungen in eurem Alter ja noch nicht erwarten. Wie geht's denn so? Geschäftlich meine ich.«

»Gut geht's, siehst du ja«, sagte Felix und zeigte auf den Eisbecher vor ihm, über dessen Rand geschmolzenes Nusseis zu laufen begann. Ein bisschen großspurig kam er sich schon vor.

»Aha, ihr verprasst also euer Geld, kaum dass ihr es eingenommen habt. Wird Zeit, dass da ein anderer Wind in eure Firma kommt.«

»Wind in die Firma – wie meinst du das?«

»Ich meine, dass ihr noch nicht genug Leute habt und vor allem nicht die richtigen.«

»Und wen brauchen wir denn noch, deiner Meinung nach?«, fragte Felix misstrauisch.

»Mich.«

Gianna nutzte die Verblüffung der beiden, um sich noch herausfordernder aufzubauen. Sie stemmte die Arme in die Seiten und klopfte mit der Fußspitze auf den Boden.

»Na, habt ihr die Sprache verloren?«, fragte sie. »Ich habe euch ein interessantes Angebot gemacht und hätte wenigstens eine nette Antwort verdient, finde ich. Oder reden die Herren Kapitalisten nicht mehr mit normalen Menschen?«

»Ich weiß nicht so recht«, sagte Felix vorsichtig. «Eigentlich brauchen wir niemand ...«

»Seh ich aus wie niemand? In ein Geschäft gehört eine Frau, sagt meine Großmutter.«

»Großmütter gehören abgeschafft«, knurrte Peter.

Aber Gianna ließ sich nicht beeindrucken: »*Testa di cavolo*«, sagte sie. Dann machte sie eine Pause, vermutlich, damit die beiden fragen konnten, was dieses italienische Wort bedeute. Das taten sie aber nicht, deshalb übersetzte sie selbst: »Blödmann. So jemand wie mich findet ihr nicht so bald wieder. Rasen mähen kann ich, Brötchen ausfahren auch. Und vielleicht noch ein paar Sachen mehr, von denen ihr noch gar keine Ahnung habt. Also: Denken Sie gut nach über dieses einmalige Angebot, meine Herren. Aber denken Sie nicht zu lange. Sonst tut es Ihnen noch Leid.«

Dann rauschte Gianna davon und verschwand hinter der Theke in der Küche.

Peter und Felix blickten sich an.

»Au weia«, sagte Peter. «Eine schöne Bescherung.«

Sie löffelten ihr Eis auf. Die Hälfte davon war schon geschmolzen; sie schlürften es direkt aus den Eisbechern.

»Die spinnt«, sagte Felix leise, so dass es außer Peter niemand hören konnte.

Peter knurrte finster, dann wischte er sich mit dem Handrücken das Eis von Mund und Kinn und sagte ebenso leise: »Aber sie sieht verdammt gut aus.« Sie bezahlten bei Frau Giampieri und verließen das Eiscafé. Als sie auf ihre Räder stiegen, um zur Ziegelei zu fahren, meinte Peter noch: »Und hab ich's nicht gesagt? Mädchen mögen reiche Jungs.«

*

Die beiden Jungen rasten ins Krebsbachtal hinunter, dass ihnen der Wind nur so um die Ohren pfiff. Nachdem die Räder hinter den Holunderbüschen versteckt waren, stiegen sie die Eisentreppe zum Chefzimmer hinauf, schoben die Tür zurück – und waren vom Schlag gerührt: Auf den Obstkisten hatte sich jemand hingeflezt.

Dieser Jemand war ein Mädchen, hatte grüne Strähnen im Haar und war niemand anders als Gianna.

Nach ein paar Schrecksekunden fand Peter als Erster die Sprache wieder. »Was machst denn du hier? Und wie hast du unser Geheimzimmer gefunden?«

»Von wegen Geheimzimmer. Ihr habt ja im ganzen Krebsbachtal eure Spuren hinterlassen: das platt gedrückte Gras hinter dem Holunder, die Feuerstellen rund ums Haus ... Ich bin doch nicht so blöd wie der alte Becker, der in der ganzen Stadt herumrennt und über die Fischdiebe im Krebsbachtal schimpft und sie nicht findet. Also, wenn *ich* schwarzfischen würde, wäre ich vorsichtiger.« Gianna machte wieder eine ihrer bedeutungsvollen Pausen. Wo hatte die nur so reden gelernt?

»Habt ihr über mein Angebot nachgedacht?«

»Was ist, wenn wir nein sagen?«

»Nun ja, dann schadet ihr euch vor allem selbst. Außerdem: Die Sache mit den Fischdieben ...«

»Willst du uns erpressen?«

»Pfui, wer wird denn gleich an so was denken? Aber andererseits – die Leute stellen Fragen und es ist schon schwer, immer so zu tun, als wisse man nichts.«

»Also doch Erpressung.«

»Ich würde sagen: Wenn ich mich so anstrenge, nichts zu wissen, dann ist das schon eine kleine Gegenleistung wert.«

Irgendwie imponierte es Felix, dass Gianna so frech und

schnippisch war. Ganz abgesehen davon, dass sie ihm auch sonst ganz gut gefiel.

»Was weißt du eigentlich von uns?«, fragte er.

»Alles. Vor allem, dass ihr reich werden wollt. Und dass die Leute in der Stadt euch schon für ziemlich abgedreht halten mit eurem Getue.«

»Selber abgedreht. Außerdem: Warum willst du denn überhaupt mitmachen, wenn du uns für abgedreht hältst?«

»Wer sagt das denn? Ich halte euch nicht für abgedreht. Na ja, vielleicht ein bisschen. Aber das finde ich sogar richtig süß. Hört mal, ich will einfach auch reich werden. Eine Frau braucht Geld, dann ist sie nicht auf Männer angewiesen, sagt meine Großmutter.«

Felix warf Peter einen Blick zu, aber der tat so, als hätte er nichts gehört. Von wegen: Mädchen mögen reiche Jungs. Offenbar traf das nicht auf alle zu.

Nach einer Weile fragte Peter: »Nehmen wir mal an, wir würden dich mitmachen lassen. Was könntest du denn zu unserer Firma beitragen?«

»Ich kann arbeiten und ich würde Power in den Laden bringen. Schließlich besitze ich ein Eiscafé und bin also Geschäftsfrau. Ich verstehe ...«

»Deine Mutter hat ein Eiscafé«, warf Felix vorsichtig ein.

»Das kommt doch fast aufs selbe raus. Jedenfalls sollten wir euren Brötchenverkauf mit mehr System organisieren. Wenn ihr noch eine Arbeitskraft mehr habt, dann können alle mehr verdienen.«

»Das hat Bäcker Mühlbach auch gesagt.«

»Logisch. Außerdem sollten wir in die Eierproduktion einsteigen.«

»In die was?«, fragten Peter und Felix wie aus einem Mund.

»In die Eierproduktion. Ist doch ganz einfach. Unser Garten hinter dem Eiscafé ist riesig. Meine Mutter wollte dort mal ein Gartencafé eröffnen. Aber da ist nichts draus geworden. Jetzt ist der Garten verwildert. In unserem Geräteschuppen könnte man einen Hühnerstall einrichten und den Gartenzaun müsste man ein wenig ausbessern, das wäre alles.«

»Und wo willst du Hühner herbekommen?«, fragte Felix.

»Vom Bauern auf dem Wochenmarkt. Da gibt es einen, der hat auch Küken. Und verkaufen können wir die Eier im *Rialto*. Ein Ei bringt 40 Pfennig. Wenn wir zehn Hühner haben und jedes Huhn legt an jedem Tag ein Ei, dann sind das 28 Mark in der Woche. Das ist doch was, oder?«

Felix staunte immer mehr.

»Und noch was«, sagte Gianna. »habt ihr eigentlich eine Buchführung*?«

»Nein, was ist das?«

»Das zeige ich euch, wenn ihr mich mitmachen lasst.«

Peter sah Felix an. »Wir müssen uns zu einer Besprechung zurückziehen.« Er nahm seinen Freund am Arm, zog ihn aus dem Chefzimmer und schob die Eisentür hinter sich zu.

»Was meinst du?«, flüsterte er.

»Irgendwie gefällt sie mir.«

»Klar, mir auch. Aber rotzfrech ist sie.«

»Vielleicht ist das gut fürs Geschäft. Wahrscheinlich muss man rotzfrech sein, um reich zu werden ...«

Peter grinste: »Wenn du meinst.«

»Aber ich finde, so ganz einfach sollten wir es ihr nicht machen. Sonst weiß sie nicht, dass unsere Firma etwas Besonderes ist. So eine Art Probe ...«

»Eine Probe?« Peter kicherte. »Felix, du bist genial. Ich habe da auch schon eine Idee. Lass mich mal machen.«

Felix war einverstanden und sie schoben die Tür wieder auf.

»So, Gianna, die Verhandlungen können weitergehen. Aber in der richtigen Atmosphäre.« Peter kramte umständlich in seinen Taschen und gluckste dabei in sich hinein. Bis zu den Ellenbogen steckte sein Arm im Overall, dann zog er eine große, silberne Patrone hervor. Er schraubte den Deckel ab und hielt eine riesige, dunkelbraune Zigarre in der Hand.

»Also doch abgedreht«, sagte Gianna. »Und zwar nicht nur ein bisschen.«

»Wir werden jetzt diese wunderschöne Havanna rauchen, wie richtige Kapitalisten. Du hältst uns doch für welche.« Peter zog die Zigarre unter seiner Nase durch und schnupperte daran mit geschlossenen Augen. »Oder sollte hier jemand Angst haben?«

»*Ma stai zitto tu*«, sagte Gianna. »Quatsch nicht, sondern zünde das Ding an!«

Felix fühlte sich plötzlich sehr mulmig. Peter hätte ihm doch lieber sagen sollen, was er vorhatte. Wie es aussah, würde nun nicht nur Gianna auf die Probe gestellt, sondern auch er.

Peter nahm sein Taschenmesser, schnitt die Spitze der Zigarre ab und zündete sie an. »Das muss man so machen«, versicherte er. Bald zog ein süßer Qualm durch das Chefzimmer. Mit wichtiger Miene reichte Peter die Havanna an Felix weiter. Der nahm sie zwischen die Lippen und versuchte, die Tabakkrümel, die er plötzlich im Mund hatte, irgendwo unter der Zunge zu deponieren, so dass sie möglichst wenig störten. Er sog den Rauch mit einem tiefen Zug in sich hinein, hielt den Atem an, konnte den Hustenreiz dann jedoch nicht mehr unterdrücken und spuckte Rauch und Krümel in hohem Bogen durch das Zimmer.

Gianna lächelte weise, ohne etwas zu sagen, nahm dann die Zigarre, sog daran, blies den Rauch ganz ruhig zur Decke hoch und meinte, die Havanna schmecke nach Lehrerzimmer.

Alle lachten, aber Felix war es jetzt noch mulmiger als vorher.

»Macht ihr das immer, wenn ihr hier seid?«, fragte Gianna.

»Na ja«, sagte Peter, »nur bei besonderen Anlässen.«

»Danke«, sagte das Mädchen und widmete sich wieder der Havanna. Sie wurde dabei immer lustiger und fing an, von sich zu erzählen. Zum Beispiel, dass sich ihre Eltern schon vor vielen Jahren getrennt hatten und dass ihre Mutter und ihre Großmutter zusammen nicht nur das *Rialto* besaßen, sondern auch einen Skilift. Der war irgendwo in den italienischen Alpen. Und immer im Winter, wenn es zu kalt war zum Eisessen, fuhr Frau Giampieri in die Berge, um den Skilift zu beaufsichtigen. Gianna blieb dann solange mit der Großmutter in Schönstadt. Das sei dann immer toll, weil ihre Oma nicht versuche, sie zu erziehen, so mit Tischmanieren und so, sagte sie.

Sie redeten und rauchten. Das heißt, in Wirklichkeit redete vor allem Gianna. Felix dagegen wurde immer stiller. In seinem Bauch begann es seltsam zu rumoren. Erst war es ein ganz kleines Stechen. Dann wurde es ein ziemlich starkes Stechen. Und schließlich – Gianna fing gerade an zu erzählen, was sie alles anstellte, wenn ihre Mutter nicht in Schönstadt war – füllte das Stechen den ganzen Bauch aus. Es würde ihm die Eingeweide zerreißen, wenn er nicht sofort aufs Klo konnte, da war sich Felix sicher.

Er sprang auf, raste die Eisentreppe hinunter und schaffte es gerade noch hinter die Holunderbüsche, ehe ein Unglück passierte.

Mit ziemlich peinlichem Gefühl und roten Ohren schlich er

wieder die Eisentreppe hinauf, aber da kam ihm Peter mit verbissenem Gesicht entgegengestürzt. Er sagte kein Wort, sondern fiel fast die Treppe hinunter und verschwand draußen hinter der Tür der Ziegelei. Ein guter Freund lässt einen eben nie im Stich, dachte Felix.

»Na, das war wohl eure erste Zigarre«, sagte Gianna, als er wieder ins Chefzimmer zurückkam. »*Porca miseria*, macht euch nichts draus. Ihr werdet euch im Laufe der Jahre schon daran gewöhnen.«

»Du hast gut reden«, sagte Felix. »Warum fluchst du eigentlich immer italienisch?«

»Das will meine Mutter so.«

»Deine Mutter will, dass du fluchst?«

»Sie will, dass ich italienisch fluche. Wenn ich schon unbedingt fluchen muss, sagt sie, dann soll ich es auf Italienisch tun, damit die Deutschen es nicht verstehen.«

Felix fand, dass »porca miseria« sich sehr fluchig anhörte. Auch wenn man nicht Italienisch konnte. Vor allem aber war er froh, ohne Bauchweh dasitzen zu können und nicht mehr rauchen zu müssen.

Inzwischen war auch Peter wieder hereingekommen. Die beiden Freunde nickten einander zu und dann sagte Felix so feierlich, wie es ihm möglich war: »Gianna, willkommen bei uns. Du bist aufgenommen.«

»Das war aber eine komische Aufnahmeprüfung«, sagte sie. »Vor allem für euch.«

Felix räusperte sich. Peter holte eine Dose Cola aus seinem Overall. Die Dose kreiste zwischen ihnen. Dann fragte Gianna: »Und was machen wir jetzt?«

»Fischen«, schlug Peter vor.

»Quatsch«, sagte Gianna. »Ich will reich werden und nicht Indianer spielen. Wir beginnen mit der Buchführung.«

»Jetzt bin ich aber gespannt«, sagte Peter.

»Abwarten.« Gianna holte aus der hinteren Tasche ihrer Jeans ein zerknittertes Vokabelheft und einen Bleistift. Sie schlug das Heft auf und malte einen waagrechten Strich quer über die gesamte erste Seite.

»Buchführung heißt, dass man Einnahmen und Ausgaben immer genau aufschreibt. Ich hab bei meiner Mutter zugesehen, das ist ganz einfach. Wie viel habt ihr bisher eingenommen?«

»287 Mark«, antwortete Felix.

»Nicht übel«, sagte Gianna und trug die Zahl rechts unter der Linie ein. »Und welche Ausgaben hattet ihr bis jetzt?«

»Neunzehn Mark achtzig für das Eis.«

»Und zwei Mark fünfzig für die Zigarre. Das war eine unvorhergesehene Ausgabe.«

»Gut.« Gianna trug auch diese beiden Zahlen ein. Die Tabelle im Vokabelheft sah jetzt so aus:

Kasse

Einnahmen	287,00
Ausgaben	
Eis	- 19,80
Zigarre	- 2,50
Kasse	264,70

»Aber das hätten wir doch auch einfach durch Nachzählen rauskriegen können,« sagte Felix.

»Ich dachte, wir wollten reich werden. Wenn man mal eine Million besitzt, dann kann man nicht mehr nachzählen.«

»Das stimmt«, meinte Peter.

»Übrigens: Wo tut ihr eigentlich euer Geld hin?«

»In eine Schuhschachtel. Bei Felix«, sagte Peter.

»Eine Schuhschachtel? So ein Quatsch. Nein, wir brauchen ein Sparbuch. Sonst geht das Geld so nebenher raus, ohne dass man es merkt. Für Zigarren zum Beispiel.«

»Schon, schon. Aber ein Sparbuch bringt doch so wenig Zinsen«, sagte Felix.

»Bringt eure Schuhschachtel mehr?«

»Gut. Ein neues Sparbuch«, sagte Peter.

»Außerdem sollten wir einen Vertrag* machen.«

»Einen Vertrag, wozu denn das?«, wollte Peter wissen. »Und was ist das überhaupt?«

»Wir sind ja nun eine Firma. Und jede Firma hat einen Vertrag. Da steht alles Wichtige drin. Was die Mitglieder der Firma tun dürfen und was nicht. Bei uns müsste zum Beispiel drinstehen, dass das, was wir einnehmen, allen gehört.«

»Aber das haben wir doch abgemacht«, wandte Felix ein. «Das müssen wir doch nicht extra aufschreiben.«

»Vertrauen ist gut, Kontrolle ist besser.« Gianna nahm ihr Vokabelheft und riss in der Mitte eine Doppelseite heraus. Sie wollte gerade ihren Bleistift ansetzen, da fiel ihr noch etwas ein: »Wir haben ja gar keinen Namen für unsere Firma.«

»Brauchen wir denn einen Namen?«, fragte Felix.

»Klar brauchen wir den. Jede Firma hat einen Namen. Nur so wird man bekannt. Die Firma meiner Mutter heißt zum Beispiel *Gastronomiebetriebe Rialto OHG*.«

»Und die Papierfabrik heißt *Pulp und Co.*«

»Wir könnten uns doch *Firma Blum und Walser* nennen«, sagte Peter.

»So siehst du aus.«

»Aber *Blum und Walser und Giampieri* klingt zu umständlich.«

»Stimmt. Also brauchen wir irgendwas anderes. Es muss mit unserer Arbeit zu tun haben ...«

»*Brot und Rasen*«, schlug Peter vor.

»*Schrott und Vasen* – nein, das ist auch nichts.«

»Was haltet ihr denn von *Die Heinzelmännchen*?«, fragte Felix.

»Wie war in Köln es einst vordem mit Heinzelmännchen so bequem«, sagte Peter aus dem Gedächtnis auf.

»Heinzel*männchen*?«, rief Gianna. »Ich bin doch kein Männchen!«

»Sollen wir uns Heinzelfräuleins nennen? Nein, Heinzelmännchen kennt jeder aus dem Märchen. Ich finde Felix' Idee gut. Damit werden wir bekannt.«

»Wir können uns doch *Heinzelmännchen und Co* nennen.«

»Und ich bin dann *Co*?«

»Eben.«

»Und was heißt *Co*?«

»*Co* heißt Kompagnon, hat mein Vater mir mal erklärt. Das heißt irgendwie: die anderen.«

Gianna dachte nach. »Kompagnon, klingt gut. Vielleicht habt ihr Recht.« Dann malte sie auf ihren Zettel:

Firma Heinzelmännchen & Co
Vertrag

»Was machst du denn da für ein komisches Zeichen hinter Heinzelmännchen?«

»Das ist das Kaufmanns-Und, das haben alle Firmen. Hat mir meine Mutter gezeigt.«

»Wenn du meinst.«

Und so entstand nach langem Hin und Her ihr Firmenvertrag. Die drei redeten viel durcheinander, die meisten Ideen hatte aber doch Gianna.

> *Firma Heinzelmännchen & Co*
> *Vertrag*
> *Wir, die Unterzeichnenden, gründen hiermit die Firma*
> *Heinzelmännchen & Co zu Schönstadt. Jedes Mitglied der*
> *Firma ist verpflichtet, nach besten Kräften durch seiner Hände*
> *Arbeit das Vermögen der Firma zu wahren und zu mehren.*
> *Alles, was die Mitglieder der Firma verdienen, fließt in die*
> *Firmenkasse. Der Inhalt der Firmenkasse gehört allen.*
> *Die Mitglieder der Firma sollen sparsam sein.*
> *Sie müssen durch ihr Auftreten in Schönstadt dafür sorgen,*
> *dass keine Schande über die Firma kommt.*
> *Betriebsausgaben werden aus der Firmenkasse bestritten.*
> *Wer für eine andere Firma arbeitet, wird mit dem Ausschluss*
> *bestraft. Firmensitz ist die alte Ziegelei am Krebsbach.*
> *Verantwortlich für die Firmenkasse ist Felix Blum.*
> *Der Vorstand tritt zusammen, wenn ein Mitglied dies verlangt.*
> *Alle für einen, einer für alle!*
> *Schönstadt, am 20. Juli*
> *Gianna Giampieri, Felix Blum, Peter Walser*

Der letzte Satz stammte von Peter, er hatte ihn in einem Film aufgeschnappt und alle fanden, dass er gut zu der neuen Firma passte. Die Sache mit dem »Vorstand« fand Felix ziemlich komisch, weil ja außer ihnen niemand zur Firma gehörte, aber Gianna und Peter bestanden darauf. Eine Firma brauche einen Vorstand, außerdem könne man ja nie wissen, was alles noch passiere.

5. Kapitel

Geld ist ein Versprechen

Am Montag, ihrem ersten richtigen Ferientag, hingen schwarze Wolken über der Stadt. Es war kühl und schon am frühen Vormittag begann es zu regnen. »Ich glaube, das hört heute nicht mehr auf«, sagte Felix' Vater beim Frühstück. »Am besten wäre es, sich gleich wieder ins Bett zu legen.«

Weil sie bei diesem Wetter sonst nichts unternehmen konnten, beschlossen Felix und Peter, mal wieder Adam Schmitz zu besuchen und ihm bei der Gelegenheit Gianna vorzustellen. Wie viel Erfolg sie mit den Brötchen hatten, wusste er schon, denn an jedem Sonntag ließ er sich von ihnen welche bringen und belohnte sie mit einem großzügigen Trinkgeld.

»Sieh an, sieh an, ihr vergrößert euch schon.«

»Ja, wir haben eine Firma gegründet.«

»*Heinzelmännchen & Co*«, sagte Gianna.

»Mein lieber Mann, das geht aber schnell bei euch. Ich sagte ja, ihr werdet Erfolg haben.«

Im Hinterzimmer des Ladens war das Chaos in der Zwischenzeit noch schlimmer geworden. Inmitten der Papierstapel auf dem Schreibtisch stand ein neuer, großer Bildschirm.

»Mein neuer C-computer«, sagte Herr Schmitz.

»Klasse«, sagte Peter. »Läuft er schon?«

»Ach, nein ...«

»Aber wenn Sie ihn angeschlossen haben, dürfen wir dann mal drauf spielen?«

»W-wenn ich ihn angeschlossen habe. Aber ich fürchte, das wird mir nie g-gelingen. Am liebsten würde ich den ganzen K-krempel der Firma zurückgeben.«

Felix blickte sich um. Dem Zimmer sah man an, dass Herr Schmitz wohl schon nah am Verzweifeln gewesen war. Ein Drucker stand, begraben unter einem Berg von Notenblättern, auf dem Boden; drum herum stapelten sich leere Kartons und der Rechner stand, ohne Anschlüsse, unter dem Schreibtisch.

»Dürfen wir ihn anschließen?«, fragte Peter.

»Ja, versteht ihr denn was davon?«

»Klar verstehen wir was davon.«

Die Ladenklingel läutete und Herr Schmitz ging nach vorne.

»Hast du schon mal einen Computer installiert?«, fragte Felix seinen Freund.

»Das nicht. Aber dabei zugesehen. Außerdem ist es jetzt eine Frage der Firmenehre.«

Peter holte sich einen Schraubenzieher und fixierte als Erstes die Kabel vom Bildschirm und der Tastatur am Rechner. Dann schlossen sie den Drucker an und die Maus. Alles schien ganz leicht zu gehen, und als es von der Stadtkirche zwölf Uhr schlug, drückte Felix auf den Knopf mit der Aufschrift «Power». Der Bildschirm wurde hell und Peter rief: «He, es kann losgehen!«

»Sagt bloß, ihr seid schon fertig?«, sagte Herr Schmitz.

»Klar, das war ja ganz einfach. Nur einstecken, fertig. Sie hatten die Kabel wahrscheinlich am falschen Ausgang angeschlossen. Dann tut sich natürlich nichts.«

»Kann sein. Ich kenne mich ja überhaupt nicht mit so was aus.«

»Wozu brauchen Sie eigentlich Ihren neuen Computer, wenn Sie gar nichts davon verstehen?«, fragte Gianna.

Herr Schmitz tat, als habe er sich das noch nie überlegt. »Eine gute Frage«, sagte er. »Ich glaube, ich habe mir einen Computer gekauft, weil alle einen haben«. Er zögerte einen Augenblick. »Nein, eigentlich habe ich ihn mir gekauft, weil ich hoffe, dass dann alles schneller geht: die Buchführung, die Rechnungen, die Briefe, alles ... Zeit ist Geld.«

»Sagt meine Mutter auch immer«, meinte Felix.

»Vorne im Laden«, sagte Herr Schmitz und machte eine ausladende Armbewegung, »all die Geigen, Trompeten, Schlagzeuge, Notenbücher, Saiten, das ist alles totes Kapital*, solange es hier nur herumsteht. Das muss rascher umgesetzt werden. Und wenn ich meine Abrechnungen mit dem Computer schreibe, geht es vielleicht schneller und dann verdiene ich auch mehr Geld. So habe ich mir das jedenfalls gedacht.« Herr Schmitz zog aus dem Regal eine Schachtel heraus. *EDV für Einzelhandelsbetriebe* stand darauf.

»Komisch, dass so viele Erwachsene keine Ahnung von Computern haben«, sagte Peter.

»Nicht den Sch-schimmer einer Ahnung«, sagte Herr Schmitz. »Vielleicht könntet ihr mir diese Software, oder wie das heißt, auch noch einbauen, wo ihr schon dabei seid?«

»Kein Problem«, antwortete Peter.

»Warum sagen eigentlich alle Erwachsenen immer: Zeit ist Geld?«, fragte Gianna, während Felix die Plastikhülle der neuen Software aufriss. »Ich begreife das nicht. Eigentlich ist doch Zeit das Gegenteil von Geld.«

»Aha? Aber schau doch mal: Wenn eine Gitarre ein halbes Jahr in meinem Laden herumsteht, ohne dass sie jemand kauft, dann kostet sie mich nur Geld. Und wenn ihr euch im Sommer im Eiscafé beeilt, dann könnt ihr mehr Kunden bedienen. Also ist Zeit Geld.«

»Ich finde trotzdem, dass ich Recht habe«, sagte Gianna. »Wenn es ein heißer Sommer ist und die Leute bis auf die Straße Schlange stehen, um ein Eis zu bekommen, dann haben wir viel Geld, aber keine Zeit. Und wenn es den ganzen August durch regnet, dann ist es umgekehrt.«

Drüben am Computer tuschelten Peter und Felix über dem Handbuch der neuen Software, hackten auf die Tastatur ein und tuschelten weiter.

»So habe ich mir das noch nie überlegt«, sagte Herr Schmitz. »Irgendwie hast du Recht. Aber irgendwie auch nicht ...«

»So ein Miiist«, schrie plötzlich Peter.

»Der Teufel soll die Kiste holen«, schrie Felix.

Der Bildschirm sah eigentlich ganz normal aus. Nur waren darauf keine Farben und Graphiken und Bilder mehr zu sehen, sondern nur noch ein paar Zahlenkolonnen.

»Schon wieder abgestürzt. Wir kriegen die Software nicht in Gang. So etwas gehört verboten«, sagte Peter.

»Was gehört verboten?«, fragte Gianna.

»Das da«, sagte Felix und schlug mit der flachen Hand auf den Bildschirm.

»Lasst es g-gut sein, schaltet die K-kiste ab«, sagte Herr Schmitz. »Es beruhigt mich, dass ihr damit auch Probleme habt.«

Jetzt erst blickten die beiden Jungen von dem Bildschirm auf. Ihre Augen waren ganz glasig.

»Leute, ihr müsst was trinken. Wer nicht trinkt, dem dörrt das Gehirn aus«, sagte Herr Schmitz.

»Ich verstehe es immer noch nicht: Ist Zeit Geld?«, fragte Gianna.

»Oder das Gegenteil davon?«, ergänzte Herr Schmitz.

Felix kippte ein Glas Wasser hinunter, dann sagte er: »Habt ihr Sorgen!«

Peter sah völlig zerzaust aus. »Reden ist Silber, Schweigen ist Gold«, murmelte er.

»Klugscheißer«, sagte Gianna.

»Selber Klugscheißer«, antwortete Peter. »Über Geld redet man nicht. Geld hat man, sagt mein Vater.«

»Und hat er Geld?«

»Nöö.«

»Na, also. Mich interessiert noch was anderes: Hat Geld eigentlich was mit Gold zu tun?«

»Könnte man meinen«, sagte Herr Schmitz. »Stimmt aber nicht. Geld kommt von ›gelten‹. Etwas, was gilt, ist Geld.«

»Gilt Gold nicht?«

»Gold gilt auch. Jedenfalls bekommt man Geld, wenn man Gold hat. Aber man bekommt auch Geld, wenn man Zeit hat, zum Beispiel um Rasen zu mähen.«

»Oder Computer zu reparieren«, sagte Gianna und blickte auf den abgeschalteten Bildschirm.

Felix räusperte sich. »Geld muss arbeiten, sagt mein Vater. Wenn also die Zeit arbeitet und Geld arbeitet, dann ist Zeit Geld.«

Gianna stieß einen Pfiff aus. »Ganz der Herr Professor!«

Peter holte aus seinem blauen Overall ein Zehnpfennigstück heraus. »Ich weiß gar nicht, was ihr habt. Das da ist Geld. Wo ist das Problem?«

Schmitz griff ebenfalls in seine Hosentasche und förderte einen braunen Knopf hervor. »Und was ist damit?«

»Das ist ein Knopf.«

»Das weiß ich. Aber warum ist es kein Geld?«

»Weil es nicht draufsteht. Und weil der Knopf aus Plastik ist.«

»Wenn ich nun einen Metallknopf auf den Tisch gelegt und ›Zehn Pfennig‹ draufgeschrieben hätte, würde er dadurch zu Geld?«

»Sie stellen aber komische Fragen«, sagte Gianna.

»Ich wollte euch doch nur zeigen, dass die Frage nach der Natur des Geldes sehr schwer zu beantworten ist. Früher war es aus Gold und Silber, heute ist es aus Kupfer, Nickel und Papier. In Afrika hat man, glaube ich, früher mit Muscheln und Kühen bezahlt. Aber das war wohl nicht sehr praktisch.«

Peter grinste: »Ich würde gerne mal eine Kuh aus dem Geldbeutel ziehen.«

»Die Menschen haben schon vor Jahrtausenden Geld erfunden, weil sich damit der Handel besser abwickeln ließ und weil man Vermögen* damit besser aufbewahren kann. Aber sie haben bis in unser Jahrhundert gebraucht, um zu verstehen, *was* sie da erfunden haben. Und manchmal frage ich mich, ob wir es heute wirklich verstanden haben.«

»Und was *ist* Geld denn nun?«, beharrte Gianna.

»Geld ist ein Versprechen.«

»Ein Versprechen?«, sagte Felix. »Da wäre ich nicht drauf gekommen. Aber es leuchtet mir irgendwie ein.«

71

Herr Schmitz machte eine Pause, so als wolle er sich vergewissern, dass auch jeder seinen klugen Gedanken mitbekommen hatte. »Wenn ich euch einen Zehnmarkschein gebe, dann
verspreche ich euch ja, dass ihr damit etwas kaufen könnt, natürlich ohne dies ausdrücklich zu sagen. Peter und Felix haben
mir ihre Zeit gegeben, indem sie meinen Computer in Gang
gesetzt haben ...«

»Na ja ...«, sagte Gianna.

»Sie haben es jedenfalls versucht. Und ich verspreche ihnen
als Lohn einen kleinen Teil der Waren, die es in der Welt gibt.
Und das dokumentiere ich mit dem Geldschein.«

»Und was wäre, wenn wir Ihrem Versprechen nicht glauben?«,
fragte Peter.

»Dann nehme ich ihn eben wieder.« Schmitz lachte. »Natürlich glaubt ihr mir. Ihr würdet mir sogar glauben, wenn ihr
mich gar nicht kennen würdet. Das ist ja das Eigentümliche an
Geld: Nicht derjenige, der das Versprechen abgibt, garantiert,
dass es eingehalten wird, sondern derjenige, der das Geld gedruckt hat. Das ist bei uns die Deutsche Bundesbank* in Frankfurt. Deren Name steht auch auf jedem Geldschein drauf. Die
Bundesbank sorgt dafür, dass nicht zu viel Geld gedruckt wird.«

»Und was wäre, wenn zu viel Geld gedruckt würde?«, fragte
Felix.

»Dann würden die Menschen sich gegenseitig mehr versprechen, als sie halten können. Und das einzelne Versprechen, also
das Geld selbst, würde weniger wert. Dann würden die Preise
steigen, und das nennt man Inflation*.«

»Aber wie ist das, wenn wir jetzt neues Geld bekommen?«,
fragte Gianna. »Alle haben Angst, dass es weniger wert ist.«

»Den Wert des Euro garantiert die neue Europäische Zentralbank*. Wenn sie ihre Arbeit gut macht, dann ist der Euro genauso viel wert wie die Mark ... Aber wisst ihr was?« Schmitz blickte in die Runde. »Was haltet ihr davon, wenn ich euch mal eine Geschichte erzähle? Darüber, wie das Geld, so wie wir es heute kennen, entstanden ist?« Er wartete die Antwort gar nicht ab, sondern eilte aus dem Zimmer.

»Wie in der Schule«, flüsterte Peter.

»Pschscht«, zischte Gianna, denn Herr Schmitz kam schon wieder zurück, mit einer Flasche Wasser und einer großen Tüte Popcorn.

»Es ist die Geschichte von dem Jungen mit den zwei linken Händen. Ich habe sie gerade eben erst erfunden und wie alle guten Geschichten fängt sie mit den Worten an: ›Es war einmal‹. Es war also mal ein Junge, der war zwölf Jahre alt und lebte vor vielen hundert Jahren in Genua am Mittelmeer. Sein Name war, sagen wir, Giuseppe ...«

»Peppo«, sagte Gianna, «Wenn einer Giuseppe heißt, dann nennt man ihn Peppo.«

»Peppo, das ist gut. Peppo also war der einzige Sohn des Schneiders Francesco und seiner Frau Paola. Francesco besaß eine kleine Werkstatt dicht beim Hafen, so hatte die Familie ein bescheidenes Auskommen und Peppo wuchs draußen in den Gassen des Handwerkerviertels auf, wie die meisten Jungen in dieser Zeit. Nun war dieser Schneidersohn Peppo allerdings unglaublich ungeschickt. Andere Jungen halfen mit zwölf längst bei allen möglichen Arbeiten. Der Sohn des Bäckers rührte Teig, die Kinder des Zimmermanns fegten Holzspäne aus der Werkstatt, andere webten oder trugen schwere Lasten.

Nicht so Peppo. Wenn er ins Nadelkissen seines Vaters fasste, dann stach er sich, dass es blutete. Wenn er dem vornehmen

73

Ratsherrn sein neues Wams bringen sollte, dann stolperte er und zerriss das Tuch, so dass sein Vater von neuem anfangen musste. Auf dem Markt war er oft so in Gedanken versunken, dass er die Körbe der Marktfrauen umrannte und Äpfel, Birnen und Melonen über das Pflaster kullerten. Alle nannten Peppo deshalb nur noch den ›Jungen mit den zwei linken Händen‹.«

»*Goffo*«, sagte Gianna. »*Il goffo* heißt: der Tollpatsch.«

»Gut, nennen wir ihn ›*il goffo*‹. Francesco, Peppos Vater, wurde immer ärgerlicher über seinen Sohn. ›Du hast zwei linke Hände und bist zu nichts zu gebrauchen‹, sagte er und jagte Peppo aus der Werkstatt. Und abends, wenn er ins Bett ging, jammerte er seiner Frau Paola vor: »Warum musste Gott uns so strafen, dass er uns einen solchen *goffo* schenkte?‹ Paola liebte ihren einzigen Sohn und es tat ihr weh, wenn der Vater ihn so schlecht machte. Aber sie wagte nicht, etwas zu sagen, denn der Schneider war sehr jähzornig.

Als Peppo vierzehn Jahre alt war, sagte der Vater zu ihm: ›Peppo, seit du geboren wurdest, hast du mir nichts als Kummer gemacht. Du taugst nicht zum Schneider und auch nicht zu einem anderen ehrbaren Handwerk. Du liegst deinen Eltern nur auf der Tasche. Es wird Zeit, dass du selbst für dich sorgst.‹

»Väter gehören ab ...«, begann Peter, aber Gianna brachte ihn mit ihrem Ellenbogen zum Schweigen.

Herr Schmitz fuhr fort: »Peppos Mutter weinte, als ihr Junge unter der Tür stand, um sein Elternhaus zu verlassen, aber Peppo selbst war gar nicht traurig. Er war die Schimpfereien seines Vaters leid und freute sich, in die weite Welt hinauszugehen. Vom Vater bekam er noch einen Golddukaten, die Mutter gab ihm einen Laib Brot, dazu einen Käse und einen Leinenbeutel voller Oliven; sie legte alles in ein großes Tuch und knotete es an einem Stock zusammen. Peppo nahm sein Wandergepäck, steckte den Golddukaten in die Tasche des Wamses und zog seiner Wege.

Nun traf es sich, dass seit geraumer Zeit Geldwechsler in Genua waren. Sie kamen von jenseits der Berge, aus Mailand, Modena, Bergamo und anderen Städten. Auf den Märkten stellten sie ihre Tische und Bänke auf, weshalb die Genueser die Fremden auch ›i *bancheri*‹ nannten. Bei diesen Bankiers konnte man Münzen aus Florenz in solche aus Genua wechseln, ebenso Taler aus Deutschland, Goldmünzen aus arabischen Ländern und vieles andere mehr. Die Geldwechsler prüften, wie viel Gold und Silber in den Münzen war, und fanden so den Kurs heraus, zu dem man sie gegenseitig tauschen konnte.

Als er nun durch die Gassen der Stadt zog, kam Peppo zu einem dieser Geldwechsler. Was ich vergessen habe zu erzählen: Es gab etwas, das der ungeschickte Peppo außerordentlich gut konnte, und das war Rechnen. Nicht nur, dass er die vier Grundrechenarten kannte, er wusste auch schon, was eine Wurzel war, er konnte die Fläche eines Kreises ausrechnen und vieles mehr. Das war damals etwas sehr Besonderes. Peppo hatte die Kunst des Rechnens schon vor Jahren von einem durchziehenden Franziskanermönch gelernt. Aber das hatte den Vater leider nie interessiert.

Peppo schaute nun eine Zeit lang dem Geldwechsler bei der Arbeit zu. Kaufleute in Samtröcken kamen zu ihm, aber auch biedere Handwerker mit zerrissenem Schuhwerk und zerzaustem Haar. Sie breiteten ihre Dukaten, Lire und Goldmünzen vor ihm aus. Der Wechsler legte das Geld auf seine Goldwaage, schrieb mit seinem Gänsekiel ein paar Zahlen auf den Tisch und gab dann in Genueser Dukaten zurück, was er zuvor in fremder Währung bekommen hatte. Peppo gefiel der Stand des *banchero*, denn hier ging es still und geheimnisvoll zu. Kein Vergleich zu den Marktschreiern, Gemüsefrauen und Viehhändlern.

Nicht lange, da bemerkte der Geldwechsler den Jungen.

›He, du‹, rief er, ›kannst du rechnen?‹

›Klar kann ich das‹, rief Peppo.

›Dann zeig es mir‹, sagte der Wechsler. Er schob ihm einen Haufen Münzen hin: ›Wie viel ist das?‹ Peppo setzte sich an den Tisch und begann lauter kleine Stapel mit jeweils zehn Münzen zu machen. Dann zählte er die Stapel zusammen. ›Das sind genau 176 Florentiner Lire, außerdem ein Dukaten, ein fremdes Goldstück und ein Knopf.‹

›Alle Achtung‹, sagte der Geldwechsler. ›Wenn du willst, kannst du für mich arbeiten. Du wohnst bei mir und du bekommst zu essen, außerdem zu Weihnachten, Ostern und Pfingsten einen halben Dukaten extra.‹ Peppo war's zufrieden und so wurde er der Gehilfe des Geldwechslers.

Nun begann für ihn eine glückliche Zeit. Er saß an allen Markttagen am Wechseltisch, zählte Münzen und hörte sich die Geschichten der Kaufleute an, die mit ihren Gewürzen und Tuchen aus fernen Ländern gekommen waren. Niemand machte sich mehr über seine Ungeschicklichkeit lustig, niemand nannte ihn mehr *goffo*. Die Kaufleute wunderten sich, dass ein einfacher Junge aus dem Volke so gut rechnen konnte. Es gefiel ihm, die Leute mit Rechenkunststücken zu verblüffen. Zum Beispiel rechnete er aus, wie viel schwarze und weiße Vierecke auf dem Fußboden des Domes eingelassen waren. Für die Leute auf dem Markt war er jetzt der ›Zahlenkünstler‹.

Eines Tages kam ein reicher Kaufmann zum Geldwechsler und sagte: ›Ich habe eine lange Reise vor mir. Aus Syrien und Persien habe ich wertvolle Tuche, dazu Gewürze aus Indien und goldenes Geschmeide. Die Waren möchte ich jenseits der Berge verkaufen, in Burgund und im Frankenland, wo man solche Dinge noch nicht kennt. Ich könnte jemanden brauchen, der mir die Bücher führt. Gib mir den Zahlenkünstler mit. Ich werde euch beide nach unserer Rückkehr fürstlich entlohnen.‹ Er schenkte dem Geldwechsler noch zehn Dukaten, dann ging Peppo mit dem Kaufmann.

Es wurde eine lange Reise. Der Kaufmann zog mit nicht weniger als zehn schwer beladenen Pferdewagen über die Landstraßen. Das waren nun nicht Straßen, wie wir sie heute kennen, sondern Karrenwege, die bei Sonne staubig waren und nach Gewittern zu Sturzbächen wurden. Außerdem zogen bewaffnete Reiter mit ihnen, denn Räuber machten in diesen Tagen die Straßen unsicher.

Die erste Stadt, in die sie kamen, war Lyon, das heute zu Frankreich gehört. Sie verkauften viel teuren Damast und andere Stoffe. Die Bürger von Lyon staunten über die Pracht und gaben viel Geld bei dem Kaufmann aus. Peppo notierte die Einnahmen in einem großen Buch und verwahrte die Truhe mit den eingenommenen Goldmünzen. Der Kaufmann brachte ihm bei, wie man die Bücher ordentlich führt, indem man nämlich jeden Verkauf zweimal notierte. Das System hatte wenige Jahre zuvor ein italienischer Mönch namens Luca Pacioli erfunden und es hieß doppelte Buchführung*. Die gibt es übrigens heute noch immer ...«

»Wieso doppelt?«, fragte Gianna. »Warum reicht es nicht, die Sachen normal aufzuschreiben?«

»Damit man in seinem Geschäft nicht den Überblick verliert. Hast du denn schon einmal etwas von Buchführung gehört?«

»Klar«, sagte Gianna. Sie zog ihr Vokabelheft heraus und zeigte Schmitz die erste Seite.

»Aber das ist ja fast schon doppelte Buchführung. Da braucht man nur noch ein klein wenig zu verändern.«

Schmitz nahm einen Kugelschreiber und malte auf die nächste Seite ein großes T. Dann schrieb er auf der linken Seite »Soll«, auf der anderen »Haben«. Links unter der T-Linie schrieb er: »Kasse 264,70 DM«. Das war der Betrag, den *Heinzelmännchen & Co* bisher eingenommen hatten. »Nun habt ihr heute 20 Mark zusätzlich eingenommen für Computerinstallation ...«

»Wieso 20? Sie sagten doch zehn«, erinnerte ihn Felix.

»Sagen wir 20, unter der Voraussetzung, dass ihr den Computer in den nächsten Tagen wirklich in Gang setzt.«

Als Schmitz fertig war, sah die Seite in dem Vokabelheft so aus:

Soll			Haben	
Kasse	264,70			
Einnahmen	20,00		Saldo	284,70

»Nun, fällt euch etwas auf?«, fragte er.

»Auf beiden Seiten steht derselbe Betrag,« sagte Felix. »Außerdem haben Sie die Einnahmen und die Kasse ›Soll‹ genannt. Und dann haben Sie das alles noch ein zweites Mal unter ›Haben‹ aufgeschrieben.«

»Eben, und das ist die doppelte Buchführung. So eine Rechnung heißt Konto*.«

»Jede Rechnung heißt auf Italienisch *conto*«, sagte Gianna.

»Aber auf Deutsch heißen eben nur solche Rechnungen Konto. Das Wichtigste dabei ist, dass unten rechts und links immer derselbe Betrag stehen muss. Nur dann ist das Konto ›abgeschlossen‹, wie man sagt. Daher kommen auch die etwas verwirrenden Worte ›Soll‹ und ›Haben‹. Damit das Konto abgeschlossen ist, muss man immer die Seite auffüllen, auf der etwas fehlt. Wenn man also, wie ihr, nichts ausgegeben, dafür aber 20 Mark eingenommen hat, müssen erstens die Einnahmen links verbucht und zweitens rechts der fehlende Betrag aufgefüllt werden. Diesen Betrag nennt man Saldo*. Und wie ihr seht, führt dieses System dazu, dass der Betrag, der in der Kasse bleibt, den man also *hat*, unter *Haben* steht. Hättet ihr stattdessen mehr ausgegeben, als in der Kasse ist, dann würdet ihr jemandem etwas schulden. Ihr *solltet* also Geld zurückzahlen, weshalb der Saldo unter *Soll* steht.«

»Wenn Sie es so sagen, dann klingt es ganz einfach«, sagte Gianna.

»Ist es ja auch. Und deshalb führen noch heute alle Firmen ihre Bücher nach diesem Prinzip. Habt ihr es verstanden, dann habt ihr schon die Hälfte der Wirtschaft verstanden.«

»Aber was hat die doppelte Buchführung dem Jungen in Ihrer Geschichte für Vorteile gebracht?«, fragte Felix.

»Sie half ihm, immer einen Überblick zu haben, wie viel Geld er eingenommen hatte und wofür er es ausgab. Dazu führte er mehrere Konten ein. Bei euch könnte ich mir zum Beispiel vorstellen, dass ihr irgendwann euer Geld nicht mehr in der Schuhschachtel lasst, sondern ein Sparbuch eröffnet.«

»Das haben wir auch vor«, meinte Gianna.

»Und wenn ihr dann, sagen wir, 200 Mark darauf einzahlt, würde euer Kassenkonto so aussehen:

Soll			Haben
Kasse	284,70	Auszahlg. an Sparbuch	200,00
		Saldo	84,70

Wichtig ist hier der Saldo: Er zeigt an, wie viel Geld noch in der Schuhschachtel ist. Gleichzeitig gibt es aber ein neues Konto – euer Sparkonto. Und das sieht so aus:

Sparbuch

Soll			Haben
Einzahlung	200,00	Saldo	200,00

»Die 200 Mark werden zweimal aufgeschrieben. So zwingt euch die doppelte Buchführung zur Disziplin. Man muss sich selbst Rechenschaft ablegen, wofür man sein Geld verwendet. So war das auch bei Peppo. Er hatte sehr viele Konten: für die Vorräte an Gewürzen, für die Löhne der Bediensteten oder für die Ausgaben für Lebensmittel. Deshalb hatte er einen viel besseren Überblick über die Einnahmen und Ausgaben des Kaufmanns, als ihn dessen Konkurrenten bei sich selber hatten. Und darum machte er auch besonders hohe Gewinne. Die beiden kamen nun bis nach Frankfurt, wo sie ihre restliche Ware verkauften, die bewaffneten Reiter ausbezahlten und sich auf den Rückweg machten. Die schwere Eichentruhe mit dem Geld führten sie auf einem Pferdekarren mit sich.

›Ist es nicht zu gefährlich, so ganz ohne Schutz nach Genua zurückzureiten?‹, fragte Peppo.

›Ach was, da musst du dir keine Sorgen machen‹, antwortete der Kaufmann. ›Man sieht unserem Karren ja nicht an, wie viel Geld da drauf ist. Außerdem bin ich ja auch bewaffnet.‹

80

Der Kaufmann zeigte auf das leichte Schwert, das er mit sich führte.

So reisten sie viele Tage, bis sie an einen tiefen Wald kamen. Es begann zu regnen und die Wege weichten schnell auf. Die beiden Pferde, die ihren Karren zogen, trotteten immer langsamer, sosehr auch der Reitknecht auf sie einschlug. Es war schon dunkel, als es in einem Hohlweg endgültig nicht mehr weiterging. Die Karrenräder hatten sich bis über die Achsen in den Morast gefressen. Peppo und der Reitknecht zündeten Fackeln an, dann suchte die kleine Reisegesellschaft unter einem Felsvorsprung Schutz.

Sie mochten vielleicht eine Stunde gewartet haben, da knackte plötzlich ein Zweig im Unterholz. Es ging so schnell, dass sie gar keine Zeit hatten, auch nur an ihre Waffen zu denken. Die Reisenden sahen sich von fünf Männern in wildem Aufzug umzingelt: Die Kerle trugen bunte Hüte und Bärte und waren mit Schwertern und Messern bewaffnet.

›Gott zum Gruße‹, sagte der größte der Männer. ›Ihr seid in einer misslichen Lage, das tut mir Leid. Aber was habt ihr denn in der hübschen Truhe? Da möchte ich gerne mal reinschauen.‹

›Hände weg‹, schrie der Kaufmann und wollte sein Schwert ziehen. Aber die anderen Räuber richteten wortlos ihre Waffen auf ihn und er sah ein, dass Gegenwehr zwecklos war.

Die Räuber hoben die Truhe vom Wagen. Dann sagte der Hauptmann finster: ›Das ist unser Wald, merkt euch das.‹ Die Räuber nahmen die Truhe und alle Waffen, dann verschwanden sie im Wald.

Peppo und der Kaufmann saßen mit dem Reitknecht im Wald und waren arm wie die Kirchenmäuse. Nur die Pferde hatten ihnen die Räuber gelassen. Zum Glück hatte Peppo noch den Dukaten seines Vaters in der Tasche. Von dem Geld konnten sie auf dem Heimweg nach Genua Essen, Trinken und für die Pferde Hafer kaufen. Am letzten Abend – von ihrem Nachtlager aus hörten sie bereits das Meer rauschen – sagte Peppo plötzlich zu dem Kaufmann: ›Eigentlich ist es dumm, mit so viel Geld durch die Wildnis zu fahren. Da wird es doch nur gestohlen.‹

›Wie Recht du hast‹, antwortete der Kaufmann. ›Aber so ist das Kaufmannsleben nun mal. Wir verdienen das Geld in Lyon und brauchen es in Genua. Also müssen wir es dorthin bringen.‹

›Nicht unbedingt‹, sagte Peppo. ›Es gibt doch auch Geld in Genua, genauso wie es Geld in Lyon gibt.‹

›Aber das Genueser Geld gehört uns doch gar nicht.‹

›Schon, schon. Aber wir könnten unser Geld zum Geldwechsler nach Lyon bringen. Wenn der uns den Empfang auf einem Pergament quittiert, dann könnten wir dieses Pergament in Genua zum Geldwechsler bringen und der würde uns das Geld auszahlen.‹

›Und woher weiß der Geldwechsler in Genua, dass er dafür in Lyon Geld bekommt?‹

›Der Lyoneser und der Genueser Geldwechsler müssten sich eben zusammentun.‹

›Und was ist, wenn in Genua die Münzen ausgehen?‹

›Dann muss er eben welche von Lyon herbringen. Aber seht Ihr nicht, dass das nur noch ganz selten passieren wird?‹

Der Kaufmann sagte eine Zeit lang gar nichts. Dann schlug er Peppo mit seiner schweren Hand auf den Rücken und sagte: ›Junge, das ist ja eine geniale Idee! Man transportiert keine

Münzen mehr, sondern nur noch Pergament! Das ist toll, mit dieser Idee werden wir reich werden.‹

Zurück in Genua, ging der Kaufmann sofort zu dem alten Geldwechsler. Dem leuchtete die Idee ein, nachdem er sie verstanden hatte. Sie beschlossen, eine gemeinsame Bank zu gründen. Die Zettel, die man für das Geld bekam, nannten sie *banca nota*. Ihre erste Niederlassung gründeten sie in Lyon und für deren Leitung wurde niemand anderes als Peppo erkoren. Er heiratete die schöne Tochter des Kaufmanns und lebte glücklich und zufrieden bis ins hohe Alter. Und das war die Geschichte vom Jungen mit den zwei linken Händen.«

Herr Schmitz lehnte sich zurück und steckte sich eine Hand voll Popcorn in den Mund.

«Und wie viel stimmt von dieser Geschichte?«, fragte Felix.

«Na ja, ob es so einen Peppo wirklich gegeben hat, weiß ich nicht, schließlich habe ich mir die Geschichte gerade erst ausgedacht. Aber sonst stimmt doch eine ganze Menge. Zum Beispiel, dass die ersten Geldwechsler aus Italien stammten. Das merkt man an der Sprache. ›Konto‹ und ›Saldo‹ kennt ihr schon. Unser Wort ›Bank‹ kommt auch wirklich von den ›*bancheri*‹. Aus der *banca nota* wurde die Banknote. Einem Geldwechsler, der für seine Banknoten nicht mehr bezahlen konnte, dem schlugen die betrogenen Kunden die Bank kaputt. Und eine kaputte Bank heißt auf Italienisch…«

»*Banca rotta*«, sagte Gianna.

»Genau. Auf Deutsch sagt man Bankrott, was so viel heißt wie Pleite.«

»Und wenn die *Kreditbank* für die Banknoten nicht mehr bezahlen kann, dann ist sie pleite?«, fragte Peter.

»Aber das ist doch der Witz, dass sie das gar nicht muss«,

sagte Herr Schmitz. »Als Peppo die Banknote erfand, stand darauf das Versprechen, dem Besitzer eine bestimmte Summe Gold- oder Silbermünzen auszubezahlen. Inzwischen weiß man, dass das Gold völlig überflüssig ist. Denn das Versprechen zu zahlen ist ja selbst schon Geld. Also sind auch die Banknoten Geld. Damit das Versprechen auch wirklich eingehalten wird, werden Banknoten heute übrigens nur noch von staatlichen Banken ausgegeben, wie zum Beispiel der Bundesbank. Andere Banken, wie die *Kreditbank*, müssen sie sich von dort leihen.«

»Aber auch Banknoten kann man klauen«, sagte Peter.

»Das stimmt. Nicht nur die Kaufleute, auch die Verbrecher haben eben in den letzten vierhundert Jahren dazugelernt ...«

»Und was ist mit der schönen Tochter?«, fragte Felix.

»Die muss es geben. Eine Geschichte ohne schöne Tochter ist keine gute Geschichte.«

6. Kapitel

Investieren heißt einkleiden

Am nächsten Tag waren die Regenwolken verschwunden. Die nasse Erde dampfte in der warmen Junisonne und die drei Freunde beschlossen zu faulenzen. Den Vormittag verbrachten sie im Schwimmbad, am Nachmittag fuhren sie in die Ziegelei. Abends, als Felix nach Hause kam, hatte seine Mutter zwei neue Aufträge für die *Heinzelmännchen* aufgeschrieben. Eine Frau hatte angerufen, weil sie mit einem steifen Bein zu Hause saß und niemanden hatte, der ihren Hund spazieren führte und für sie einkaufte. Und eine Familie Scholler wollte den Rasen gemäht haben. Da Felix sich vor Hunden fürchtete, übernahm er das Rasenmähen und überließ den anderen Auftrag Peter und Gianna.

Es war ein vornehmes Gartentor, an dem Felix tags darauf sein Fahrrad festschloss. Hinter einem hohen Eisengitterzaun und dichten Hecken verbarg sich auf einem riesigen Grundstück eine Villa, die ihm bisher nie aufgefallen war. »Scholler« stand auf dem Klingelknopf aus Messing. Felix drückte und das Gartentor öffnete sich wie von Geisterhand. Kies knirschte unter seinen Schuhen auf dem Weg zur Haustür, wo er nochmals klingelte. Die Tür wurde geöffnet und Felix erstarrte: Da stand niemand anders als Kai, der Lackaffe aus seiner Klasse.

Ich Idiot! Ich Riesenidiot!, hämmerte es in Felix' Kopf. Warum war ihm der Name nicht aufgefallen? Scholler hießen ja nicht viele in Schönstadt. Kai war der einzige Mensch, den Felix wirklich hasste. Wie er dastand mit seinen klobigen Turnschuhen, die Baseball-Mütze nach hinten gezogen! Und wie er grinste! Felix spürte, wie seine Ohren vor Ärger rot wurden.

»Ach, der junge Mann von den *Heinzelmännchen*«, sagte Kai süßlich. »Da wird sich mein Vater aber freuen. Leider ist er gerade unterwegs. Aber er bat mich, dir alles zu zeigen.«

Felix kochte. Doch was sollte er tun? Aus der Garage holten sie den Rasenmäher. Das heißt, Felix holte ihn heraus und blickte dabei voller Neid auf den Kajak, der dort unter der Decke hing.

Kai beobachtete ihn mit verschränkten Armen. Als Felix gerade den Motor anwerfen wollte, meinte er noch: »Aber sorgfältig, wenn ich bitten darf!«

Dann schlenderte Kai zur Terrasse hinüber und setzte sich in einen Gartenstuhl. Der Lackaffe hatte doch tatsächlich vor, ihm bei der Arbeit zuzusehen. Später fragte sich Felix, warum er nicht spätestens in diesem Augenblick die Sache hingeschmissen hatte. War es Geldgier, die ihn weiterarbeiten ließ? Oder Feigheit?

Felix biss die Zähne zusammen und tat, als wäre er alleine im Garten. Als er fertig war, schob er den Rasenmäher in die Garage zurück und wollte sich seine fünf Mark abholen.

»Na, dann wollen wir doch mal sehen, ob die Arbeit auch ordentlich ausgeführt wurde«, sagte Kai. »Gutes Geld für gute Arbeit.«

Felix kam sich vor wie ein Trottel, während Kai langsam über den Rasen schlenderte und dann bedächtig sagte: »Ts, ts, ts ... das ist aber überhaupt nicht sorgfältig gemacht. Die Rasenkante rund um die Büsche herum, das muss ja alles noch nachgearbeitet werden. Das ist keine fünf Mark wert. Das ist eigentlich überhaupt nichts wert, aber ich will mal nicht so sein.« Er holte eine Münze aus der Tasche und warf sie Felix zu.

Als Felix sich bückte, sah er, dass es ein Fünfzigpfennigstück war. Er wollte danach greifen, doch da trat ihm Kai mit aller Kraft auf die Hand, so dass Felix vor Schmerz aufschrie.

»Nimm das Geld und verschwinde. Und lass dich hier nie wieder sehen«, sagte Kai leise und überhaupt nicht mehr süßlich.

Jetzt brannte bei Felix die Sicherung durch. Er packte Kai an seinem schwarzen Sweatshirt, säbelte ihn mit dem Bein um und warf sich auf ihn. Dann drückte er Kai mit dem Gesicht ins Gras und fauchte ihn an: »Das wirst du mir büßen.« Kai aber machte gar keine Anstrengungen, sich zu wehren, sondern fing an zu brüllen: »Aauua, das tut weh, lass das!« Felix lockerte seinen Griff etwas, da machte Kai blitzschnell einen Arm frei und kratzte ihm quer über die linke Gesichtshälfte. Felix kam gar nicht dazu zurückzuschlagen, denn jetzt ertönte von der Veranda eine Frauenstimme: »Was fällt dir ein? Verschwinde sofort, sonst hole ich die Polizei. So ein gemeiner Bengel.«

Das musste Kais Mutter sein. Felix ließ den Lackaffen liegen, blickte sich nicht mehr um und verließ die Stätte seiner Niederlage. Im Weggehen hörte er noch, wie Kai hämisch sagte: »Heinzelmännchen? Pah, für mich seid ihr Gartenzwerge!«

So war Felix noch nie gedemütigt worden. Das Schlimmste war, dass er glaubte, selbst daran schuld zu sein. Wie konnte er sich nur auf so etwas einlassen! Jetzt war es zu spät. Er hatte keine Ahnung, wie er sich an Kai rächen sollte. Sein Gesicht brannte, Hemd und Hose waren voller Grasflecken. Warum konnte er nicht sein wie andere Jungen? Und ohne großes Aufheben zur Schule gehen, Fußball spielen und fernsehen. Warum hatte er immer so komische Gedanken? Reich werden – welch hirnverbrannter Quatsch!

*

»So ein Schwein!«, schrie Peter. Er lief puterrot an, sprang auf, ballte die Fäuste und wollte auf irgendetwas eindreschen. Da aber nichts Geeignetes da war, setzte er sich wieder auf die Apfelsinenkiste. Gemeinheiten machten Peter rasend. Gleich am Nachmittag hatte Felix eine Vorstandssitzung in der Ziegelei einberufen, zerrupft und abgerissen wie er war. Immer wieder musste er den anderen den Skandal in allen Einzelheiten erzählen. Peter regte sich jedes Mal mehr auf. »Wir müssen etwas unternehmen«, sagte er immer wieder.

Und Gianna fügte hinzu: »Einer für alle, alle für einen.«

Es tat Felix gut, mit jemandem über die Demütigung zu reden. Auch wenn keiner von den beiden wusste, was zu tun war. In den Ferien bekamen sie Kai ja noch nicht mal zu Gesicht. Blieb nur, auf eine günstige Gelegenheit zu warten. Felix war es ohnehin nicht nach einer neuen Schlägerei zu Mute.

Eine Weile saßen die drei nur da und lauschten auf das Tschilpen der Spatzen in dem alten Gemäuer. Dann fing Peter an, in den unermesslichen Taschen seines Overalls zu wühlen. Felix dachte schon, sein Freund würde wieder eine Zigarre zu Tage fördern, stattdessen brachte er ein zerknittertes Blatt Papier zum Vorschein.

»Seht mal, was ich in unserer Fernsehzeitschrift gefunden habe: *Reich werden in einem Jahr – die Tricks der Millionäre* heißt die Überschrift.«

»Pah«, sagte Gianna. »Die haben Nerven.«

»Schimpf doch nicht gleich, sondern hör dir an, was da steht: *Der amerikanische Journalist Arthur McCain hat Interviews mit 500 der reichsten Männer der Welt geführt. Seither ist er sicher, dass jedermann Millionär werden kann, wenn er nur will. Denn, so schreibt der Bestseller-Autor: Reichtum fängt im Kopf an. Am wichtigsten ist es, sich ein klares Ziel zu setzen. Es genügt nicht, zu sagen: Ich will reich werden. Man muss zum Beispiel sagen: Ich will eine Million Mark verdienen. Diese Million muss man sich täglich mindestens einmal vor Augen führen. Nur wenn der Wunsch nach Reichtum ganz fest im Kopf verankert ist, hat man jene genialen Gedanken, die jeder braucht, der reich werden will.* Nun, was sagt ihr jetzt?«

»Die wollen, dass wir verrückt werden. Nur noch an Geld denken, so ein Quatsch«, sagte Gianna.

»Wie im Märchen«, sagte Felix. »Es war einmal in den alten Zeiten, als das Wünschen noch geholfen hat ...«

»Ich finde es blöd, dass ihr euch darüber lustig macht. Mir geht es mit den *Heinzelmännchen* viel zu langsam. Jetzt sind schon Sommerferien und wir machen immer noch nur kleine Sachen: Rasen mähen, Brötchen austragen und Geschichten anhören. Wir sollten Tempo zulegen und in dem Artikel steht auch, wie: Wir müssen richtig reich werden *wollen*.«

»Vielleicht war das Ganze sowieso nur eine Schnapsidee. Das mit dem Reichwerden.« Felix versuchte, die brennenden Schrammen auf seiner Wange mit dem Taschentuch abzutupfen, aber davon wurde es nur noch schlimmer.

»Quatsch«, sagte Peter. »Natürlich werden wir reich. Wegen so einer kleinen Schlägerei gibt man doch nicht auf.«

»Aber meinst du wirklich, durch Wünschen wird man reich?«, fragte Gianna.

»Au Mann, warum versteht ihr mich denn nicht? Wir brauchen noch bessere Ideen. Die bekommen wir aber nur, wenn wir uns richtig reinhängen in die Sache. Mit dem Kopf, meine ich. So, wie es in dem Artikel heißt: geniale Gedanken!«

»Ich schlage vor, wir spielen Lotto. Meine Mutter macht das auch immer«, sagte Gianna.

»Und, hat sie gewonnen?«, fragte Felix.

»Letztes Jahr mal fünfzig Mark oder so.«

»Siehst du«, sagte Felix. »Wenn es mit dem Lotto so einfach wäre, gäbe es nur noch Millionäre auf der Welt!« Dann fiel ihm aber plötzlich etwas ein: »Gianna, du wolltest doch eine Hühnerzucht aufmachen.«

»Au weia, das hätte ich fast vergessen«, sagte Gianna. »Da gibt es aber ein kleines Problem. Meine Mutter ist nämlich total dagegen. Sie sagt: Hühner machen Dreck. Und ein Eiscafé braucht peinliche Sauberkeit. Sonst bleiben die Kunden weg. Speiseeis und Hühnerscheiße passen nicht zusammen, hat sie gesagt.«

»Hat sie wirklich ›Scheiße‹ gesagt?«

»Ja, auf Italienisch. Und das heißt: Keine Hühner.«

»Moment mal«, rief Felix. »Warum machen wir deine Hühnerzucht nicht bei Schmitz? Da ist Platz genug. Und ein alter Hühnerstall ist schon da.«

Peter pfiff durch die Zähne. »Seht ihr, dass ich Recht hatte? Kaum strengen wir uns richtig an, schon hat Felix eine geniale Idee. Hühner bei Schmitz – genau das machen wir. Das ist ein Beschluss.«

»Und woher weißt du, dass Schmitz dabei mitmacht?«

»Warum sollte er nicht? Hühnerscheiße und Saxophone tun sich doch nichts gegenseitig. Oder?«

»Probieren können wir's ja.«

Sie wollten gerade aufbrechen, da machte Gianna eine Entdeckung. »He, seht mal! Da hängen ja Drähte aus der Wand. Meint ihr, die stehen unter Strom?«

»Mensch«, rief Felix, »die habe ich ja noch nie gesehen.«

Peter begutachtete die Entdeckung. »Das sind keine Stromdrähte, die wären viel dicker. Das ist ein alter Telefonanschluss.«

»Der ist bestimmt schon lange abgeschaltet ...«

»Das werde ich herausfinden. Wir brauchen nur eine neue Anschlussdose und ein Telefon. Ich werde mich drum kümmern. Das wär ja was ...«

»Und was machen wir mit Kai?«, fragte Gianna, als sie auf ihre Räder stiegen.

»Kommt Zeit, kommt Rat«, sagte Peter.

Als Felix nach Hause kam, erschrak seine Mutter wegen der Schrammen in seinem Gesicht. Ein Gefühl sagte ihm, dass es besser war, von der Schlägerei mit Kai nichts zu erzählen. Daher sagte nur so ungenau wie möglich, er habe in einem Garten mit vielen Dornen gearbeitet. Er wunderte sich selbst, dass seine Mutter sich mit dieser Geschichte zufrieden gab.

*

Manchmal lösen sich komplizierte Dinge ganz von selbst, wenn man darüber geschlafen hat. Am nächsten Tag jedenfalls, als sie den Computer von Herrn Schmitz in Ordnung bringen sollten, war plötzlich alles ganz einfach. Peter hatte von seinem Bruder eine Diskette und eine Liste mit Befehlen mitgebracht, die sie ausprobieren sollten. Schon nach weniger als einer Stunde lief das Programm, sogar der Internet-Anschluss war installiert. Herr Schmitz verteilte Popcorn an alle, setzte sich an den Bildschirm und strahlte. Felix und Peter zeigten ihm, wie man sich ins Internet einklinkte, und Herr Schmitz freute sich wie ein kleiner Junge, als eine Wetterkarte auf dem Bildschirm erschien.

»Ist das d-das Internet?«, fragte er.

»Das ist das Internet«, sagte Felix und war stolz, dass sie das alles so locker geschafft hatten.

Erst jetzt bemerkte Herr Schmitz die Schrammen in Felix' Gesicht. »Nanu, habt ihr eine Katze zu Hause?«

Die drei Freunde erzählten ihm, was geschehen war.

»D-das ist ja unglaublich. W-warum macht der d-denn so was?«, sagte Herr Schmitz und schüttelte den Kopf. Er schien gar nicht besonders zornig auf Kai zu sein, sondern sich nur zu wundern, dass es überhaupt böse Menschen auf der Welt gibt.

Nun räusperte sich Peter. »Wir hätten da noch eine Frage, Herr Schmitz«, sagte er vorsichtig.

»Na, dann sch-schieß los, mein Junge.«

»Was halten Sie von Hühnern?«

»Wie meinst du das – Hühner?«

Und nun erzählten sie ihm ihren Plan. Herr Schmitz hörte sich alles aufmerksam an. Dabei sah er zusehends amüsierter aus und gluckste in sich hinein. Als die drei fertig waren, lachte er schallend: »Ich und Hühner – ihr habt ja die verrücktesten Ideen. Aber warum nicht? Obwohl Eier natürlich kein besonders knappes Gut sind. Die verkauft heute jeder.«

»Wir verkaufen eben besondere Eier«, sagte Felix.

»Von frei laufenden Hühnern«, ergänzte Gianna.

»Und an wie viel Hühner dachtet ihr denn?«

»Ich weiß nicht«, sagte Felix. »So zwei oder drei.«

»Damit kommen wir nicht weit«, rief Gianna. »Ein Huhn legt pro Tag doch nur ein Ei. So zehn Stück brauchen wir schon.«

»Und einen Hahn«, sagte Peter. »Hühner brauchen auch einen Hahn.«

»Gut«, sagte Herr Schmitz. »Ich bin einverstanden mit dem Hühnerhof. Aber unter einer Bedingung: Ihr müsst einen guten Zaun um den Hühnerstall herum bauen, dass die Hühner nicht in der ganzen Nachbarschaft herumrennen. Und ich möchte jeden Sonntag ein Ei zum Frühstück haben. Sozusagen als Miete.«

»Toll«, sagte Gianna. »Vielen Dank.«

»Und um den Zaun werde ich mich kümmern«, versicherte Peter.

»Fein, dann bin ich ja gespannt auf die Hühnerfarm, die ich mir da angelacht habe. Übrigens: Wie werdet ihr die Tiere eigentlich bezahlen?«

Felix musste zugeben, dass er sich das noch gar nicht überlegt hatte. Aber Gianna wusste Bescheid: »Natürlich aus unserer Kasse. Eine junge Henne kostet auf dem Wochenmarkt zehn Mark, das habe ich schon herausgefunden. Das macht bei zehn Hennen ...«

»... und einem Hahn ...«

»... zusammen 110 Mark. Dann braucht man noch ab und zu einen Sack mit Hühnerfutter. Der wird auch so um die zehn Mark kosten.«

»Aber dann ist ja unser ganzes Geld weg«, rief Felix.

»Wieso weg? Das ist eine Investition* in die Zukunft. Wir werden doch Geld damit verdienen.«

»Ich weiß nicht«, sagte Felix zögernd.

»Ihr könnt ja mal überschlägig rechnen, ob sich das lohnt. Wisst ihr übrigens, woher das schöne Wort Investition kommt? Da drin steckt das lateinische Wort *investire* und das heißt ›einkleiden‹. Mit einer Investition kleidet man sein Geld mit irgendetwas ein, von dem man hofft, dass es dem Geld gut tut, so dass im Lauf der Zeit mehr daraus wird. Man investiert es zum Beispiel in Maschinen. Oder eben auch in Hühner. Aber vorher muss man ausrechnen, ob die Kleider für das Geld passen, ob sich die Investition also lohnt.«

»Wir müssen aus dem Eierverkauf mehr einnehmen, als uns die Hühner und das Futter kosten«, sagte Gianna.

»Sogar erheblich mehr. Denn um 2,5 Prozent vermehrt sich euer Geld ja ganz einfach, wenn ihr es nur in ein Sparbuch investiert. Ihr müsstet also in einem Jahr mindestens 110 Mark für die Hühner plus etwa 100 Mark für das Futter plus 2,5 Prozent einnehmen. Das wären ...«

»215,25 Mark«, sagte Felix.

»Stimmt. Und jetzt müssen wir ausrechnen, was ihr verdienen könnt. Der Marktpreis für Eier von frei laufenden Hühnern liegt bei ...«

»... 40 Pfennig«, sagte Gianna.

»Gut: Wir haben zehn Hühner. Jedes legt jeden Tag ein Ei. Das macht bei 365 Tagen 3650 Eier. Davon gehen 52 Eier an mich für die Miete ab – für jeden Sonntag eines. Macht 3598 Eier. Mal 40 Pfennig macht ...«

»Da brauche ich einen Taschenrechner«, sagte Felix.

»... 1439 Mark 20. Das ist eigentlich eine ganz tolle Rendite* auf das eingesetzte Kapital. Selbst wenn ihr Risiken einkalkuliert. Zum Beispiel, dass ein Huhn mal keine Lust hat, euch ein Ei zu legen. Apropos keine Lust: Voraussetzung ist natürlich, dass euch die viele Arbeit mit dem Füttern nichts ausmacht. Ich werde es nämlich nicht tun.«

»Keine Sorge«, sagte Gianna. »Zu dritt werden wir das doch wohl schaffen.«

»Und wo werdet ihr die Eier verkaufen?«

»Ich dachte, wir könnten sie bei Ihnen auf den Ladentisch legen«, meinte Gianna.

»Ihr seid gut: Frischei mit Musik. Aber zu mir kommen so wenig Leute. Wie wäre es mit dem *Rialto*?«

»Ich werde meine Mutter fragen. Sie hat bestimmt nichts dagegen«, sagte Gianna.

Die Kinder waren schon am Aufbrechen, da fiel Felix noch etwas ein: »Was halten Sie von Lotto?«

»Lotto? Also, da würde ich mich doch lieber an die Hühner

halten. Wißt ihr, wie groß eure Chancen sind, im Lotto sechs Richtige zu bekommen?«

»Keine Ahnung.«

»Ein Dreizehnmillionstel.«

»Ein Dreizehnmillionstel – was heißt das?«, fragte Peter.

»Das bedeutet, dass unter dreizehn Millionen Lottozetteln wahrscheinlich einer mit sechs Richtigen ist.«

»Und wie haben Sie das rausbekommen?«

»Das ist Wahrscheinlichkeitsrechnung*. Damit lässt sich genau ausrechnen, wie wahrscheinlich etwas ist.«

»Genau und wahrscheinlich – das passt doch nicht zusammen«, sagte Felix.

»Meinst du? Hast du schon mal gewürfelt?«

»Klar. Bei *Mensch-Ärgere-Dich-Nicht* oder *Monopoly* ...«

»Und welche Zahl kommt am häufigsten dran?«

»Weiß ich nicht. Peter kriegt jedenfalls immer eine Sechs, wenn es drauf ankommt.«

»Aber wenn ihr sehr lange zusammen spielt, welche Zahl kommt am häufigsten?«

»Alle gleich häufig, denke ich mal.«

»Eben. Und weil es insgesamt sechs Zahlen auf einem Würfel gibt, ist die Wahrscheinlichkeit, eine Sechs oder irgendeine andere Zahl zu bekommen, jeweils ein Sechstel. Das ist Wahrscheinlichkeitsrechnung.«

»Aber wenn wir nun jede Woche nicht einen, sondern zwölf Lottoscheine ausfüllen?«, fragte Gianna.

»Dann stehen eure Chancen zwölf zu dreizehn Millionen. Das ist ungefähr ein Millionstel und auch noch ziemlich wenig, finde ich. Jedenfalls ist Lottospielen nichts, wenn man möglichst bald reich werden will.«

7. Kapitel

Suchet, so werdet ihr finden

Es war unglaublich, wie schnell Peter all das Baumaterial aufgetrieben hatte: Holzpfähle von einem alten Zaun, eine Rolle Maschendraht, Nägel, Schrauben, Krampen, jede Menge Werkzeug, darunter ein großer Vorschlaghammer. Alles lag aufgestapelt hinter Walsers Tankstelle.

»Auf einer Tankstelle findet man eben alles«, sagte Peter, als Felix und Gianna am nächsten Morgen bei ihm eintrafen.

Herr Walser lieh ihnen eine Schubkarre und mit der transportierten sie die Sachen quer durch die Unterstadt zum Haus von Herrn Schmitz. Sie mussten noch ein zweites Mal fahren, denn die Zaunpfähle hatten nicht mehr auf die Karre gepasst.

»Ihr sollt mir aber nicht den ganzen Garten zubauen«, rief Herr Schmitz, als sie alles abgeladen hatten.

»Keine Sorge, es wird richtig schön aussehen«, sagte Gianna.

Zu dem gemauerten Hühnerstall führte eine Holztür und außerdem ein kleiner Eingang unten am Boden, der mit einem Brett verschlossen war.

»Das war der Eingang für die Hühner, den müssen wir wieder herrichten«, sagte Peter.

Dann nahm er einen Pfahl und legte ihn auf den Boden, so dass er vom Hühnerstall auf einen Holunderbusch zeigte. In dieser Richtung trampelte er nun mit kleinen Schritten einen Pfad ins Gras, machte bei dem Busch einen rechten Winkel, trampelte weiter und kehrte dann, wieder im rechten Winkel, zum Hühnerstall zurück. »Das ist die Linie für unseren Zaun«, sagte er. Nun nahm er den ersten Pfahl und Felix rammte ihn mit dem Vorschlaghammer tief in die Erde ein. Gianna brachte unterdessen an dem Brett vor dem Hühnereingang eine Schnur an, die sie um einen Haken wickelte. So entstand eine richtige Falltür. Als alle zwölf Pfähle in den Boden gerammt waren, rollten sie zu dritt den Maschendraht aus und befestigten ihn mit den Krampen. Und am Abend hatten sie ihr Werk vollendet.

»So, jetzt können die Hühner kommen«, sagte Peter.

»Meint ihr nicht, wir sollten in dem Stall noch ein wenig aufräumen?«, fragte Felix.

»Ach was«, sagte Gianna. »Da haben die Hühner nichts davon. Die mögen es am liebsten unaufgeräumt.«

*

Am darauf folgenden Samstag gingen dann wahrhaftig zehn Hennen und ein Hahn in den Besitz der Firma *Heinzelmännchen & Co* über. Herr Schmitz und die Kinder standen wartend vor der Musikalienhandlung, als sie ein lautes Gackern hörten und ein Auto um die Kurve bog. Das war der offene Kleintransporter der Bäuerin Frau Richards. Bei ihr hatten sie am Vormittag auf dem Wochenmarkt die Tiere bestellt. Auf der Pritsche ihres Wagens standen ein großer Papiersack und eine Kiste, aus der das Gackern kam.

»So, da ist die Ware«, sagte sie durch das offene Fenster ihres Autos, als sie den Motor abgestellt hatte. »Seid ihr auch wirklich sicher, dass ihr die Hühner haben wollt? Die Tiere machen Arbeit. Ihr müsst sie jeden Tag füttern. Und ab und zu müsst ihr den Stall sauber machen.«

»Keine Sorge, das haben wir uns gut überlegt«, sagte Gianna.

»Na, dann helft mir mal.« Gianna und die Bäuerin trugen die Hühnerkiste in das Gehege im Garten.

»Da habt ihr aber einen schönen Hühnerhof«, sagte Frau Richards. »Alle Achtung. Da kann ich ja meine Hühner ja beruhigt abgeben.« Sie öffnete die Kiste und die Hühner rannten wild gackernd ins Freie. Sie hatten ein braunes Gefieder und kleine, rote Kämme.

»Sind die aber klein«, sagte Felix. »Können die denn überhaupt Eier legen?«

»Das sind junge Hühner. Sie werden bald so weit sein, dass sie Eier legen. Aber ein oder zwei Wochen müsst ihr schon noch warten.« Dann verabschiedete sich Frau Richards, wünschte ihnen viel Glück und fuhr davon.

»Uff«, sagte Peter. »Da rennen 110 Mark herum.«

»Da rennt unser zukünftiger Reichtum herum«, verbesserte ihn Gianna.

»Schlafen Hühner eigentlich?«, fragte er Herr Schmitz.

»Klar«, sagte Peter, »bis sie vom Hahn geweckt werden.«

»Na, hoffentlich macht er das nicht allzu früh. Wollt ihr euch eure neue Investition vielleicht noch bei einer Tüte Popcorn ansehen?«

Damit waren alle einverstanden und sie setzten sich an den Gartentisch unter dem großen Kirschbaum, der in der Mitte des Gartens stand. Das Wetter war so schön, dass sich Herr Schmitz seine Arbeit in den Garten geholt hatte. Ein Notenpult stand im Schatten des Baumes, der Gartentisch war übersät mit Notenblättern und darauf lagen ein Klarinettenkasten und eine Klarinette. Während Herr Schmitz im Haus verschwand, zog Gianna ihr Vokabelheft aus der Tasche, schlug eine neue Seite auf und malte darauf ein neues »T«.

»Wir haben Ausgaben gehabt. Jetzt müssen wir sie auch ordentlich verbuchen.« Giannas neues Konto sah so aus:

Soll				Haben
Kasse	284,70	Ausgaben für		
		Hühner		110,00
		Futter		10,00
			Saldo	<u>164,70</u>

»Sehr gut«, sagte Herr Schmitz, der inzwischen mit einer Tüte Popcorn und einer Flasche Mineralwasser zurückgekommen war. »Aber das ist noch nicht alles, denn jetzt habt ihr ja Vermögen*.«

»Vermögen?«

»Ja, ihr habt einen Teil eures Geldes investiert. Bei Giannas Rechnung könnte man meinen, eure Firma wäre ärmer geworden. Aber das ist sie ja nicht.«

»Hoffentlich nicht«, sagte Felix.

»Ich gehe jetzt einfach mal davon aus, dass eure Hühner Eier legen und deshalb ihr Geld wert sind. Dann besteht euer Vermögen jetzt aus drei Posten: aus Geld, aus Hühnern und Futter. Und das kann man auch in ein Konto schreiben.« Er nahm Giannas Vokabelheft und malte eine neue Tabelle:

Hühner	110,00
Futter	10,00
Kasse	164,70
	<u>284,70</u>

»Aber da fehlt ja etwas auf der rechten Seite«, sagte Gianna.

»Genau. Auf der linken Seite steht, wofür ihr euer Geld verwendet. Rechts steht, wo es herkommt. Und weil ihr das Geld gespart habt und keine Schulden aufnehmen musstet, ist der Fall ganz einfach: Alles ist euch eigen, es ist Eigenkapital*. Und alles zusammen kann man so aufschreiben:

Aktiva			Passiva
Hühner	110,00	Eigenkapital	284,70
Futter	10,00		
Kasse	164,70		
	284,70		284,70

Ihr seht, jetzt steht wieder auf beiden Seiten derselbe Betrag, wie es der Vorschrift entspricht.«

»Aber was bedeuten diese merkwürdigen Wörter: Passiva* und Aktiva*?«, fragte Felix.

»Entschuldigt bitte, das sind wieder mal Wörter aus der Wirtschaft. ›Passiva‹ bezeichnet die Posten, die angeben, wo das Geld herkommt, bei euch also aus eurem Eigentum. ›Aktiva‹ sind jene Posten, aus denen man lesen kann, wofür das Geld verwendet wurde. Und das Ganze zusammen nennt man Bilanz*. Es kommt auch aus dem Italienischen ...«

»*La bilancia* heißt ›die Waage‹«, sagte Gianna.

»Genau. Eine Bilanz beschreibt das Vermögen einer Firma. Und wie bei einer Waage muss auf beiden Seiten immer der selbe Betrag stehen. Alle großen Unternehmen haben solche Bilanzen. Aus ihnen kann man ablesen, ob es ihnen gut geht oder nicht.« Herr Schmitz lehnte sich zurück und stopfte den Mund mit Popcorn voll.

Felix streckte sich genüsslich. Er spürte, dass sie heute einen großen Schritt weitergekommen waren. Er nahm sich ebenfalls eine Hand voll Popcorn. Dann lauschte er dem Gegacker der Hühner. Die hatten sich offenbar schon an die neue Umgebung gewöhnt und pickten jetzt gierig die Körner auf, die ihnen Gianna hingestreut hatte. Erst jetzt nahm Felix die Klarinette wahr, die nachlässig auf den Notenblättern lag. Er strich mit den Fingerspitzen über die silbern schimmernden Klappen.

»Schön, nicht?«, sagte Herr Schmitz und nahm das Instrument behutsam in die Hände. »Die habe ich letzte Woche aus dem Nachlass einer alten Dame gekauft. Erstaunlich, wie gut sie erhalten ist. Das Stück könnte seine achtzig Jahre alt sein. Hier, willst du mal?« Herr Schmitz reichte Felix die Klarinette und zeigte auf das Notenpult, an dem mit Wäscheklammern zwei Notenblätter befestigt waren. »*Le petit nègre* von Claude Debussy, kannst du das?«, fragte er. »Das ist eine Jazzmelodie, die Debussy bei einem Aufenthalt in Amerika gehört hat.«

Felix setzte die Klarinette an die Lippen. Sie roch fremd und alt, nach Wachs und Öl. Das Mundstück fühlte sich ganz anders an als sein eigenes. Er setzte die Finger auf die Klappen und stutzte.

»Da stimmen ja die Klappen gar nicht.«

»Die stimmen schon. Das ist eine Böhm-Klarinette. Die ist anders gebohrt als deine nach dem deutschen System; außerdem sind die Klappen anders angeordnet. Sie ist ein bisschen schwerer zu spielen, dafür ist der Ton voller und besonders geeignet für Jazz.«

Herr Schmitz nahm die Klarinette und zauberte ein rhythmisches Stück aus dem alten Instrument. Bambamba-baambam, bambababaamba ...

101

Felix staunte. »Ich hätte nicht gedacht, dass man Jazz auf einem so alten Instrument spielen kann.«

Er nahm die Klarinette nochmals in die Hand und bewunderte das Instrument. Dann ging er zurück zum Gartentisch. Gerade wollte er die Klarinette zurücklegen, da stolperte er über einen der Gartenstühle. Instinktiv schaffte er es noch, das Instrument hoch über seinem Kopf zu halten. Dadurch fiel er jedoch mit voller Wucht seitlich gegen den Tisch. Der stürzte um und begrub die Notenblätter, das Popcorn und den Klarinettenkasten unter sich.

»D-da ist aber einer m-müde«, sagte Herr Schmitz. Er nahm Felix die Klarinette ab und half ihm auf.

»Entschuldigen Sie bitte, das tut mir sehr Leid. Ich weiß gar nicht, wie das passiert ist.«

»Ist ja nichts passiert. Das Instrument ist ja noch heil.«

Felix hob die Notenblätter auf, dann den Klarinettenkasten und plötzlich entfuhr ihm ein Schrei: »Oh je!« Bei dem Sturz war der alte Kasten kaputtgegangen. Der mit rotem Samt ausgeschlagene Einsatz hatte sich herausgelöst. Den hatte er nun in der Hand, während er in der anderen den leeren Kasten hielt.

Herr Schmitz aber schien gar nicht böse zu sein, er sagte nur: »Sieh mal einer an!«

Auf dem Boden des Klarinettenkastens war eine Lage Zeitungspapier zum Vorschein gekommen. Jemand hatte das Papier sorgfältig mit Reißzwecken in allen Ecken festgemacht. An den Rändern war die Zeitung vergilbt, aber in der Mitte strahlte das Papier weiß, als sei es gerade erst gedruckt worden. Dabei musste es sich um eine sehr alte Zeitung handeln, denn die Überschriften waren in altertümlichen deutschen Lettern gedruckt.

Herr Schmitz pfiff leise und sagte noch einmal: »Sieh einer an. Los, zieh mal die Reißzwecken raus. Ich bin gespannt, was das zu bedeuten hat.« Er gab Felix einen Schraubenzieher. Mit dem ließen sich die Reißzwecken ganz schnell lösen. Unter der Zeitungsseite kam ein Blatt braunes Seidenpapier zum Vorschein, und als Felix auch dieses abgehoben hatte, rief Herr Schmitz aus: »Das ist ja unglaublich!«

Vor ihnen lag ein blassblau bedrucktes Stück Papier. Felix konnte nichts Besonderes daran erkennen, aber Herr Schmitz nahm es mit spitzen Fingern heraus und las den Text vor: »*Süddeutsche Maschinenbau Aktiengesellschaft – Aktie über Eintausend Mark, Deutsche Reichswährung.*«

»Was bedeutet denn das?«, fragte Gianna.

»Hört weiter: *Der Inhaber dieser Aktie ist mit einem Betrag von eintausend Mark bei der Süddeutschen Maschinenbau Aktiengesellschaft nach Maßgabe der Satzungen als Aktionär beteiligt. München, den 10. Juni 1923.* So was habe ich ja noch nie erlebt. Das ist eine alte Aktie*. Aber warum hat der Besitzer sie versteckt, und noch dazu an einer so merkwürdigen Stelle?«

»Die einen nehmen Schuhschachteln, die anderen Klarinettenkästen«, sagte Peter.

»Pscht, hier ist noch etwas.« Herr Schmitz nahm das Blatt heraus, darunter kam ein weiteres hervor, auf dem lauter Zahlen zu sehen waren. »Da oben steht: *Erneuerungsschein zur Inhaber-Aktie Nummero 016897. Gegen Aushändigung dieses Scheines erhält der Inhaber den für das Geschäftsjahr 1923 festgesetzten Gewinnanteil.* Und auf den anderen Abschnitten geht es weiter, bis 1932. Der Besitzer hat also seinen Gewinn gar nicht abgeholt. Das ist ja noch viel merkwürdiger.«

»Was ist eigentlich eine Aktie?«, fragte Felix.

»Eine Aktie ist der Anteilschein an einem Unternehmen. Wer eine solche besitzt, dem gehört ein Stück einer Firma. Man kann Aktien kaufen und verkaufen. Aber der Besitzer dieser Aktie hat nichts von beidem gemacht, sondern sie versteckt und nicht einmal den Gewinn abgeholt. Merkwürdig.«

»Ist die Aktie denn jetzt wertlos?«

»Ich weiß es nicht. Aber halt, hier drunter ist noch was anderes.«

Herr Schmitz nahm ein weiteres Blatt Seidenpapier vom Boden des Kastens auf. Dort kam ein weißer, weicher Stoff zum Vorschein, so ähnlich, wie ihn Ärzte benutzen, um Wunden zu verbinden. Unter dem Stoff zeichneten sich lauter kleine, runde Erhebungen ab, so als hätte jemand Knöpfe in den Stoff eingenäht.

»Hat jemand ein Taschenmesser?«, fragte Herr Schmitz.

Felix klappte seines auf und trennte die Fäden durch, mit denen der Stoff am Futter des Kastens festgenäht war. Dann hob er den Stoff ab – und sah vor sich lauter Goldmünzen.

»Ein Schatz!«, flüsterte Peter.

»Ein Schatz!«, sagte nun auch Herr Schmitz. »Gold-Vreneli aus der Schweiz. Es kam mir doch gleich so vor, als sei der Kasten schwerer als andere.«

Felix sagte gar nichts mehr. Er starrte die Münzen an. In der Mitte stand: »1 Franken«, am Rand war so etwas wie ein Strahlenkranz zu sehen. Dies war ein Schatz, daran gab es keinen Zweifel. Und zwar nicht irgendein Schatz, sondern Gold. Richtiges Gold. Und er hatte es gefunden, wenn auch ganz zufällig. Aber gleich meldete sich eine innere Stimme in ihm, die sagte: Was geht's dich an? Das ist der Schatz von Schmitz. Es ist seine Klarinette, also gehört ihm das Geld.

»Das Wünschen hilft eben doch«, sagte Gianna, als hätte sie diese innere Stimme ebenfalls gehört.

Auch Herr Schmitz starrte auf die Goldmünzen. »D-dahinter verbirgt sich irgendein Geheimnis. Ein M-musiker hat hier sein Vermögen versteckt. Zweiundsiebzig Goldmünzen! Aber warum hat er das getan? Und warum hat er es nicht wieder hervorgeholt. Oder die Frau, der der Kasten gehört hat?«

»Vielleicht war der Klarinettist ein Verbrecher. Und die Frau hat von dem Schatz vielleicht gar nichts gewusst«, meinte Felix.

»Das glaube ich nicht. Verbrecher verstecken ihr Geld nicht in Klarinettenkästen. Außerdem sind Klarinettisten keine Verbrecher.«

»Was ist das überhaupt für Geld?«, fragte Gianna.

»Das sind alte schweizerische Goldmünzen. Man nennt sie Gold-Vreneli. Ich glaube, sie sind ganz schön viel wert. Aber wir stehen jetzt vor einer spannenden Frage: Wem gehört denn nun dieser Schatz?« Herr Schmitz sah fragend in der Runde herum. »Einerseits befand sich das Gold in meinem Klarinettenkasten, also gehört es mir ...«

»Andererseits hat Felix den Schatz gefunden. Und Strandgut gehört immer demjenigen, der es findet, sagt mein Bruder«, rief Peter.

»Oder er gehört den Leuten, denen Herr Schmitz die Klarinette abgekauft hat«, meinte Gianna. »Die konnten doch nicht wissen, dass da ein Schatz drin war.«

»Hätten sie eben nachgesehen«, sagte Peter. »Das ist nicht unser Problem.«

Herr Schmitz schien nachzudenken. Dann sagte er: »Also, ich würde euch gerne ein Geschäft vorschlagen: Der Schatz gehört euch. Schließlich hat Felix ihn gefunden. Andererseits hat er ihn bei mir gefunden, deshalb darf ich ein Wörtchen dabei mitreden, was ihr damit macht. Es wäre ziemlich dumm, den Schatz einfach zu verjubeln. Einverstanden?«

Die drei Kinder saßen mit rotem Kopf da und sagten gar nichts.

»Und noch etwas«, fügte Herr Schmitz hinzu. »Wenn ihr wirklich einmal reich seid, dann ladet ihr mich zu einem schönen Abendessen ein.«

»Abgemacht«, sagte Gianna.

Nun fand Felix, dass er als Finder des Schatzes etwas sagen müsse. »Danke, Herr Schmitz. Wir sind einverstanden mit ihrem Vorschlag.« Eigentlich fand er, dass er dem Musikalienhändler richtig feierlich die Hand schütteln müsste. Aber das war ihm dann doch peinlich und er blieb sitzen.

»Das Wünschen hilft eben doch«, sagte Gianna.

»Und was sollen wir jetzt mit den Münzen tun?«, fragte Peter.

»Am Montag geht ihr erst mal zu Herrn Fischer in die *Kreditbank* und fragt ihn, wie viel sie wert sind. Dann sehen wir weiter.«

»Wird gemacht«, sagte Felix. Er legte die Goldmünzen sorgfältig auf den weißen Stoff, formte daraus einen Beutel und knotete ihn zu.

Als sie sich verabschiedeten, sagte Gianna doch noch ein paar feierliche Worte: »Danke, Herr Schmitz. Das finde ich ganz unglaublich toll von Ihnen. Wenn wir mal reich sind, werden wir es Ihnen richtig vergelten. Nicht nur mit einem Abendessen.«

Herr Schmitz lächelte ein wenig verlegen. »D-da bin ich ja g-gespannt. Aber lasst euch damit ruhig Zeit. Und vergesst eure Hühner nicht.«

Gianna warf noch zwei Hand voll Körner in den Hühnerhof. Dann gingen die drei, noch ganz benommen von ihrem Glück, nach Hause.

8. Kapitel

Geld ist ein Spiel

Felix ließ sich auf die alte Matratze im Chefzimmer fallen und lehnte sich an die Wand. Es tat gut, die kühlen Steine im Rücken zu spüren. Sein Kopf glühte noch von der wilden Fahrt hinunter zur Ziegelei. Er schloss die Augen und öffnete sie wieder. Aber es änderte sich nichts. Der Schatz, der ihnen seit gestern gehörte, lag zu Hause in seinem Nachttisch. Wir sind jetzt reich, sagte er sich, verwundert, dass er damit gar nicht so zufrieden war, wie er gedacht hatte. Eigentlich wollte er ja reich *werden*, nicht unbedingt gleich reich *sein*. Ein bisschen war es jetzt so, als bekäme man seine Weihnachtsgeschenke schon am 1. Advent. Ein Teil der Freude ist dann weg. Aber andererseits mussten sie es ja nicht bei ihrem jetzigen Reichtum belassen. Die Firma *Heinzelmännchen & Co* sollte durchaus weitermachen. Aber was tun mit dem Reichtum?

»Auf jeden Fall reden wir mit niemandem darüber«, sagte Gianna. »Das wäre viel zu gefährlich.«

»Wenn wir morgen zu Herrn Fischer gehen, erfährt mein Vater ziemlich bald davon«, sagte Felix.

»Das wäre schlecht«, erwiderte Peter. »Der redet uns nur rein mit seinem Sparsamkeitsfimmel. Väter gehören ...«

107

»Meinst du denn«, unterbrach ihn Gianna, »wir könnten das lange vor unseren Eltern geheim halten? Meine Mutter erfährt es, sobald Schmitz das nächste Eis isst. Außerdem müssen wir mit ihnen reden, zum Beispiel weil wir einen sicheren Platz brauchen.«

»Wir könnten den Schatz ja vergraben«, sagte Peter. »Hier irgendwo bei der Ziegelei.«

»Damit der alte Becker ihn findet? Kommt nicht in Frage«, sagte Gianna.

»Dann verstecken wir ihn eben erst mal bei einem von uns. Am besten bei Felix. Der hat ihn schließlich gefunden.«

»Ich finde, wir sollten irgendetwas mit dem Gold machen«, sagte Felix. »Es ist jetzt in meinem Nachttisch. Aber da kann es nicht bleiben. Wir sollten das Gold arbeiten lassen.«

»Willst du unser Gold etwa verkaufen?«, rief Peter.

Und auch Gianna meinte: »Jetzt ist der Schatz in dem Klarinettenkasten hundert Jahre alt geworden und du würdest ihn einfach verkaufen. Das fände ich nicht gut.«

»Aber so bringt er uns doch keine Zinsen!«

»Was heißt hier Zinsen!«, rief Gianna. »Wir haben jetzt Gold, verstehst du? Gold! Das gibt man doch nicht so einfach wieder her. Gold ist wertvoll. Das war es schon immer. Mit Gold kann man auch in schlechten Zeiten etwas anfangen.«

»Und was ist, wenn keine schlechten Zeiten kommen?«

So redeten sie hin und her, bis Peter ausrief: »Ich hab's: Wir tun es in einen Tresor!«

»In einen Tresor?«, fragte Gianna. »Wie meinst du das?«

»In jeder Bank gibt es Fächer, in denen man wertvolle Sachen einschließen kann. Man bekommt einen Schlüssel und kann sich seinen Reichtum ansehen, so oft man will. Da ist unser

Schatz erst mal sicher. Und was dann daraus wird, können wir ja immer noch entscheiden. Auf jeden Fall sollten wir zunächst mit niemandem darüber reden. Man kann nie wissen.«

»Na, wenn du meinst ...« Felix war nicht so ganz überzeugt. Aber weil weder ihm noch Gianna etwas Besseres einfiel, blieb ihm nichts anderes übrig, als zuzustimmen. Sie wollten schon aufbrechen, da fiel Felix die Tasche auf, die Peter mitgebracht hatte. »Was hast du eigentlich da drin?«, fragte er.

»Ach, das hätte ich über dem ganzen Gold fast vergessen.« Peter machte seine Baumwolltasche auf und förderte ein Telefon hervor. Es war grau und hatte noch eine altmodische runde Wählscheibe.

»Ist es nicht schön?«, sagte Peter. »Ich habe es von meinem Bruder.«

»Toll«, sagte Felix.

»Und ich habe noch etwas.« Peter holte aus seiner Tasche einen Schraubenzieher hervor, außerdem eine weiße Buchse, so wie sie bei Blums zu Hause in der Wand war.

»Kannst du das etwa montieren?«, fragte Gianna.

»Wart's ab«, erwiderte Peter und machte sich an den Drähten in der Wand zu schaffen.

Nach einer Weile steckte er das Telefon in die weiße Buchse, nahm den Hörer ans Ohr – und stieß einen Schrei aus: »Es funktioniert, es funktioniert!« Er hielt den Hörer erst Gianna, dann Felix hin. Kein Zweifel – da hörte man das normale Tuten, wie in jedem anderen Telefon. Peter nahm den Hörer zurück, wählte eine Nummer und legte nach ein paar Sekunden wieder auf.

»Hat es doch nicht funktioniert?«, fragte Felix.

»Doch. Aber es war meine Mutter.«

»Und warum hast du dann gleich wieder aufgelegt?«

»Sonst sagt sie nur, ich solle nach Hause kommen und ihr bei irgendwas helfen.«

»Wahnsinn«, sagte Gianna. »Wir haben Gold. Und Hühner. Und jetzt können wir auch noch telefonieren, so viel wir wollen. Umsonst. Wahnsinn!«

*

»Wir brauchen einen Tresor«, sagte Felix.

Herr Fischer stand hinter dem Bankschalter und war erst mal sprachlos.

»Ja, einen Tresor«, sagte Peter.

»Einen Tresor? Ihr meint, ein Schließfach? Wozu denn das?«

»Wir haben ein bisschen Gold bekommen und wollen es sicher aufbewahren.«

Jetzt erst fand Herr Fischer seine Sprache wieder. »Ein Schließfach? Ich weiß nicht, ob das so einfach geht. Ihr seid ja noch Kinder.«

»Das muss gehen. Es ist wirklich unser Gold. Da können Sie Herrn Schmitz fragen«, sagte Peter.

Kopfschüttelnd verschwand Fischer in seinem Zimmer hinten in der Schalterhalle und kam nach einer Weile ebenso kopfschüttelnd wieder zurück.

»Herr Schmitz sagt, dass das in Ordnung geht. Sehr merkwürdig ... Na, dann kommt mal mit.« Sie gingen durch die Schalterhalle nach hinten und betraten durch eine dicke Tür aus Stahl einen Raum ohne Fenster. An den Wänden waren lauter kleine Türen, so wie Briefkästen.

»Hier ist unser Tresorraum«, sagte Herr Fischer. Er holte einen Schlüssel hervor und schloss einen der Briefkästen auf. »Und das hier ist ein freies Schließfach. Ihr könnt reintun, was ihr wollt und so viel ihr wollt, solange es sich dabei nicht um leicht entflammbare oder explosive Stoffe handelt oder um Wertgegenstände, die aus gesetzwidrigen Geschäften stammen. Und ihr müsst 35 Mark im Jahr Gebühr bezahlen. Inklusive Mehrwertsteuer.«

»Besser als eine Schuhschachtel«, sagte Felix.

»Das will ich meinen. Aber darf ich denn fragen, wie viel Gold ihr habt? Ihr müsst es mir nicht sagen. Aber interessieren würde es mich schon.«

Felix zog den weißen Tuchbeutel aus einer Einkaufstasche und öffnete ihn vor Fischer. »Gold-Vreneli, 72 Stück.«

»Ich sage gar nichts mehr«, staunte Herr Fischer.

»Können Sie uns denn wenigstens sagen, wie viel die wert sind?«

»Das kann ich, kein Problem.« Herr Fischer holte aus der Schalterhalle ein Blatt Papier und einen Taschenrechner. »Ein Gold-Vreneli kostet zur Zeit im Verkauf 195 Mark. Mal 72 macht ... 14.040 Mark, davon gehen für den Ankauf 20 Prozent ab, also könnte ich euch dafür 11.232 Mark bezahlen.«

»Wir wollen aber gar nicht verkaufen«, sagte Peter.

»Stimmt, ihr wolltet ja ein Schließfach. Aber ich würde euch empfehlen, das Gold zu verkaufen. Dann bekämt ihr gute Zinsen. Und müsstet nicht noch für das Schließfach bezahlen. Du wolltest doch reich werden, Felix ...«

Felix wurde rot.

»Wir wollen aber trotzdem nicht verkaufen«, sagte Gianna. »Alle reichen Leute haben Gold.«

Sorgfältig legten sie ihre Schätze in das Fach, schlossen es ab und verließen die Bank mit einem erhabenen Gefühl.

*

Ihren Hühnern gefiel es offenbar gut im Garten von Herrn Schmitz. Sie gackerten nicht mehr wild durcheinander, sondern gurrten behaglich, während sie die Körner aufpickten, die ihnen Gianna hinwarf.

»Sieh doch mal nach, ob wir schon ein Ei haben«, sagte Peter.

»Dazu ist es noch viel zu früh«, antwortete Gianna.

Inzwischen war Herr Schmitz in den Garten gekommen und begrüßte sie: »Nun, wie geht es mit dem neuen Reichtum?« Sie erzählten ihm von ihrem Tresor und was der Filialleiter der Kreditbank ihnen geraten hatte.

»Wo Fischer Recht hat, da hat er Recht: Gold ist schön, aber es ist ein schlechtes Geschäft ...«

»Warum sind dann alle Leute so gierig aufs Gold?«, fragte Felix.

»Weil es mit seinem Glanz die Menschen fasziniert. Und weil es seit Jahrtausenden ein Symbol für Reichtum ist. Wisst ihr was? Da fällt mir eine Geschichte ein, die ich euch erzählen könnte.«

»Ist es wieder eine von diesem Schneider aus Genua?«, fragte Gianna.

»Es geht wieder um einen Schneider, aber diesmal um einen anderen. Wartet einen Augenblick, ich muss die Tür zum Hinterzimmer aufstellen, damit ich die Ladenklingel höre.«

Herr Schmitz ging ins Haus; als er zurückkam, brachte er ein Tablett mit Saft und Popcorn mit. Er stellte es auf den Garten-

112

tisch und bot den Kindern an, dann begann er seine Erzählung.

»Es ist, wie gesagt, die Geschichte von einem Schneider. Im Unterschied zu meiner ersten Geschichte ist sie wahr, jedenfalls zum überwiegenden Teil. Dieser Schneider war ein ganz junger Mann und lebte vor ungefähr hundert Jahren in Buttenheim. Das ist eine kleine Stadt in Bayern. Eines Tages beschloss der junge Schneider, er war ganze achtzehn Jahre alt, nach Amerika auszuwandern. Er fand, dass er in Buttenheim kein ordentliches Auskommen mehr hatte, vielleicht litt er auch unter Liebeskummer, vor allem jedoch hatte er gehört, dass man in Kalifornien große Mengen Gold gefunden hatte. Ein wahrer Goldrausch hatte begonnen, der die jungen Männer aus der ganzen Welt in Scharen an die Westküste der Vereinigten Staaten lockte.

Der Schneider nahm sein ganzes Geld zusammen und kaufte sich davon die Überfahrt nach Amerika. In New York ging er an Land, dann machte er sich auf den beschwerlichen Weg an die Westküste: erst mit dem Schiff nach Panama, dann auf Mauleseln durch Mittelamerika, schließlich nochmals mit dem Schiff nach San Francisco. Sein einziger Reichtum war sein Handwerkszeug und ein großer Ballen Segeltuch, von dem er hoffte, ihn vielleicht noch gebrauchen zu können. Müde, hungrig und mit fast keinem Geld mehr in der Tasche setzte er sich in San Francisco in eine schummrige Hafenkneipe und überlegte, was er jetzt tun sollte.

Da setzte sich ein wild aussehender, bärtiger Mann an seinen Tisch. ›Na, Grünschnabel, willst du auch dein Glück machen?‹, fragte er.

›Natürlich‹, antwortete der Schneider. ›Kannst du mir sagen, wie ich am besten nach Sacramento komme, wo man das Gold gefunden hat?‹

›Ich komme gerade aus Sacramento‹, meinte der Bärtige. ›Und ich sage dir: Gehe nicht hin. Es gibt viel zu viele Goldsucher, der Ertrag der Goldadern reicht nicht aus für alle. Jede Menge zwielichtiges Gesindel treibt sich herum, es gibt jeden Tag Schießereien. Ich jedenfalls werde das Weite suchen, sobald ich ein bisschen was gespart habe. Übrigens: Dieses Segeltuch da, das ist gut, daraus könnte man eine schöne Hose machen, schön fest, damit sie beim Goldsuchen nicht gleich kaputtgeht. Ich zahle dir zwei Dollar, wenn du mir eine schneiderst.‹

Der Schneider bedankte sich für den Auftrag und machte sich am anderen Morgen an die Arbeit. Nach zwei Tagen holte der Bärtige seine Hose ab und der junge Mann aus Deutschland hatte jetzt erst einmal ein wenig Geld zum Überleben. Aber schon nach einer Woche traf er den Goldgräber wieder.

›Ich brauche unbedingt noch mehr von deinen Hosen. Überall fragt man mich, wo ich denn diese fabelhafte Hose her habe. Mach mir, so viel du kannst, ich zahle dir drei Dollar für das Stück.‹

Der Schneider machte aus dem restlichen Segeltuch fünf Hosen. Vier davon verkaufte er für drei Dollar, eine schenkte er dem Goldgräber aus Dankbarkeit. Von seinem Erlös kaufte er neues Segeltuch und mietete sich eine Werkstatt. Aus der Werkstatt wurde bald eine Fabrik und ein großes Unternehmen, das es bis heute gibt. Der junge Schneider hieß Levi Strauss und die Hose, die er erfunden hat, heißt ...«

»... Jeans!«, rief Gianna.

»Genau, Levi Strauss hat etwas erfunden, was wir heute alle benutzen, und er ist dabei steinreich geworden. Wäre er unter die Goldsucher gegangen, wäre er vermutlich als armer Schlucker gestorben und niemand wüsste noch seinen Namen.«

»Vielleicht wäre er auch erschossen worden«, sagte Peter.

»Gut möglich. Auf jeden Fall zeigt diese Geschichte, dass Reichtum selten aus dem Gold kommt. Kaum einer der Goldsucher damals ist wirklich reich geworden.«

»Und wir, was sollen wir jetzt machen?«, fragte Gianna.

»Ihr habt ja schon eine Menge gemacht. Ihr habt richtig investiert. Aber euren Schatz, den solltet ihr richtig arbeiten lassen, und zwar in anderen Unternehmen. Kurz, ich denke, ihr solltet Aktien kaufen.«

»Eine Aktie haben wir ja schon«, sagte Felix.

»Ich meine richtige Aktien. Von Unternehmen, die es noch gibt, die Gewinne machen und die an der Börse* gehandelt werden.«

»Was ist das: die Börse?«, fragte Peter.

»Die Börse, das ist eine Art Marktplatz, an dem mit Aktien und anderen Wertpapieren gehandelt wird.« Herr Schmitz breitete eine Ausgabe des *General-Anzeigers* vor ihnen aus. »Seht mal, was Felix' Vater heute schreibt: *Der Blick durch die Börsenwoche. Von Gerold Blum. Die Aktienmärkte der Welt stürmen von Rekord zu Rekord. Viele Anleger sind jetzt verunsichert. Sie würden gerne noch an dem Börsenboom* teilhaben, aber sie zweifeln, ob es dafür nicht schon zu spät ist. Die Antwort aller Fachleute auf diese Frage ist eindeutig: Die Voraussetzungen für eine Fortsetzung des Booms sind hervorragend. Inflationsgefahren sind weit und breit nicht zu sehen, die Zinsen bleiben niedrig. Institutionelle Anleger* haben in den vergangenen Wochen ihre Gewinne realisieren können. Dadurch ist viel Liquidität* im Markt, die nach Anlage sucht. Wer sein Vermögen mehren will, der sollte jetzt das Risiko* *des Aktienmarktes nicht scheuen. Wer zögert, bereut es vermutlich hinterher.«*

»Ich verstehe kein Wort. Was hat mein Vater da geschrieben?«, fragte Felix.

»Er schreibt, dass es den großen Unternehmen gut geht und dass sie höhere Gewinne machen. Immer mehr Menschen, die Geld auf der hohen Kante haben, wollen an dem Erfolg teilhaben, kaufen Aktien und lassen ihr Geld in den Unternehmen arbeiten.«

»Unsere Gold-Vrenelis sollen sich totarbeiten«, sagte Peter und kicherte.

»Und weil die Nachfrage nach Aktien steigt, steigt auch deren Preis, also die Aktienkurse*. Und das ist natürlich gut für die Leute, die diese Aktien bereits besitzen. Aber die anderen, die erst noch Aktien erwerben wollen, sollen sich nicht abschrecken lassen. Denn die Kurse werden auch noch weiter steigen. Das schreibt jedenfalls dein Vater, Felix.«

»Aber gibt es für Aktien denn Zinsen?«, fragte Felix.

»Zinsen nicht. Die Unternehmen schütten immer einen Teil ihres Gewinnes an die Aktionäre* aus, die sogenannte Dividende*. Wie viel das ist, weiß man nicht im Vorhinein, denn in einem Unternehmen kann ja viel Unvorhergesehenes geschehen. Die Firma *Heinzelmännchen* muss zum Beispiel das Risiko tragen, dass nicht alle Hühner regelmäßig Eier legen. Und solche Risiken gibt es in großen Firmen natürlich auch.«

»Eigentlich wäre es mir lieber, wenn wir Zinsen bekämen und uns auch darauf verlassen könnten.«

»Dann müsstet ihr ein Sparbuch eröffnen.«

»Kommt nicht in Frage.«

»Oder ihr leiht das Geld für eine bestimmte Zeit an den Staat

116

aus. Zu diesem Zweck könntet ihr Anleihen* kaufen. Für die bekommt ihr jedes Jahr einen bestimmten Zins. Aber langfristig gesehen, haben meistens die Menschen mehr verdient, die Aktien gekauft haben. Sie mussten zwar Risiken eingehen, aber dafür wurden sie auch mit steigenden Kursen belohnt.«

»Der Kurs kann doch auch mal sinken, oder?«

»Das kann man nicht ausschließen, das stimmt. Aber wer immer auf Nummer sicher geht, der wird niemals reich. Seht mal her ...« Herr Schmitz beugte sich über den *General-Anzeiger* und zeigte ihnen eine Seite, die mit einem Gewirr kleiner Zahlen bedeckt war. »Hier seht ihr die Kurse der Aktien, die am letzten Freitag an der Frankfurter Börse gehandelt wurden. Das mag euch jetzt sehr verwirrend vorkommen; den meisten Erwachsenen geht es übrigens auch so. Dabei ist die Sache eigentlich ganz einfach. Hier, nehmen wir diese Zeile ...«

Felix las vor: »*Airwings St. 25,70.* Und in der nächsten Spalte steht *25,55.*«

»Weiß denn jemand von euch, was *Airwings* ist?«

»Klar, das ist eine Fluggesellschaft.«

»Stimmt. Und die Zahlen bedeuten, dass eine Fünf-Mark-Aktie von *Airwings* am Freitag 25 Mark 70 gekostet hat, während man sie am Donnerstag noch für 25 Mark 55 bekam.«

»Ganz schön teuer für etwas, was nur fünf Mark wert ist.«

»Nein, nein«, sagte Herr Schmitz und lachte. »Die Aktie ist immer so viel wert, wie sie kostet. Dass sie irgendwann einmal fünf Mark gekostet hat, das hat nichts zu bedeuten. Aber dass die Kurse steigen, das ist ein gutes Zeichen.«

»Seht mal«, rief Felix. »Hier ist *Pulp & Co.* Die sind ja billiger geworden. Am Freitag kostete die Aktie 17 Mark 80, am Donnerstag waren es noch 19 Mark 80.«

117

»Merkwürdig, denen scheint es schlecht zu gehen. Wenn eine Aktie gegen den Markt an Wert verliert, dann ist das ein Alarmzeichen.«

»Vielleicht hängt das mit dem Fischsterben zusammen?«, meinte Felix.

»Vielleicht, man müsste sich mal erkundigen. Aber – ich wollte euch einen Vorschlag machen. Wie es der Zufall will, fahre ich übermorgen nach Frankfurt, um meine Tochter Sarah zu besuchen. Und da wäre es doch eine gute Idee, wenn ihr mich begleiten würdet. Wir besichtigen die Börse und überlegen uns dabei in aller Ruhe, wie ihr euren Schatz anlegt. Na, wie wär's?«

»Toll«, rief Peter. »Fahren wir mit dem Auto?«

»N-nein«, sagte Herr Schmitz etwas verlegen. »Ich habe gar keinen F-führerschein und deshalb auch kein Auto. Ihr m-müsst mich schon im Zug begleiten.«

»Schade«, sagte Peter.

»Toll«, sagte Felix. Das war eine der wenigen Sachen, über die Peter und Felix unterschiedlicher Meinung waren. Peter liebte Autos über alles. Felix liebte Eisenbahnen über alles und hasste Autos, weil es ihm bei längeren Autofahrten schlecht wurde.

»Also, dann fragt eure Eltern. Wenn die einverstanden sind, geht es am Mittwoch um 7.28 Uhr los … und nun sollten wir noch eure Buchführung in Ordnung bringen, jetzt, wo ihr einen Schatz habt.«

Gianna holte ihr Vokabelheft heraus und malte ein neues T hinein. Dann schob sie es Herrn Schmitz zu.

»Wie viel sind die Goldmünzen wert, nach Meinung von Herrn Fischer?«

»Er wäre bereit, 11.232 Mark zu bezahlen, sagt er. Wert sind sie aber mehr«, berichtete Felix.

»Dann müssen wir den niedrigeren Wert nehmen. Denn für euch sind die Münzen nur so viel wert, wie ihr dafür bekommen würdet.« Herr Schmitz beugte sich über das Vokabelheft und entwarf eine neue Tabelle:

Bilanz 23. Juli

Aktiva		Passiva	
Goldmünzen	11.232,00	Eigenkapital	
Hühner	110,00	284,70	
Futter	10,00	+ 11.232,00	
Kasse	164,70		11.516,70
	11.516,70		11.516,70

»Nun seht ihr es schwarz auf weiß«, sagte Herr Schmitz. »Das Vermögen der Firma *Heinzelmännchen* ist ganz schön gewachsen.«

9. KAPITEL

Von Bullen und Bären

»Hier Frankfurt Hauptbahnhof, hier Frankfurt Hauptbahnhof. Bitte alles aussteigen. Der Zug endet hier.«

Die scheppernde Stimme aus dem Lautsprecher verstummte und sie stiegen aus. Auf dem Bahnsteig schlug ihnen die Hitze entgegen. Jetzt müsste man in der Ziegelei sein, dachte Felix. Ein dichter Strom von Menschen nahm sie auf, führte sie in die Bahnhofshalle, eine Rolltreppe hinunter und in einen S-Bahn-

Wagen. In dem Abteil sah es schlimm aus: Die Sitze waren mit Farbe verschmiert, die Scheiben zerkratzt. Jedes Mal, wenn der Zug anfuhr, schepperte eine leere Bierdose auf dem Boden nach hinten; kam er zum Stehen, dann rollte die Dose wieder nach vorne und hinterließ auf dem Boden eine feuchte Spur.

An Wänden und Fensterscheiben klebte Reklame für Bücher-regale, Apfelsaft und die Bibel. Dazwischen hing, in einem alt-modischen Bilderrahmen, ein merkwürdiger Spruch: *Wenn die Kinder klein sind, gib ihnen Wurzeln, wenn sie groß sind, gib ih-nen Flügel.*

Felix fragte sich, wer mit diesem Spruch wohl für was Rekla-me machen wollte. Die Sache mit den Flügeln erinnerte ihn an einen Traum, den er einmal als ganz kleiner Junge geträumt und bis heute nicht vergessen hatte: Er war hoch oben auf dem Dachfirst ihres Hauses in der Bergstraße gestanden, hatte seine Arme ausgebreitet und war plötzlich losgeflogen. Wie die Bus-sarde über dem Schönstädter Forst konnte er schweben, er hat-te Häuser, Straßen und Wälder unter sich gelassen, bis er schließ-lich irgendwo auf einer Wiese gelandet war. Das Gras und die Blumen waren weich wie ein Federbett gewesen. Felix erinner-te sich noch genau an das leichte und behagliche Gefühl. Doch als er dann wieder hatte starten wollen, konnte er plötzlich nicht mehr fliegen. Er hatte geflattert und war herum gehüpft wie eine Krähe, so lange, bis ihn die Anstrengung aufgeweckt hatte.

Ganz in Gedanken lief Felix hinter Herrn Schmitz und den anderen her, als sie an der Haltestelle »Hauptwache« ausstie-gen. Oben auf der Straße musste Felix die Augen zusammen-kneifen, so sehr blendete ihn das grelle Sonnenlicht. Menschen hasteten an ihnen vorbei, Autos dröhnten. Direkt neben der

Rolltreppe verkaufte ein dicker Mann an einem Stand Pfirsiche und Kirschen, neben ihm saß ein Bettler auf dem Bürgersteig. Er hatte Bartstoppeln im Gesicht und zeigte den Passanten seine schrundigen Unterschenkel. Vor sich hatte er ein Pappschild aufgestellt, darauf stand mit krakeliger Schrift: *Bin obdachlos. Ohne Arbeit. Habe Hunger.*

Felix drehte es fast den Magen um, als er die schmutzigen, kaputten Beine sah. Er vermied es, dem Bettler ins Gesicht zu sehen, und war froh, dass die anderen schon weitergegangen waren. Das also war Frankfurt! Felix war in diesem Augenblick richtig dankbar, dass er nicht hier leben musste, sondern in einer schönen, kleinen Stadt mit einem Bach und einem Wald und Freunden. Er atmete auf, als sie kurze Zeit später zu einem ruhigen, lauschigen Platz kamen. Im Schatten einer großen Platane blieben sie stehen.

»Die Börse. Wir sind da.« Herr Schmitz zeigte auf ein stattliches Gebäude genau vor ihnen. Die altertümliche Fassade beherrschte den Platz. Wenn man sich die Säulen am Eingang wegdachte, sah die Börse fast so aus wie das Schönstädter Gymnasium. Aber Felix hatte nicht viel Zeit für Betrachtungen, denn Herr Schmitz strebte jetzt quer über den Börsenplatz auf zwei massige, schwarze Gebilde aus Metall zu. Aus der Nähe sah man, dass eines davon einen Bären darstellte, das andere einen Ochsen. Seine Hörner schimmerten in einem hellen Bronzeton, so als seien sie schon von tausenden von Händen poliert worden. Und oben auf dem Ochsen thronte ein großes Mädchen im Schneidersitz. Sie hatte einen schwarzen Wuschelkopf und betrachtete die Reisegruppe neugierig durch eine goldene Nickelbrille. Herr Schmitz verschränkte die Arme und zwinkerte zu dem Wuschelkopf hinauf.

121

»Hallo, Sarah«, sagte er.

»Hi«, sagte Sarah.

Herr Schmitz stellte seiner Tochter die drei Kinder vor. »Hi«, sagte Sarah zu jedem. Mehr sagte sie nicht und machte auch keine Anstalten, ihren Thron zu verlassen. Ihr Vater berichtete ihr von den *Heinzelmännchen,* von dem Schatz und davon, was sie in Frankfurt vorhatten. »Aber das ist ein Geheimnis. Du darfst niemandem davon erzählen.«

Sarah hörte sich alles an, dann sagte sie von oben herab: »Ich finde Geld doof.«

Peter tat, als habe er sich gerade verschluckt: »Hää?«

»Geld ist doof«, wiederholte Sarah.

»Und warum, wenn ich fragen darf?«

Sarah landete mit einem kühnen Sprung unten auf dem Straßenpflaster. »Geld ist ungerecht«, sagte sie. »Jedenfalls solange nicht alle Menschen gleich viel davon haben. Außerdem macht Geld dumm. Und es verdirbt den Charakter. Sieh dir doch nur die komischen Typen hier an.« Sarah zeigte mit einer Kopfbewegung zum Eingang der Börse, aus dem gerade ein junger Mann herauskam. Er trug einen dunkelblauen Anzug und redete in ein Handy hinein. »Ich finde, dass es wichtigere Dinge gibt als Geld. Meine Mutter sagt: Geld macht nicht glücklich.«

Felix war damit nicht einverstanden. »Kein Geld macht aber auch nicht glücklich«, erwiderte er. »Wenn man kein Geld hat, gibt es nur Streit. Wir wollen auch nicht einfach nur so reich sein. Wir wollen Geld verdienen, um selbst über uns bestimmen zu können.«

»Das sagen alle.«

»Und was ist für dich wichtig?«, fragte Peter spitz.

»Tiere zum Beispiel, vor allem Pferde, oder Freundinnen. Oder eine Familie. Man muss nicht reich sein, um glücklich zu sein.«

An dieser Stelle wurde Herr Schmitz rot, aber Peter achtete nicht darauf: »Du meinst also, Pferde und Katzen und Goldhamster gibt's umsonst. Weißt du, dass Reiten zum Beispiel ein Schweinegeld kostet. Das ist nur was für Mädchen mit reichen Eltern. Aber mach dir nichts draus. Wenn wir es geschafft haben, kriegst du von uns ein Pferd.« Peter grinste frech.

Herr Schmitz räusperte sich. »Ü-über das P-Pferd reden wir noch, Sarah. A-aber jetzt ist genug gestritten. Wisst ihr, was diese beiden schönen Figuren hier zu bedeuten haben?«

»Ein Bär und ein Ochse«, sagte Gianna.

»Der Ochse ist ein Bulle und ist das Sinnbild für die Optimisten an der Börse. Bullen* sind all die Leute, die Aktien kaufen, weil sie auf bessere Gewinne setzen. Wenn die Kurse steigen, dann sagt man: Die Bullen sind los. Bären* sind dagegen die Pessimisten. Sie setzen auf schlechte Zeiten und hauen mit ihren groben Tatzen die Kurse in Stücke, so sagt man.«

Herr Schmitz klopfte dem Bullen auf seine fette Seite, so als wäre das Denkmal ein lebendiges Tier. Felix fand, dass dieser Bulle überhaupt nicht aussah wie ein dummer Ochse. Im Gegenteil: Er blickte richtig klug drein mit seinem Doppelkinn. Ein bisschen ähnelten seine Gesichtszüge denen von Herrn Schmitz, obwohl der nun alles andere als ein Bulle war.

»Dann sind also jetzt gerade die Bullen los«, sagte Felix.

»Sieht so aus. Wenn das stimmt, was dein Vater geschrieben hat. Lassen wir uns überraschen. Jetzt ist es Viertel nach zehn und in einer Viertelstunde beginnt der Aktienhandel. Wenn wir nicht zu spät kommen wollen, müssen wir jetzt in den Börsensaal gehen.«

An einer Tür neben dem großen Säulenportal war ein Schild

angebracht: *Besuchereingang*. Als sie darauf zugingen, rief Gianna: »He, Leute, seht mal da oben über den Säulen: Sternzeichen!« Tatsächlich waren oberhalb der ganzen Fassade in regelmäßigen Abständen kleine Reliefs gemeißelt, die die Sternzeichen darstellten. »Dort, ganz links, ist der Löwe!«, rief Gianna. »Das ist ein gutes Zeichen. Ich bin nämlich Löwin.«

»Ich finde Aberglauben doof«, sagte Sarah.

»Das ist kein Aberglaube!« Gianna war empört. »Die Sterne lügen nicht, sagt meine Mutter. Sie hat ein Horoskop für mich erstellen lassen. Und alles hat auf mich gepasst.«

»Stand da auch drin, welche Aktie du kaufen sollst?«, spottete Peter.

»*Spiritoso!*«, sagte Gianna und warf ihren Kopf zurück. »Jedenfalls stand drin, dass ich stark sei und dass ich anderen von meiner Kraft abgeben werde.«

»Die meinten damit bestimmt, dass du ein Dickkopf bist«, sagte Peter.

»Wer weiß schon, was richtig ist?«, mischte sich Herr Schmitz ein. »Alle an der Börse wollen reich werden, indem sie versuchen, die Aktienkurse der Zukunft vorauszuahnen. Manche tun so, als hätten sie einen siebten Sinn, manche sammeln Zahlen, die dritten lesen Horoskope. Ein bisschen Aberglaube ist immer mit dabei, wenn jemand in die Zukunft sehen will.«

»Das ist kein Aberglaube!«, sagte Gianna.

Mittlerweile waren sie die Stufen zum Besuchereingang hinaufgestiegen und standen nun vor einem Pförtner, der gelangweilt in einer gelben Plastikkaffeetasse herumrührte. Er hörte auch nicht auf zu rühren, als Herr Schmitz ihn nach dem Weg zur Besuchertribüne fragte, sondern drehte nur wortlos den Kopf zu einer kleinen Steintreppe. Kaum waren sie ein paar Stufen hinaufgestiegen, da hörten sie Stimmengewirr und vereinzelte Schreie. Die Stimmen wurden immer lauter, bis sie schließlich oben vor einer Glasscheibe standen, durch die sie in einen großen Saal hinunterblicken konnten, in dem furchtbar viele Männer und Frauen herumrannten, telefonierten und mit den Armen fuchtelten. Felix sah sich um und stellte fest, dass sie sich auf einer Galerie befanden, die um den halben Börsensaal herumführte und oben von einem Stahlgitter abgeschlossen wurde. Wie ein Raubtierkäfig, dachte er.

Das chaotische Treiben dort unten im Saal schien System zu haben. Die Leute schwirrten nicht einfach ziellos umher, sie kreisten um drei große Holztheken, die wie Inseln in der Brandung standen. Auf der Innenseite der Theken war es ruhiger. Die Männer und Frauen dort rannten nicht umher, sondern saßen oder standen vor Bildschirmen und warteten, bis sich aus dem Menschenstrom jemand herauslöste und vor ihnen stehen blieb. Dann schrien sich die beiden vor und hinter der Theke wild gestikulierend an; der eine tippte etwas in seinen Computer, der andere zückte seinen Notizblock, rannte davon und verschwand durch eine Tür im Hintergrund des Börsensaales. Nach kurzer Zeit kehrte er zurück, um jemand anders anzubrüllen. Über dem Saal hingen riesige Tafeln, einige zeigten endlose Zahlenreihen, eine war ganz schwarz. Nein, nur *fast* ganz schwarz, denn oben links zeigte sich ein kleiner, weißer Krakel.

»Warum schreien die so?«, fragte Peter.

»Die müssen so schreien. Im Börsensaal gilt noch das, was man zusagt. Durch Zuruf werden hier Aktien im Wert von vielen Millionen Mark verkauft. Da kommt es darauf an, dass man sich ganz genau versteht. Das geht nicht ohne Geschrei.«

»Und wenn wir eine Aktie kaufen wollen, müssen wir denen da unten auch was zuschreien?«

»Nein, das geht zum Glück viel einfacher«, sagte Herr Schmitz. »Wenn ich Aktien kaufen will, dann gehe ich in eine Bank. Vorher habe ich mich natürlich in der Zeitung darüber informiert, welche Aktien ich haben will. Und dann sage ich das der Bank, das heißt, ich gebe ihr einen Kaufauftrag. Die Bank gibt ihrerseits meinen Auftrag an einen Aktienhändler* weiter. Aktienhändler, das sind die Männer und Frauen, die hier im Börsensaal herumrennen. Sie sind besonders ausgebildet und die Einzigen, die auf dem Börsenparkett handeln dürfen. Haben der Händler oder die Händlerin genügend Aufträge zusammen, dann gehen sie zu einem Makler*. Das sind die Leute, die im Inneren der Theken vor den vielen Bildschirmen stehen. Der Händler sagt dem Makler zum Beispiel, er habe da jemanden, der wolle tausend Stück von der *Pulp*-Aktie zu höchstens hundert Mark kaufen.«

»Weiß der Händler, von wem der Auftrag kommt?«

»Bei so kleinen Fischen wie mir sicher nicht. Hat der Makler nun jemanden an der Hand, der tausend Aktien zu hundert Mark verkaufen will, dann schreit er ihm zu: ›Tausend *Pulp* an dich!‹, und der Auftrag ist abgewickelt. Wenn nicht, schreibt er sich den Auftrag auf. Genau um zwölf Uhr rechnet er alles zusammen und legt dann den Kurs fest, der sich an diesem Tag aus Angebot und Nachfrage ergibt. Das ist dann der so genannte Kassakurs*.«

»Gibt das nicht ein ziemliches Durcheinander?«, fragte Gianna.

»Nein, gar nicht«, antwortete Herr Schmitz. »Jede Ecke der drei Theken ist für ganz bestimmte Aktien reserviert, die nur dort gehandelt werden. Hinten links an der mittleren Theke zum Beispiel gibt es Autoaktien, rechts davon Banken.«

»Und was gibt es dort hinten, wo die blauen Lampen auf der Theke stehen?«, fragte Gianna.

»Das ist der Neue Markt. Dort gibt es Aktien von Firmen, die gerade erst neu an der Börse gehandelt werden.«

Der Neue Markt war die ruhigste Ecke im ganzen Börsensaal. Offensichtlich interessierten sich die Händler dort unten nicht für die neuen Aktien. Hinter der Theke mit den blauen Lämpchen saß nur ein einsamer, dicker Makler mit einem großen Schnurrbart. Er kaute an einem belegten Brötchen, stierte die Thermoskanne vor sich an und schien sich zu langweilen.

Unterdessen hatte sich auf der großen schwarzen Tafel etwas verändert. Zu seiner Überraschung sah Felix, dass sich der kleine, weiße Krakel dort inzwischen zu einem langen Strich ausgewachsen hatte, der leicht nach oben zeigte.

»Das ist der Dax*«, sagte Herr Schmitz.

»Der Dachs, das Tier?«, fragte Felix.

»Nein, der Dax mit einem x hinten, das ist der Deutsche Aktienindex*. Er stellt so etwas Ähnliches dar wie eine Fieberkurve für die Börse. Im Dax hat man die dreißig wichtigsten deutschen Aktien zusammengefasst. Wenn deren Kurse steigen, dann steigt der Dax und damit auch die Kurve da oben. Und daran sieht man, dass die Bullen los sind.«

»Also je höher das Fieber, desto besser?«, sagte Sarah.

»Ziemlich hohes Fieber heute«, meinte Peter.

»Stimmt. Da oben könnt ihr ablesen, wie steil der Dax heute steigt. Zur Zeit steht er bei 4228,31 Punkten. Das sind 17,14 mehr als gestern und 5,22 mehr als vor einer halben Stunde. Vielleicht kann ich herausfinden, warum das so ist.«

127

Auf der Besuchergalerie saß hinter zwei Bildschirmen eine Frau. Wahrscheinlich war sie dazu da, um Fragen der Besucher zu beantworten.

»Was ist los da unten?«, fragte sie Herr Schmitz.

»Ein Wirtschaftsforschungsinstitut hat seine Prognose für das BIP-Wachstum in diesem Jahr heraufgesetzt ...«

»Ach, das wusste ich nicht. Und?«

»Zweikommafünf Prozent Plus gegenüber dem Vorjahr.«

»Aha«, sagte Herr Schmitz zufrieden und wandte sich wieder den Kindern zu. »BIP ist eine Abkürzung und bedeutet Bruttoinlandsprodukt*.«

»Brutto-was?«, fragte Felix.

»Habt ihr noch nie in den Nachrichten davon gehört? Das Bruttoinlandsprodukt, nun ja, das ist alles, was in Deutschland produziert wird.«

»Alles?«

»Einfach alles!«

»Und was hat das Bruttodingsbums mit dem Dax hier zu tun?«

»Wenn das BIP steigt, heißt das, dass die Wirtschaft wächst, dass also mehr Dinge produziert werden, Autos, Kühlschränke, Computer, was weiß ich.«

»Auch Parfums?«, fragte Gianna.

»Auch Parfums und Ohrringe und Lakritzstangen ...«

»Lauter überflüssiges Zeug also«, sagte Sarah.

»Ja, aber auch Reitstunden, Bücher und Schallplatten. Jedenfalls ist die Wirtschaft im letzten Monat schneller gewachsen, als die Fachleute an der Börse erwartet haben. Sie rechnen nun damit, dass die Unternehmen, mit deren Aktien sie handeln, noch mehr Geld verdienen werden und deshalb bald mehr wert sind. Also steigen die Kurse. Ganz einfach.«

»Ja, ganz einfach. Aber was hat dieses BIP mit Schmutz zu tun?«, fragte Gianna.

»Mit Schmutz? Wie kommst du denn darauf?«

»*Brutto* heißt doch auf Italienisch ›hässlich‹ oder »schmutzig‹ …«

»Die Wirtschaft ist eben schmutzig.«, sagte Sarah spitz und schaute Felix mit ihren grünen Augen herausfordernd an.

Ihr Vater aber grinste. »*Brutto* heißt ›schmutzig‹? Das ist gut«, sagte er. »Wie ihr euch denken könnt, waren in den alten Zeiten, als die Italiener die moderne Wirtschaft erfunden haben, die Straßen sehr schlecht. Deshalb wurden die Waren der Kaufleute immer ziemlich schmutzig, *brutto*, bis sie nach einer langen Reise bei den Kunden waren. Da Dreck aber auch ein eigenes Gewicht hat, musste man dies beim Wiegen berücksichtigen – die Ware war *brutto*. Erst wenn man sie sauber gemacht hatte, konnte man das wahre Gewicht herausfinden. Sauber heißt *netto*. Stimmt's?«

»Nicht ganz. Aber so kann man sich's gut merken.«

»Jedenfalls sagt man heute in der Wirtschaft immer dann, wenn bei einer Ware etwas dabei ist, was man eigentlich nicht haben will, ›brutto‹ und bei der reinen Ware ›netto‹. Wenn jemand fünftausend Mark brutto im Monat verdient, bedeutet dies, dass er von seinem Lohn erst noch Steuern* an den Staat bezahlen muss. Erst wenn er die abgezogen hat, weiß er, was er netto, also wirklich verdient.«

»Und was muss man beim Bruttodingsbums abziehen, um das Nettodingsbums zu bekommen?«, fragte Gianna

»Beim Bruttoinlandsprodukt wird nicht berücksichtigt, dass im Laufe eines Jahres ganz viele Dinge kaputtgehen oder sich abnutzen oder sonst irgendwie veralten. Erst wenn man diese ganzen kaputten Maschinen abzieht, bekommt man das, was die Wirtschaft wirklich wert ist, das Nettoinlandsprodukt*. Die Abzüge nennt man übrigens Abschreibungen*.«

»He, kommt doch mal her!«, rief Gianna plötzlich. Sie stand an der Glasscheibe vorne und blickte wieder in den Börsensaal hinunter. »Da, seht ihr diese Frau da? Ist die nicht stark?«

»Ich sehe viele Frauen hier«, sagte Peter.

»Na, die da unten bei den Autoaktien. Die mit der schwarzen Karatejacke.«

Jetzt sah Felix sie auch. Die Frau schien sehr jung und sie trug einen Anzug, der wirklich genauso aussah wie die Anzüge der Judo- und der Karatekämpfer im Schönstädter Turnverein. Auch der Gürtel passte dazu. Nur dass eben alles nicht weiß, sondern pechschwarz war. Vom Hals der Karatefrau leuchtete eine dünne Goldkette, in der einen Hand trug sie ein Handy, in der anderen einen Notizblock.

Das Auffallendste aber war ihr Mund: Felix hatte noch nie einen Menschen so auffällig Kaugummi kauen sehen wie diese Börsenhändlerin. Selbst von der Besuchertribüne sah man ganz deutlich, wie ihre Kiefer den Kaugummi zu zermalmen versuchten und wie sich ihr Hals vor Anstrengung spannte. Zuweilen öffnete sich ihr Mund und man sah für einen Augenblick die Zunge, die den Kaugummi an eine bequemere Stelle zwischen den Zähnen schob. Die Karatefrau stand sehr lässig da, ihre Finger spielten mit dem Handy und sie ließ ihren Blick durch den Saal schweifen. Fast ein bisschen gelangweilt kam sie Felix vor.

»Cool«, sagte Gianna. »Die ist sicher Löwin, das merkt man. Ich will auch Börsenhändlerin werden, wenn ich groß bin.«

»Das geht aber nicht mit grünen Haaren«, sagte Peter.

130

»*Cretino*. Seht mal, jetzt passiert was.« Tatsächlich stürmte in diesem Augenblick aus einer Glastür im Hintergrund ein kleiner, dicker Mann auf die Karatefrau zu und bremste direkt vor ihr so scharf, dass er auf dem Parkett einen halben Meter weiterglitt. Hastig redete er auf sie ein, dann raste er zurück. Die Frau malmte weiter an ihrem Kaugummi und sah gelangweilt aus. Schließlich schlenderte sie gemächlich zu der Theke hinüber, wo mit Autoaktien gehandelt wurde, und sagte etwas zu einem Makler dort. Der fing an, mit den Armen zu fuchteln, fasste sich an den Kopf und ließ sich dann mit einem Plumps auf seinem Hocker nieder. Die Frau mit dem Kaugummi schlenderte weiter.

»Ich würde gern wissen, was sie zu dem Makler gesagt hat«, meinte Gianna.

»Vielleicht hat sie ihn beschimpft«, sagte Peter.

»Oder sie wollte zu wenig für eine Aktie bezahlen«, schlug Felix vor.

Plötzlich nahm die Unruhe im Saal zu. Alle Leute dort unten schienen ganz aus dem Häuschen zu sein. Der dicke Mann kam wieder aus seiner Tür hervorgerannt und landete mit einer Vollbremsung bei den Chemieaktien. Nur die Frau mit der Karatejacke stand weiter da und kaute Kaugummi. Felix blickte zur schwarzen Anzeigetafel hinauf und stellte überrascht fest, dass die Dax-Kurve jetzt nach unten zeigte. Er machte Herrn Schmitz darauf aufmerksam und fragte ihn, was das zu bedeuten habe.

»Ich könnte mir denken, dass einigen Börsenhändlern die Luft zu dünn geworden ist. Sie haben zugesehen, wie ihre Aktien in den letzten Tagen immer mehr wert geworden sind, und wollen ihre Gewinne jetzt mitnehmen.«

»Mitnehmen, was heißt denn das schon wieder?«

»Einen Gewinn an der Börse hat man nur dann wirklich sicher, wenn man seine Aktien wieder verkauft hat. Sonst muss man ja immer damit rechnen, dass die Kurse wieder sinken. Deshalb steigen manche Leute bei steigenden Kursen wieder aus und verkaufen ihre Aktien, um Gewinne zu kassieren. So war das wohl in der letzten Viertelstunde, in der wir hier diskutiert haben. Das ist nichts Beunruhigendes.«

»Verrückt«, sagte Sarah. »Die Kurse fallen, weil sie gestiegen sind.«

Schon zehn Minuten später hatte die Dax-Kurve wieder einen Knick bekommen und stieg jetzt flach an. »Seht ihr, die Gewinnmitnahmen* sind schon beendet«, sagte Herr Schmitz. »Jetzt ist es acht vor zwölf. Genau um zwölf Uhr klingelt es, bis dahin müssen die Makler die Kassakurse festgestellt haben.«

Tatsächlich schienen die Händler unten im Saal jetzt wieder nervöser zu werden. Endlich wurde auch die Karatefrau von der allgemeinen Hektik angesteckt. Sie klappte ihr Handy auf, hörte aufmerksam hinein, sagte selbst etwas und klappte das Gerät wieder zusammen. Dann schritt sie entschlossen quer durch den Saal zu der Theke mit den geheimnisvollen blauen Lampen und dem Schild *Neuer Markt**. Dort sagte sie mit ein paar zackigen Handbewegungen etwas zu dem dicken Makler vor seiner Thermoskanne. Dann schlenderte sie durch eine Glastür aus dem Börsensaal hinaus. Kurze Zeit später ertönte die Klingel.

»Habt ihr gesehen, die Frau hat was bei den blauen Lampen gekauft. Wenn man nur wüsste, was es war!«, rief Gianna aufgeregt.

»Aber sie war die Einzige«, sagte Felix. »Sonst wollte niemand was von den blauen Lämpchen wissen. Vielleicht hat sie sich ja getäuscht.«

»Bestimmt sind es Zauberlämpchen«, sagte Sarah schmunzelnd.

»Ihr werdet es nie erfahren«, meinte Herr Schmitz. »Aber jetzt sollten wir etwas essen. Ich habe furchtbaren Hunger.«

»Ich auch«, sagte Peter erleichtert.

Sie verließen die Zuschauergalerie, gingen die Treppe hinunter und dann quer über den Börsenplatz an dem Bullen und dem Bären vorbei. Von dort führte sie Herr Schmitz zielstrebig in ein kleines Restaurant mit einem merkwürdigen Namen: Es hieß »*Bulle & Bär*«. Das Restaurant war ungefähr zur Hälfte besetzt, sie fanden auch gleich einen schönen Tisch am Fenster, von wo aus sie den ganzen Börsenplatz überblicken konnten. Ihr Tisch war mit einem vornehmen weißen Tischtuch gedeckt, Teller standen schon bereit, außerdem Gabeln, Messer, Löffel und Gläser, von allem je zwei Stück. Auf jedem Teller lag außerdem eine kunstvoll gefaltete Serviette.

Peter wollte eine Pizza essen, und zwar eine möglichst große. Herr Schmitz versicherte ihm aber, dass es so etwas in einem vornehmen Restaurant nicht gebe, in dem Leute von der Börse verkehrten. Ein Kellner mit schwarzer Jacke und Fliege brachte ihnen eine Speisekarte, die wie ein Buch aussah, und zündete eine Tischkerze an. Felix verstand die meisten der fremdländischen Namen auf der Speisekarte nicht. Daher war er froh, als Herr Schmitz ihnen die Wahl abnahm und für jeden etwas bestellte.

Der Kellner servierte ihnen wenig später eine komische Art Nudeln, die auch nicht anders schmeckten als andere Nudeln, aber auf einem kunstvoll verzierten Teller lagen. Ein bisschen klein sei die Portion, flüsterte Peter.

Als sie mit dem Essen fast fertig waren, erstarrte Gianna plötzlich. »Schaut mal!«, stammelte sie und zeigte zum Fenster hinaus.

Felix drehte sich um: Über den Börsenplatz ging niemand anders als die Karatefrau. Sie hatte sich bei einem jungen Mann im dunkelblauen Anzug eingehakt und strebte genau auf ihr Restaurant zu. Ihr Begleiter hielt die Tür auf, dann setzte sich das Paar an einen Tisch im Hintergrund. Die beiden legten ihre Handys neben die Servietten und studierten die Speisekarte.

»Na, Gianna, jetzt kannst du sie ja fragen, was sie bei den blauen Lämpchen gekauft hat«, sagte Peter.

Gianna wischte sich mit der Serviette den Mund ab, schob ihren Teller von sich und stand mit einem Ruck auf. »*Un attimo*«, sagte sie.

»Du wirst doch nicht?«, zischte Felix.

Gianna sagte nichts. Ihr Mund wurde ganz schmal, als sie den Tisch verließ und quer durch das Restaurant auf die Karatefrau zumarschierte. Felix war sicher, dass gleich irgendetwas Schlimmes passieren würde. Peter saß mit offenem Mund da und sagte gar nichts. Und auch Sarah schien zum ersten Mal richtig verblüfft zu sein.

Gianna baute sich vor dem Tisch der Karatefrau auf. Die sah zuerst etwas unwirsch aus, sperrte dann den Mund auf und fing an zu lachen. Gianna holte einen Stuhl vom Nachbartisch und setzte sich zwischen die Frau und ihren Begleiter. Dann sah man die beiden wild gestikulieren: Mal streckte Gianna ihren Zeigefinger in die Luft, dann breitete die Karatefrau ihre

Hände aus, schlug mit der Serviette auf den Tisch und so weiter. Man hätte meinen können, die beiden spielten Theater. Schließlich brachte ein Kellner drei hohe, schlanke Gläser und schenkte irgendetwas ein. Die drei drehten sich zu Herrn Schmitz und den Kindern um und prosteten ihnen zu. Was dabei gesprochen wurde, konnte Felix nicht verstehen; nur, dass es ziemlich lustig zuging an dem Tisch, das war zu hören.

Gianna blieb sehr lange bei der Börsenhändlerin und ihrem Freund, fand Felix. Schließlich brachte der Kellner das Essen, Gianna stand auf und bekam zum Abschied von der Karatefrau einen Kuss auf die Wange, so als seien die beiden alte Bekannte.

Dann stolzierte Gianna durch das Restaurant zurück, ließ sich auf ihren Platz plumpsen und sagte: »Wir kaufen *Telekid!*«

»Was kaufen wir?«, fragte Felix.

»*Telekid.* Das hat Martha gekauft, als wir sie bei den blauen Lämpchen beobachtet haben. Für sieben Millionen Mark. *Telekid* ist ein Zukunftswert, hat Martha gesagt.« Gianna legte ein kleines, weißes Kärtchen auf den Tisch. »Hier, das ist Marthas Visitenkarte.«

Felix nahm das Kärtchen in die Hand, befühlte die vornehm eingeprägten Buchstaben und las: »*Martha von Millern, Wertpapierhändlerin, Kreditbank AG, Niederlassung Frankfurt.*« Dann kamen Telefonnummer, Fax-Nummer und E-Mail-Adresse.

»Und ist sie denn nun Löwin, deine Karatefrau?«, fragte Peter.

»Nein, Zwilling. Aber sie hat den Löwen im Aszendenten.« Felix wusste nicht, was ein Aszendent ist, doch ihn beschäftigten jetzt wichtigere Fragen.

»Von der *Kreditbank* ist sie. Sieh mal einer an«, sagte Herr Schmitz. »So ein Zufall.«

»Was ist das überhaupt, *Telekid*?«, fragte Felix.

»Na, der Fernsehsender für Kinder. Der mit den vielen Comics«, sagte Gianna.

»Fernsehen finde ich doof«, sagte Sarah.

»Du findest wohl alles doof«, erwiderte Gianna spitz. »*Telekid* hat Zukunft, sagt Martha. Aber du findest wahrscheinlich auch Zukunft doof, was?«

»Und warum hat *Telekid* Zukunft, nach Meinung von der Karatefrau?«, fragte Felix.

»Weil die Firma ganz neu ist und die Aktien erst seit ein paar Tagen verkauft werden. Und weil immer mehr Kinder fernsehen und weil es dann immer mehr Werbung gibt, der Sender mehr Geld verdient und die Aktien im Wert steigen.«

»Ich finde Kinder doof, die den ganzen Nachmittag vor dem Fernseher sitzen und sich Sendungen über Klamotten und richtiges Küssen und so was ansehen«, sagte Sarah.

»Aber wir wollen doch nicht selber fernsehen«, sagte Peter. »Wir wollen mit Fernsehen reich werden.«

»Also wollt ihr mit der Doofheit der Kinder Geld verdienen.«

»Wenn du es so siehst. Ist doch gar keine schlechte Idee«, antwortete Peter und grinste.

Felix fing einen Blick von Sarah auf und meinte ihr jetzt etwas beweisen zu müssen. »Wenn wir *Telekid*-Aktien kaufen, gehört uns ein Stück von dem Sender. Und dann können wir dafür sorgen, dass das Programm besser wird.«

»Das glaubst du doch selbst nicht. Diese Martha und all die anderen haben die *Telekid*-Aktien gekauft, gerade *weil* der Sender so doof ist. Je doofer, desto mehr Zuschauer. Und desto

136

mehr Leute sehen dann auch die Werbespots und kaufen das ganze überflüssige Zeug. Daran werdet auch ihr nichts ändern.«

»Wenn der Laden uns erst mal gehört, dann krempeln wir ihn schon um«, behauptete Peter.

»Also, nun macht mal langsam.« Herr Schmitz lachte. »Ihr müsst schon sehr viele Aktien besitzen, damit ihr einem Unternehmen vorschreiben könnt, was es zu tun hat und was nicht. Und irgendwie hat Sarah natürlich Recht. Wenn ihr einen Fernsehsender zwingen würdet, nur lauter kluge und anspruchsvolle Sendungen zu bringen, dann wären eure Aktien vermutlich bald nichts mehr wert.«

»Eben«, sagte Sarah.

»Hat dir die Karatefrau eigentlich auch erzählt, woher sie das alles weiß, dass *Telekid* eine Zukunft hat und so?«, fragte Peter.

»Hat sie nicht. Aber sie wird schon wissen, was sie tut. Schließlich hat sie sieben Millionen Mark dafür bezahlt.«

»Wer ist denn diese Karatefrau, von der ihr immer redet?«

Felix und die anderen drehten sich mit einem Ruck um. Direkt hinter ihnen stand die Karatefrau und stützte sich auf Giannas Stuhllehne.

»Ich wusste gar nicht, dass ich so kämpferisch aussehe.«

»N-nein, so war das nicht gemeint«, stotterte Peter. »W-wir dachten nur, wegen Ihres schwarzen Anzugs und so ...«

Frau von Millern sah an sich herunter und lachte über das ganze Gesicht. »Ihr habt Recht, der sieht wie ein Karateanzug aus, das ist mir noch gar nicht aufgefallen. Vielleicht sollte ich es mir genauer überlegen, wann ich ihn anziehe und wann nicht. Aber willst du mich nicht deinen Freunden vorstellen, Gianna?«

Gianna nannte ihre Namen und alle schüttelten der Karatefrau die Hand.

»Und Sie sind wohl der Lehrer der Kinder?«, fragte sie Herrn Schmitz.

»Ich w-würde eher sagen, d-der B-berater«, erwiderte Herr Schmitz aufgeregt.

»Ihr fragt euch, woher ich das weiß, dass *Telekid* ein Zukunftswert ist. Die Frage ist völlig berechtigt. Auch wir Börsenhändler können schließlich nicht in die Zukunft blicken. Aber wir können die Berichte lesen, die Unternehmen veröffentlichen: Wie viel die Firma eingenommen hat, wie viel sie ausgeben muss, was sie alles besitzt, ob die Gewinne zunehmen und so weiter. Und es gibt viele Fachleute, die diese Berichte ebenfalls lesen. Man nennt sie Analysten*. Und die können wir fragen. Außerdem sieht man, wie der Kurs sich in der Vergangenheit entwickelt hat. Und das alles war bei *Telekid* so gut, dass ich nicht nur meine Aufträge abgewickelt, sondern auch für mich privat ein paar Aktien erworben habe.«

»Sie sind sich also absolut sicher?«, fragte Felix.

»Nein, absolut sicher kann man nie sein, auch bei einem Zukunftswert nicht. Ein bisschen Risiko ist immer dabei.«

»Risiko?«, fragte Felix. »Welches Risiko?«

»Das Risiko, dass alles ganz anders kommt, als man gedacht hat. An der Börse versucht man ja herauszufinden, was ein Unternehmen in der Zukunft wert ist. Das kann man aber nie genau wissen. Schließlich kann in der Zukunft alles Mögliche passieren, was heute niemand vorausahnt.«

»Ein Erdbeben zum Beispiel«, sagte Peter.

Die Karatefrau lachte. »Wenn das Sendegebäude von *Telekid* ordentlich gebaut ist, dann wird ihm das wohl nichts ausmachen. Nein, aber ein wirkliches Risiko liegt darin, dass der Markt so eng ist.«

»So eng – was heißt das?«

»Dass es von *Telekid* viel weniger Aktien gibt als von großen Weltunternehmen. Deshalb hat auch der einzelne Aktienkäufer einen viel größeren Einfluss auf den Kurs. Wenn einen Großaktionär plötzlich die Panik überkommt und er wirft alles, was er hat, auf den Markt, dann kann dies plötzlich den Kurs in den Keller treiben und man verliert eine Menge Geld.«

»Und woher weiß man, ob einer in Panik gerät?«

»Man kann es nicht wissen, das ist es ja eben. Absolute Sicherheit gibt es nicht. Und da ihr zum ersten Mal an der Börse seid und euren ganzen Schatz investieren wollt ...«

»Hast du ihr vom Schatz erzählt?«, fragte Peter böse.

»Pscht«, unterbrach ihn Martha. »Ich erzähle es gewiss niemandem weiter. Jedenfalls wäre es in eurer Situation vielleicht besser, etwas weniger Riskantes zu nehmen, zum Beispiel Anleihen.«

»Aber das wäre ja langweilig«, sagte Herr Schmitz. »Ohne Spekulation* gibt es keine richtigen Gewinne.«

»Was heißt Spekulation?«, fragte Felix.

»Spekulation heißt, dass man etwas kauft, weil man glaubt, dass es mehr wert ist, als die anderen Leute meinen. Und man hofft, dass man es verkaufen kann, wenn es im Wert gestiegen ist. Man wettet sozusagen auf die Zukunft.« Herr Schmitz hielt eine zusammengefaltete Zeitungsseite vor sich hin. »Im Moment scheint jedenfalls alles für Ihre Aktie zu sprechen, Frau von Millern. Vor zwei Wochen ist die Aktie zu 28 Mark an die Börse gekommen, steht hier. Heute ist sie bereits bei über 39 Mark. Und es ist gut möglich, dass der Kurs sich in diesem Jahr noch verdoppelt.«

»Eben«, sagte Frau von Millern.

»Aber das ist doch völlig unmöglich, dass sich der Wert eines Unternehmens in so kurzer Zeit verdoppelt«, sagte Felix. »So was gibt es doch nicht.«

»Kommt drauf an, was du unter Wert verstehst«, antwortete Martha. »Wenn alle an der Börse glauben, dass die Aktie so viel wert ist, dann ist sie eben so viel wert. Vielleicht sind die Händler zu optimistisch und *Telekid* macht in Wirklichkeit weniger Gewinn als erwartet, dann sinkt der Kurs eben wieder. Es kommt an der Börse nicht so sehr darauf an, wie die Dinge sind, sondern wie die Mehrheit glaubt, dass sie sind.«

»Man verdient also auf jeden Fall mit der Doofheit der Leute Geld?«, fragte Sarah.

Martha lachte. »So habe ich das noch nie gesehen. Aber irgendwie hast du Recht. Man muss nur vor den anderen Leuten wissen, dass die sich geirrt haben.«

»Und woher weiß man das?«

»Das weiß man nicht, das ist so ein Gefühl im Bauch. Ihr müsst's eben ausprobieren, wenn ihr euch auf das Spiel einlassen wollt. Und ich muss jetzt wieder in die Börse zurück. Es ist höchste Zeit.« Die Karatefrau drückte allen die Hand. Nur von Gianna verabschiedete sie sich mit einem Wangenkuss.

»Nun?«, fragte Gianna, als sie wieder allein waren. »Kaufen wir *Telekid*-Aktien oder nicht?«

»Ich weiß nicht so recht«, sagte Felix. »Was ist, wenn die Aktie doch kein Zukunftswert ist? Die Karatefrau war die Einzige, die heute welche gekauft hat. Und sie hat selbst gesagt, dass man an der Börse auch arm werden kann.«

»Riskant ist es schon, sein ganzes Geld in so ein neues Unternehmen zu stecken«, sagte Herr Schmitz. »Aber andererseits ist die Aktie in nur zwei Wochen von 28 auf 39 Mark gestiegen.

Wenn man damals 10.000 Mark in *Telekid* gesteckt hätte, dann wären daraus heute ...«

»... ungefähr 14.000 Mark geworden«, sagte Felix.

»Schon überzeugt«, sagte Peter. »Man muss eben was riskieren.«

So wurde also beschlossen, dass *Heinzelmännchen & Co* dem Rat der Karatefrau folgen und ihren ganzen Schatz in *Telekid*-Aktien anlegen würde. Herr Schmitz bezahlte die Rechnung, dann gingen sie wieder auf den Börsenplatz hinaus.

Draußen war es inzwischen noch heißer und stickiger geworden. Sarah schlug vor, eine Flussfahrt auf dem Main zu unternehmen. Dort sei es kühler und nicht so laut wie in der Stadt. Ihr Vater war einverstanden.

Oben auf dem Flussdampfer ließ es sich wirklich gut sitzen, da hatte Sarah Recht. Der Fahrtwind wehte ihnen den Schweiß von der Stirn. Aber das Panorama am Ufer fand Felix merkwürdig. Keine liebliche Flusslandschaft sah er dort, sondern Wolkenkratzer, Öltanks, Fabriken und Lagerhallen. Eine unheimliche, fremde Welt.

»Frankfurt ist hässlich«, sagte Sarah, als sie an einem Öltanklager vorbeifuhren.

»Warum wohnt ihr nicht in Schönstadt?«, fragte Felix.

Sarah antwortete nicht, sie warf ihren Kopf zurück und blickte ihren Vater böse an. Felix fiel erst jetzt wieder ein, dass sich ihre Eltern ja getrennt hatten und Sarah nicht einfach zu ihrem Vater ziehen konnte, selbst wenn sie es gewollt hätte.

»In Schönstadt ist es manchmal auch ganz schön blöd«, sagte Felix tröstend, aber ohne richtige Überzeugung.

»Wie findest du meinen Vater?«, fragte Sarah plötzlich.

»Klasse. Er weiß viel. Und er spielt gut Saxophon.«

Sarah schwieg einen Moment. »Ich finde, er ist ein Feigling«, sagte sie dann entschieden.

Felix blieb die Luft weg. Wie konnte sie so über ihren Vater reden, noch dazu gegenüber jemandem, den sie kaum kannte?

Er wartete ab, ob sie noch erklären würde, warum Herr Schmitz ein Feigling war. Das tat sie aber nicht, sondern erzählte von der Schule. Dass sie alles langweilig fand, außer den Fächern Biologie und Religion, dass sie in der Grundschule eine Klasse übersprungen hatte und deshalb schon in der siebten war. Und dass sie begonnen hatte zu reiten und sich nichts sehnlicher wünschte als ein eigenes Pferd. Das Leben fand sie deshalb so schrecklich, weil ihre Mutter oft schlechter Laune war. Dann schimpfte sie über Sarah, über ihren Vater und über alles. »Manchmal würde ich am liebsten weglaufen«, sagte sie.

Felix konnte das gut verstehen. Aber er war sich sicher, dass er selber nie von zu Hause weglaufen würde.

Als sie gegen Abend wieder an die U-Bahn-Haltestelle »Hauptwache« kamen, saß der Bettler mit den schrundigen Beinen immer noch da. Felix versuchte wieder wegzusehen, Sarah dagegen kramte in ihrer Hosentasche, zog ein Markstück heraus und warf es dem Bettler in seine speckige Mütze. Als sie die Rolltreppe hinunterfuhren, sagte Peter zu Sarah: »Du spinnst!«

Sarah funkelte ihn böse an: »Du denkst ständig ans Geld und ans Reichwerden, aber einem Bettler gibst du wohl nie was? Das finde ich schäbig.«

»Schäbig! Du spinnst. Warum sollte ich mein Geld zum Fenster rauswerfen? Der soll doch selber arbeiten.«

»Und wenn er keine Arbeit findet? Weißt du, wie viele Arbeitslose es heute gibt? Fünf Millionen in Deutschland! Das kannst du in der Zeitung nachlesen.«

»Wenn man sich anstrengt, findet man immer was, sagt mein Vater.«

»Dann sag deinem Vater mal, dass das Quatsch ist. Meint er etwa, es gibt fünf Millionen freie Stellen in Deutschland?« Inzwischen waren sie unten auf dem Bahnsteig angekommen. »Dem Bettler fehlt das Geld, das die Aktionäre an der Börse verdienen. Der ist arm, weil die reich sind. Wenn ich einen Schatz gefunden hätte, würde ich den Bettlern noch viel mehr geben«, sagte Sarah und suchte den Blick von Felix.

Jetzt will sie, dass ich für sie Partei ergreife, dachte er und bekam einen roten Kopf. »Ich finde, wenn man einem Bettler was gibt, hilft ihm das nicht wirklich«, sagte er. »Dann kauft er sich nur Schnaps und ist besoffen und findet noch schwerer eine Arbeit.«

Sarah schluckte und sagte: »Alles Ausreden.«

Später, als die Abendsonne in ihr Zugabteil leuchtete, versank Felix ins Grübeln. Was, wenn Sarah Recht hatte? Wenn die einen arm waren, *weil* die anderen reich waren? War er selbst dann auch daran schuld, dass es Bettler gab? Und was war mit ihrem Schatz? Der hatte doch mal jemandem gehört? Und vielleicht saß dieser Jemand jetzt irgendwo als Bettler auf der Straße und wünschte sich nichts sehnlicher, als seine Klarinette und die Goldmünzen wiederzuhaben. Felix wunderte sich darüber, dass es ihm so wichtig war, was Sarah sagte, und dass er wollte, dass sie ihm in allem zustimmte. Über all diesen Gedanken schlief er ein. Als ihn ein unsanfter Knuff von Peter aufweckte, rollte der Zug gerade in den Schönstädter Bahnhof ein.

10. Kapitel

Billiger als billigst

Manchmal liegen schlechte Neuigkeiten einfach in der Luft. Es ist eine Ahnung, man weiß nicht, woher sie kommt, man spürt nur, dass man gleich irgendetwas Schlimmes erfahren wird. So war es vor vier Jahren gewesen, als Felix' Großmutter gestorben war. Damals hatte ihn diese düstere Vorahnung in dem Moment gepackt, als er beim Heimkommen von der Schule das Gartentor geöffnet hatte, und er war dann gar nicht mehr überrascht gewesen, seine Mutter verweint in der Küche vorzufinden.

Als er am Morgen nach dem Ausflug zur Börse aufwachte, war es wieder so. Ihm war schon beklommen zu Mute, noch bevor er die Augen öffnete. Irgendetwas stimmte nicht mit den Morgengeräuschen im Haus. In der Küche war es seltsam still. Felix hörte zwar, wie seine Mutter heiße Milch mit dem Schneebesen aufschlug, Stühle wurden gerückt, Geschirr klapperte – aber die dazu passenden Stimmen fehlten. Seine Eltern schwiegen aus irgendeinem Grund, die übrigen Geräusche klangen deshalb richtig bedrohlich. Felix stieg unter die Dusche, zog sich an und ging mit einem Drücken im Magen die Treppe hinunter.

Es war, als hänge eine schwarze Wolke über der Küche. Am Tisch saß sein Vater und starrte in seine Kaffeetasse, während er mit dem Löffel sinnlos darin herumrührte. Die Mutter hatte rote Augen, mit dunklen Ringen darunter. Gerade eben hatte sie noch geweint, das sah man. Wortlos legte sie ihrem Sohn ein Brötchen auf den Teller und goss heißen Kakao ein. Felix würgte sein Brötchen an dem dicken Kloß vorbei, der in seinem Hals steckte.

Schließlich räusperte sich sein Vater: »Felix, wir müssen dir etwas sehr Ernstes sagen.«

Lange Pause.

Dann sagte seine Mutter: »Dein Vater hat seine Arbeit verloren.«

Felix sah seinen Vater mit großen Augen an. Der Kloß in seinem Hals wurde noch dicker.

Nun räusperte sich sein Vater noch einmal und sagte: »Ich weiß, dass ich einen großen und verständigen Sohn habe ... Ja, heute ist mein letzter Arbeitstag. Denn den *General-Anzeiger* gibt es ab Montag nicht mehr.« Nun begann sein Vater zu erzählen, gefasst und beinah ein wenig würdevoll. Was Felix davon verstand, war ungefähr Folgendes: Der *General-Anzeiger* wurde nicht mehr von so vielen Leuten gelesen wie früher. Infolgedessen bekam die Zeitung auch weniger Annoncen, weil Waschmittelfirmen und Autohäuser nämlich nicht gerne in einer Zeitung inserierten, der die Leser davonliefen. Zu allem Überfluss war in diesem Jahr das Papier teurer geworden. Deshalb hatte Herr Marschall, dem der *General-Anzeiger* gehörte, viel Geld und schließlich auch die Geduld verloren. Er verkaufte seinen Verlag an die *Allgemeine Zeitung* aus der Kreisstadt. Vom Montag an erschien nun auch in Schönstadt die *Allgemeine Zeitung* und das Einzige, was vom *General-Anzeiger* übrig blieb, war eine Zeile unter dem Kopf der *Allgemeinen Zeitung.*

»Unsere Lokalredakteure«, so fuhr Felix' Vater fort, »werden von der *Allgemeinen Zeitung* übernommen und können ungefähr so weiter arbeiten wie bisher. Aber alle anderen werden entlassen: die von der Politik, von der Kultur, vom Sport. Und von der Wirtschaft. Mein Arbeitsplatz fällt weg, weil es in der Kreisstadt schon einen Ressortleiter Wirtschaft gibt, und mehr als einen braucht eine Zeitung nicht.«

»Aber das geht doch nicht«, war das Erste, was Felix sagen konnte.

»Doch, das geht, mein Sohn. Niemand kann einen Unternehmer daran hindern, sein Unternehmen zu verkaufen. So ist das nun mal in einer Marktwirtschaft.«

»Aber irgendwie ist der *General-Anzeiger* doch auch deine Zeitung, Papa«, rief Felix.

Sein Vater schluckte. »Irgendwie schon, Felix. Aber eben nur irgendwie. Im Ernstfall kommt es allerdings nur darauf an, wem die Zeitung *gehört*. Und das ist nun mal Herr Marschall. Das Wichtigste ist, dass ich mein Gehalt noch eine Zeit lang weiterbekomme. Wir müssen also nicht verhungern.«

»Und was ist mit Frau Marcks?«

»Die hat einen neuen Job im Archiv bekommen. Du musst dir wirklich keine Sorgen machen.«

»Aber was wird aus uns, wenn du kein Geld mehr bekommst?«

»Das werden wir dann schon sehen«, sagte seine Mutter. »Fürs Erste habe ich den Auftrag erhalten, ein englisches Psychologiebuch ins Deutsche zu übersetzen. Das Geld, das ich damit verdiene, werden wir auf die hohe Kante legen. Es ist nicht viel, aber immerhin, und wenn ich mich anstrenge, bekomme ich vielleicht noch mehr Aufträge. Allerdings wäre es schön, wenn die beiden Herren in diesem Haus etwas mehr im Haushalt machen würden als bisher. Und außerdem müssen wir sparen. Wir können es uns nicht mehr leisten, so wie bisher das Geld zum Fenster hinauszuwerfen.«

»Und ich werde mich bei anderen Zeitungen bewerben. Irgendjemand in Deutschland wird wohl noch einen guten Wirtschaftsredakteur brauchen, auch wenn der nicht mehr der Jüngste ist. Notfalls bekomme ich eben Arbeitslosengeld.«

»Ich will aber nicht von Schönstadt weg«, rief Felix aus.

»Das wird sich unter Umständen nicht vermeiden lassen. Arbeitslosengeld bekommt man nicht ewig. Und von dem, was Mama durch das Übersetzen verdient, können wir noch nicht einmal die Hypothek* für unser Haus bezahlen.«

Plötzlich schluchzte Felix' Mutter laut auf und rannte aus der Küche. Felix wurde es noch beklommener zu Mute. Immer wenn er seine Mutter weinen sah, meinte er, ihr helfen zu müssen, aber er wusste nicht, wie.

»Deine Mutter nimmt das alles sehr mit. Wir Männer müssen jetzt stark sein und sie stützen«, sagte sein Vater.

»Ihr habt das schon geahnt mit der Arbeitslosigkeit und deshalb sind wir nicht in den Urlaub gefahren, stimmt's?«

Sein Vater nickte stumm. Auch Felix schwieg eine Weile, dann fragte er: »Könnte es sein, dass wir aus unserem Haus raus müssen?«

»Erst mal nicht«, antwortete der Vater nachdenklich.

Felix war es, als ziehe ihm jemand den Boden unter den Füßen weg. In diesem Moment entschied er sich, seinem Vater von dem Schatz zu erzählen. Der hörte sich alles an, dann legte er seinem Sohn die Hand auf die Schulter.

»Ein Goldschatz? 72 Gold-Vreneli? Das ist ja unglaublich. Das ist das Glück des Tüchtigen. Haltet euer Geld nur gut zusammen. Vermögen ist schneller weg, als man denkt.«

Felix hatte irgendwie gehofft, dass ihr Schatz in dieser Situation seinem Vater helfen würde. Aber der war gar nicht darauf eingegangen. Deshalb ließ er ihn in der Küche sitzen und ging wie im Traum hinauf in sein Zimmer.

Jetzt fühlte er sich alleine. Furchtbar allein. Er ließ sich aufs Bett fallen und holte die gescheckte, zwei Meter lange Stoffschlange darunter hervor, die ihm seine Mutter einmal genäht hatte, als er noch in den Kindergarten gegangen war. Sie fühlte sich weich an und hatte lila Glassteine als Augen. Ein wenig half es gegen die Einsamkeit, wenn man sie im Arm hatte. Selbst bei einem Jungen, der bald dreizehn wurde.

So lag Felix eine Zeit lang auf dem Bett, starrte an die Zimmerdecke und lauschte auf die Geräusche, die zum geöffneten Fenster hereinkamen: ein Auto in der Bergstraße, Gelächter in irgendeinem Garten, das Trällern einer Lerche. Felix dachte an die Ziegelei und den Wald und den Krebsbach. Und er wünschte sich, frei und glücklich zu sein, so brennend, dass es kaum auszuhalten war. Seinem großen Ziel, reich zu werden, war er schon viel näher gekommen, als er je gehofft hätte. Sie hatten einen tollen Tag an der Börse erlebt, einen richtigen Aktientipp bekommen und Sarah kennen gelernt. Und jetzt war das alles plötzlich nichts mehr wert. Wenn sie von Schönstadt wegziehen würden, dann würde es auch die *Heinzelmännchen* nicht mehr geben. Dann würde er Peter verlieren und die Ziegelei und Gianna und Herrn Schmitz. Vielleicht würde sein Vater ja auch gar keine neue Stelle finden. Noch gestern hatte Sarah von den vielen Arbeitslosen erzählt und nun war sein Vater selber einer. Würde er bald auch mit schrundigen Beinen irgendwo auf der Straße sitzen und betteln? Um Gottes willen!

Felix wurde aus seinen düsteren Gedanken aufgeschreckt, weil es unten wie wild klingelte. Die Haustür wurde geöffnet und dann polterte jemand die Treppe herauf. Die Tür wurde aufgerissen und Peter stand in seinem Zimmer.

»Felix, du faules Stück, wo steckst du denn?«, rief er seinem Freund fröhlich entgegen. »Wir müssen doch heute zum Fischer in die *Kreditbank* und unser Gold verkaufen und ... He, sag mal, da stimmt doch was nicht. Warum liegst du denn am hellen Vormittag mit deiner komischen Schlange im Bett?«

Felix richtete sich auf und erzählte Peter stockend, was er gerade von seinen Eltern erfahren hatte.

»So eine Schweinerei«, schimpfte Peter los. »Das lassen wir uns nicht gefallen! Dass die einfach den *General-Anzeiger* zumachen und deinen Vater rausschmeißen. Das ist eine Frage der Firmenehre.«

Felix glaubte nicht, dass Peter wirklich etwas am Schicksal des *General-Anzeigers* würde ändern können. Aber trotzdem tat ihm der Zornausbruch seines Freundes gut. Er legte seine Schlange beiseite und fragte Peter, was er denn in der Sache zu tun gedenke.

»Warte, mir fällt schon noch was ein. Das Wichtigste ist, dass man an sich selbst glaubt. Wir wollen doch reich werden, oder? Jetzt erst recht, finde ich. Als Erstes gehen wir zur Bank und kaufen unsere *Telekid-* Aktien. Und dann sehen wir weiter.«

»Aktien – du bist gut!« So richtig konnte sich Felix von der Begeisterung seines Freundes nicht anstecken lassen. Aber überhaupt etwas zu tun war immerhin besser, als mit trüben Gedanken auf dem Bett zu liegen. Felix stand auf, holte sein Rad aus dem Schuppen und fuhr mit Peter zum Kartoffelmarkt.

*

Erst in der *Kreditbank* kam Felix wieder richtig zu sich. Sie hatten mit Herrn Fischer ihr Schließfach geöffnet und nun lagen ihre Goldmünzen vor ihnen. Es schien Felix, als gehe von diesen Münzen eine geheimnisvolle Macht aus. Nur wusste er nicht, ob es eine gute Macht war oder ob sie ihn nicht auch ins Verderben führen könnte. So viel war aus dem Lot geraten, seit er beschlossen hatte, reich zu werden …

Die Stimme von Herrn Fischer riss Felix aus seinen Gedanken: »Höchste Zeit, dass ihr das Zeug endlich verkauft!«

Der Goldpreis falle immer weiter, sagte Herr Fischer. Falls sie ihm nicht glaubten, bräuchten sie nur ins Kaufhaus zu gehen, in die Abteilung, in der Goldkettchen verkauft würden. Die ganze Schaufensterauslage sei voller Sonderangebote.

»Wie ich euch gesagt habe: Gold ist etwas für ängstliche Menschen. Wenn die Zeiten gut sind, braucht man kein Gold. Dann investiert man sein Geld in die Volkswirtschaft. Dann profitiert man vom Wachstum der Wirtschaft, dann arbeitet das Geld. Gold ist totes Kapital. Seit ihr das Gold in den Tresor eingeschlossen habt, hat euer Schatz … Moment mal … genau 156 Mark an Wert verloren.«

»So viel in ein paar Tagen!«, rief Felix. »Dafür müssen wir ja über dreißig Mal Rasen mähen!«

»Aber wir wollten das Gold doch sowieso verkaufen«, sagte Peter. »Wir kaufen Aktien.«

»Aktien? Wisst ihr denn schon, welche?«

»*Telekid*«, sagte Gianna.

»Waas? Diese neue Aktie von dem komischen Fernsehkanal? Von der weiß man doch gar nichts.«

»Wir schon. Wir haben einen Tipp bekommen. Von Martha«, sagte Gianna.

»Martha? Wer ist Martha?«

»Warum kennen Sie Martha nicht? Martha von Millern ist doch die Aktienhändlerin der *Kreditbank* in Frankfurt. An der Börse.« Sie erzählten kurz von ihrem Ausflug dorthin und wie sie die Karatefrau kennen gelernt hatten.

Jetzt war Herr Fischer perplex. Er sah die Kinder ungläubig an, so als fürchte er, sie wollten ihn verkohlen. Von seinem Schreibtisch holte er ein kleines Adressbuch und blätterte darin.

»Tatsächlich, hier steht es: Martha von Millern. Bei Tipps von solchen Leuten, da muss ich natürlich passen. Obwohl ich euch eher zu etwas Sichererem geraten hätte. Zum Beispiel einem Fonds? Immerhin seid ihr noch Kinder.«

»Sicher ist langweilig«, sagte Peter. »Wir wollen reich werden.«

»Was ist überhaupt ein Fonds?«, fragte Felix.

Bei einem Fonds, erklärte Herr Fischer, kaufe man die Aktien nicht selbst, sondern man beteilige sich an den Aktien, die Fachleute zusammenkaufen, eben dem Fonds. Weil die Fondshändler mehr von den Aktien verstehen, die sie kaufen, könne man bei einem Fonds auch nicht so sehr hereinfallen, wie wenn man selbst Aktien kaufe.

»Heißt das, mit einem Fonds wird man reicher, als wenn man selber Aktien kauft?«, fragte Peter.

»So kann man das nicht sagen. Wenn ihr selbst Aktien kauft und erwischt genau die richtigen, seid ihr natürlich besser dran. Die Fondshändler wollen schließlich auch Geld verdienen. Aber im ungünstigen Fall verliert ihr eben auch viel mehr.«

»Wir halten uns an Martha«, sagte Gianna und die anderen nickten zustimmend.

Felix nickte auch, obwohl er kaum richtig bei der Sache war. Immer wieder musste er an seinen Vater denken, und dass sie daheim bald nur noch ganz wenig Geld haben würden. Durfte er da alles auf eine Karte setzen? Und noch dazu auf einen Fernsehsender?

»Alles Geld in *Telekid*?«, hörte er die Stimme von Herrn Fischer.

»Alles!«, sagte Gianna.

»Na, dann wollen wir mal rechnen. Eure Goldmünzen sind heute genau ... 11.076 Mark wert. *Telekid* kostete gestern ... 39,80 Mark. Das heißt, ihr hättet gestern für euer Geld genau 278 Aktien kaufen können. Jetzt müsst ihr euch entscheiden, zu welchem Kurs ihr einsteigen wollt.«

»Können wir das denn selbst bestimmen?«, fragte Gianna.

»Ihr könnt eurem Auftrag an die *Kreditbank* ein Limit* geben. Zum Beispiel sagt ihr: Wir wollen 250 Aktien kaufen, aber sie dürfen nicht mehr als 40 Mark kosten. Dann werdet ihr nicht überrascht, falls die Aktie plötzlich unnormal teuer ist. Oder ihr sagt, dass euch der Kurs egal ist. Das nennt man dann ›billigst‹.«

»Ein Limit ist also billiger als billigst?«, fragte Felix.

»Wenn du so willst, ja.«

»Dann bin ich für ein Limit. Wir wollen 250 Stück, aber sie dürfen nicht mehr als 40 Mark kosten, wie Sie gesagt haben.«

»Reicht unser Geld dann noch?«, fragte Peter.

»Es reicht, ich hab's ausgerechnet: 250 mal 40, das sind genau 10.000 Mark.«

»Ich glaub's dir«, sagte Peter. »250 *Telekid* zu 40 Mark. So machen wir's!«

»Also beschlossen?«, sagte Gianna und Felix nickte.

»Jetzt muss ich nur darauf hinweisen, dass bei dem Geschäft ein Prozent Provision und 0,04 Prozent Courtage* anfallen.«

»Was fällt an?«

»Die Gebühren für die Bank und für den Börsenmakler. Wenn wir wirklich zu 40 Mark kaufen, wären das 104 Mark. Dazu kommen noch Depotgebühren, weil ihr ja nun ein Wertpapierdepot besitzt, einen Vorrat an Wertpapieren. Und für diese Vorratshaltung muss die Bank ja auch etwas bekommen. Für euch wären das 24 Mark.«

»128 Mark nur an Gebühren?«, sagte Peter.

»So ist das nun mal. Ihr habt ja auch eine Chance, viel Geld zu verdienen. Außerdem brauche ich noch die Unterschrift eines Erwachsenen unter diesen Auftrag. Wenn ihr mir die bis um zehn vorbeibringt, dann geht der Auftrag heute noch raus. Ach so, und noch etwas ganz Wichtiges: Ihr müsst jetzt ein Girokonto* eröffnen.«

»Was ist denn das?«, fragte Gianna. »Eine Kreisrechnung?«

»Wie bitte?« Herr Fischer war ziemlich verwirrt.

»*Giro* heißt auf Italienisch ›Kreis‹ und *conto* heißt ›Rechnung‹. Also: Kreisrechnung.«

»Sieh mal an, was du alles weißt. Das Geld auf einem Girokonto dreht sich tatsächlich immer im Kreis, weil es laufend erneuert wird. Ein Girokonto ist ein Sparbuch, auf das man das Geld einzahlt, was man jeden Monat verdient, und von dem man das abhebt, was man laufend braucht. Man bekommt keine Zinsen darauf, dafür darf man zu jeder Zeit so viel abheben, wie man will. Man darf sogar mehr abheben, als man einbezahlt hat. Dann hat man das Konto überzogen.«

»Und wozu brauchen wir ein Girokonto?«, fragte Peter.

»Irgendwo muss das Geld ja hin, das ihr für euer Gold bekommt. Und irgendwo muss das Geld für eure Aktien verfügbar sein. Eine Schuhschachtel ist dafür nicht besonders geeignet ...«

»So, so«, sagte Gianna schnippisch.

Felix hatte nur mit halbem Ohr zugehört. Dann aber wurde er auf einen Schlag hellwach. Herr Fischer erzählte ihnen nämlich, wie man das Geld von dem Konto abhob und es einzahlte. Dazu könnten sie einerseits einen Zettel mit der Unterschrift eines Erwachsenen einreichen. Man könne das Ganze aber auch per Telefon machen. Dazu brauche man nur eine Geheimnummer und die Genehmigung eines Erwachsenen. Und dann könnten sie von jedem Telefon aus ihr Geld verschicken.

»Geld mit dem Telefon verschicken? Da ist ja toll«, sagte Felix.

Sie erledigten alle Formalitäten. Herr Fischer gab ihnen ein Formular und mit dem radelte Felix nach Hause, um eine Unterschrift von seinem Vater zu bekommen.

Felix hatte Glück, denn sein Vater war gerade in die Zeitung vertieft.

»Aha, du machst Telefon-Banking«, murmelte er nur. »Ist das nicht ein bisschen früh für einen zwölfjährigen Knaben?«

»Herr Fischer meint, es wäre das Einfachste, wenn man ein eigenes Konto besitzt.«

»So, so, meint er das. Na dann ...« Sein Vater unterschrieb das Formular, ohne richtig hinzusehen, und widmete sich dann wieder seiner Zeitung.

Später, am Brunnen auf dem Kartoffelmarkt, trug Gianna in ihrem Vokabelheft die Buchführung der *Heinzelmännchen* nach.

Bilanz, 3. Juli

Aktiva		Passiva	
Aktien	10.000,00	Eigenkapital	11.516,70
Hühner	110,00		
Futter			- 329,00
Girokonto	913,00		
Kasse	164,70		
	11.187,70		11.187,70

»Wie kommst du denn darauf?«, fragte Peter.

»Ist doch ganz einfach. Während das Gold in unserem Schließfach lag, hat es 156 Mark an Wert verloren. Außerdem mussten wir 35 Mark für den Tresor bezahlen. Macht zusammen 191 Mark. Dann haben wir für 10.000 Mark Aktien gekauft und mussten 128 Mark an Gebühren bezahlen.

»Und was ist mit dem Hühnerfutter?«

»Das ist fast weggefressen. Wir brauchen bald neues. Macht zusammen 329 Mark Schwund. Und der Rest ist auf unserem neuen Girokonto.«

»Die Aktien haben wir doch noch gar nicht«, sagte Felix.

»Aber so gut wie.«

155

11. Kapitel

Das Glück ist mit dem Tüchtigen

Am Samstagmorgen wachte Felix wieder sehr früh auf. Draußen war alles friedlich, vom Fenster her wehte Morgenkühle ins Zimmer. Felix ließ die Gedanken laufen. Bilder rasten in seinem Kopf herum: Er sah einen Möbelwagen vor ihrem Haus vorfahren, er sah andere, fremde Menschen in sein Zimmer einziehen. Er stand vor einer fremden, feindlichen Klasse in einer fremden, feindlichen Schule in einer fremden, feindlichen Stadt. Und er sah den Bettler in Frankfurt mit seinen schrundigen Beinen.

Er dachte auch an das, was Sarah gesagt hatte. Dass nämlich der Reichtum der einen schuld ist an der Armut der anderen. Bestimmt war auch er selbst schuld daran, dass irgendjemand kein Geld hatte. Zum Beispiel der Mensch, dem der Goldschatz einmal gehört hatte, ohne es zu wissen. Derjenige hätte die Klarinette doch garantiert nicht weiterverkauft, wenn es anders gewesen wäre. Plötzlich war sich Felix ganz sicher: Er musste das Geheimnis des Schatzes lüften. Auch auf die Gefahr hin, dass sie ihn verloren. Gleich heute würde er mit Peter und Gianna darüber sprechen.

Felix stand auf und beschloss, den Frühstückstisch zu decken. Er wusste, dass seine Eltern immer besserer Laune waren, wenn sie beim Aufwachen frischen Kaffee rochen. Und weil er schon dabei war, ging er auch noch frische Brötchen holen.

Als er eine Viertelstunde später vom Bäcker Mühlbach zurückkam, hatte der Austräger den *General-Anzeiger* in den Briefschlitz gesteckt, ganz normal, so als sei heute nicht der letzte

Tag im Leben dieser Zeitung. Das Haus war immer noch ruhig. Felix stellte die Kaffeemaschine an, strich sich ein Brötchen und ließ den Blick über die erste Seite des *General-Anzeigers* schweifen. Die sah heute irgendwie anders als sonst aus. Oben, unter dem schwarzen Titel mit der altmodischen Schrift, wo sonst immer ein großes Foto zu sehen war, fand sich diesmal ein Artikel, der mit einer dicken, schwarzen Linie eingerahmt war.

Tradition und Fortschritt stand als Überschrift darüber. Felix begann zu lesen:

Nach fast genau 132 Jahren geht heute eine Tradition zu Ende. Über viele Generationen hat der ›General-Anzeiger‹ die Bürger Schönstadts begleitet, in guten wie in schlechten Zeiten. Die Heimatzeitung war die Verbindung zur Welt, sie gab der Stadt und ihrem Umland eine Stimme. Die Schönstädter hielten dem General-Anzeiger durch all die Jahre die Treue. Dafür hat der Verlag zu danken.

Nun ist der Wandel der Zeiten auch am Zeitungsgewerbe nicht spurlos vorbeigegangen. Das Fernsehen entwickelt sich immer weiter, das Internet ist dazugekommen. Die Leser stellen neue Anforderungen an ihre Zeitung. Dies macht teure Investitionen unumgänglich. Die Kosten überfordern einen mittelständischen Verlag. Daher haben sich Eigentümer und Geschäftsführung nunmehr entschlossen, den Bestand der Zeitung durch die Anlehnung an einen starken Partner zu sichern. Ab Montag wird der General-Anzeiger als eigenständige Schönstädter Regionalausgabe der Allgemeinen Zeitung erscheinen. Der Lokalteil wird auch künftig, wie gewohnt, im General-Anzeiger-Haus in Schönstadt erstellt. Die schwierige Kostensituation macht allerdings auch Umstrukturie-

rungen unumgänglich. Mit den betroffenen Kollegen wird noch
über einen Sozialplan verhandelt. Wir bitten alle Leser, ihrer
Heimatzeitung auch in der neuen Form die Treue zu halten.
Ihr General-Anzeiger-Verlag

»Solche Heuchler«, erklang da die Stimme seines Vaters hinter
ihm. Felix hatte gar nicht gemerkt, dass der inzwischen in die
Küche gekommen war. »Diese verlogene Schönfärberei! Sie sagen ›Umstrukturierungen‹ für ›Entlassungen‹. ›Anlehnung an
einen starken Partner‹, wenn man in Wirklichkeit die Zeitung
verkaufen muss, weil man jahrelang das Geld zum Fenster hin-
ausgeworfen hat. Nur damit niemand merkt, dass sie die Zeitung kaputtgemacht haben. Als ob das Internet was dafür kann,
wenn man zu blöd ist, eine Zeitung zu führen. Pfui Teufel!«

Felix' Vater schlürfte aus seiner Kaffeetasse und tigerte unru-
hig in der Küche hin und her. »Na ja, vielleicht ist es besser so.
Es hätte ja doch keinen Wert mehr gehabt.«

»Aber warum habt ihr euch das alles gefallen lassen?«, fragte
Felix.

»Gefallen lassen, gefallen lassen! Du hast Nerven! Wenn ein
Unternehmen schlecht geführt wird, kannst du als Angestellter
nichts dagegen machen. Gar nichts!«

Inzwischen war auch Felix' Mutter in die Küche gekommen.
»Warum habt ihr nicht wenigstens einen Streik* gemacht«, sagte
sie. »Dann hätten eure Leser schon früher gemerkt, was los ist.«

»Journalisten und streiken! Außerdem hätten wir dann unseren Sozialplan* gefährdet.«

»Papa, was ist ein Sozialplan?«, fragte Felix vorsichtig. Er fürchtete, dass es jetzt zu allem Überfluss auch noch einen Familien-
krach geben würde.

»Im Sozialplan wird festgelegt, wie viel Geld diejenigen von uns bekommen, die entlassen werden. Ich muss im Namen der Journalisten-Gewerkschaft* die Verhandlungen führen. Ein Streik wäre völlig verantwortungslos gewesen. Es geht jetzt vor allem darum, wie lange unser Geld noch reicht. Vergiss das nicht!«

»Na ja, ich glaube trotzdem, ihr hättet mit einem Streik mehr erreicht als mit Stillhalten«

Gerold Blum sagte nun gar nichts mehr. Er stellte sich mit seiner Kaffeetasse ans Fenster und starrte hinaus.

Auch Felix hätte sich gewünscht, dass sein Vater irgendetwas sehr Mutiges getan hätte, um sich gegen die Schließung der Zeitung zu wehren. Aber wenn sie dann gar kein Geld mehr gehabt hätten? Gedankenverloren blätterte er durch die Zeitung, er überflog den Wirtschaftsteil, den Wetterbericht, die Anzeigen.

Und dann fielen ihm fast die Augen aus dem Kopf. Felix sah eine Anzeige, nicht groß, aber mit einem schönen Rahmen, so dass man sie kaum übersehen konnte. Und in dem Rahmen stand folgender Text:

»Sonntagsbrötchen!
Wenn Sie zum Frühstück frische Brötchen wollen, aber
nicht aus dem Haus wollen – wir liefern sie Ihnen ins Haus.
GRATIS!! Telefonische Bestellungen heute bis 13 Uhr.
Bäckerei Hans Timberg, Schönstadt.«

Felix war fassungslos. So eine Gemeinheit! Da hatte jemand die Idee der *Heinzelmännchen* geklaut. Warum mussten die schlechten Nachrichten immer alle auf einen Schlag kommen!

»Ich geh zu Peter«, rief er und rannte aus der Küche. Draußen vor dem Haus warf er sich aufs Rad und raste zu Walsers Tankstelle hinunter.

Peter war gerade dabei, an einem Auto die Windschutzscheibe zu waschen.

»Siehst du, man darf sich auch für kleine Arbeiten nicht zu fein sein«, sagte er zur Begrüßung. Der Autofahrer drückte ihm eine Münze in die Hand, Peter warf das Markstück stolz in die Luft, fing es wieder auf und steckte es in die Hosentasche.

Als Felix ihm von der Anzeige erzählte, wurden seine Augen ganz klein und sein Mund zu einem Strich. »Wir müssen sofort zu Bäcker Mühlbach!«, sagte er.

Die beiden Jungen schwangen sich auf die Fahrräder und rasten zur Bäckerei. Dort standen die Kunden in einer langen Schlange, die bis auf die Straße hinausreichte. So war das häufig am Samstag, aber jetzt konnten sie die Warterei überhaupt nicht gebrauchen. Rücksichtslos zwängten sie sich zwischen Vätern, Müttern und Einkaufstaschen hindurch bis hinter die Ladentheke. Peter packte Herrn Mühlbach am Ärmel und zerrte ihn fast mit Gewalt nach hinten in die Backstube. Dort erzählten sie dem Bäckermeister die dramatischen Neuigkeiten.

Aber Herr Mühlbach reagierte ganz anders, als sie gedacht hatten. Er regte sich nämlich überhaupt nicht auf, sondern kicherte amüsiert in sich hinein.

»So, so«, sagte er und wischte seine mehligen Hände an der Schürze ab. »Der alte Timberg will es also noch mal versuchen. Wurde auch Zeit, dass er sich mal was einfallen lässt.«

»Aber darf er das denn?«, rief Felix ganz empört. »Das war doch unsere Idee! Die darf der nicht einfach klauen!«

Herr Mühlbach lachte. »Doch, das darf er. Man kann es niemandem verbieten, jemand anderem nachzueifern. Das ist eben der Wettbewerb. Da hilft nur eines: besser sein. Freut euch doch: Jetzt wisst ihr, dass ihr eine gute Idee hattet.«

»Das Bessere ist der Feind des Guten – sagt mein Bruder.« Peter hatte schnell seine Fassung wieder gewonnen.

»Aber der Timberg liefert umsonst!«, rief Felix. »Müssen wir jetzt auch umsonst arbeiten?«

»Quatsch! Ich lass doch meine Leute nicht umsonst arbeiten. Der Timberg hat's eben nötig. Seine Brötchen sind strohtrocken und seine Frau ist muffelig zu den Kunden. Wenn man bei der Qualität nicht mithalten kann, dann muss man es eben mit dem Preis versuchen. Bei mir dagegen ...« Herr Mühlbach hielt inne und kicherte wieder zufrieden in sich hinein. »Ich würde sagen: Konkurrenz belebt das Geschäft. Macht euch mal keine Sorgen.« Er klopfte Peter auf die Schulter, so dass der einen weißen Fleck auf dem Rücken hatte. »Bis morgen früh dann!«

*

Abends, kurz vor acht, klingelte das Telefon. Als Felix den Hörer abhob, hörte er zunächst nur unartikuliertes Geschrei, so laut, dass er den Hörer von seinem Ohr weghalten musste. Dann merkte er, dass es die Stimme von Gianna war.

Was sie sagte, hörte sich ungefähr so an: »Eshatgeklapptweißt duwaswirhabenunsererstesei, jetztwirdallesgutwassagstdujetzt ...«

Irgendwann musste Gianna Luft holen und Felix nutzte die Pause für eine Frage: »Was hast du gesagt?«

»Hast du mich etwa nicht verstanden?«

»Nein.«

161

»Gut, dann eben noch mal: Wir haben unser erstes Ei! Ist das nicht Wahnsinn?«

Die Hühner! Die hatte Felix über all den Neuigkeiten ganz vergessen. Aber zum Glück hatte sich Gianna darum gekümmert.

»Ich habe heute in den Hühnerstall gesehen. Und dort, hinter den Gartengeräten, direkt auf dem Lehmfußboden, da lag ein Ei. Kommst du noch zu uns? Mutter spendiert eine Runde Eis!«

Nun schien dieser schlimme Tag wenigstens mit einer guten Nachricht zu Ende zu gehen.

»Ihr seid mir ja welche«, sagte Frau Giampieri, als Felix ins *Rialto* kam. »Wenn ihr so weitermacht, dann werdet ihr ja wirklich noch reich.«

Im Wohnzimmer der Giampieris saß Peter auf dem Sofa, der seinen Freund mit lautem Hallo begrüßte. Mitten auf dem Wohnzimmertisch stand ein aufgeklappter Eierkarton. Und darin steckte ein einzelnes, braunes Ei.

»Ist es nicht schön?«, sagte Gianna.

Felix fand, dass es nicht viel anders aussah als andere Eier. Aber er war doch auch stolz auf ihren Erfolg. Jetzt erst bemerkte er, dass in dem Zimmer noch jemand war. Unter einem Kruzifix mit ein paar getrockneten Blumen dahinter stand ein Ohrensessel und darin saß eine alte, schwarz gekleidete Frau mit schlohweißen Haaren.

»*Nonna*, meine Oma«, sagte Gianna.

Die Großmutter nickte Felix freundlich zu, sagte aber nichts. Auf ihrem Schoß lag eine dicke, rostrote Katze, die schlief und dabei so laut schnurrte, dass man es trotz des laufenden Fernsehers hören konnte.

»Das ist Leo. Er ist lieb und faul«, sagte Gianna. Sie hatte heute eine lila Strähne im Haar. Auch ihre Fingernägel waren lila lackiert. »*Boooh!*« rief sie und ließ sich auf das Sofa fallen, neben zwei Puppen mit rosaroten Kleidchen. »Haben wir das nicht toll gemacht?«

»Ja, aber kann man denn ein einzelnes Ei verkaufen?«, fragte Peter.

»Ich bin sicher, morgen werden wir noch mehr haben.«

Frau Giampieri kam herein. Sie trug ein Tablett und darauf standen vier Eisbecher, so groß hatte Felix noch keine gesehen. Auf jedem war ein riesiger Sahneberg und darauf steckte ein Stäbchen mit lila Lametta dran. Nicht zu vergessen die rote Soße, die über die Ränder quoll.

»So etwas muss gefeiert werden«, sagte Frau Giampieri, als sie das Tablett auf dem Wohnzimmertisch abstellte.

Leo, der Kater, verließ seinen Platz auf dem Schoß der Großmutter, stolzierte schnurrend und mit erhobenem Schwanz durch das Zimmer und landete mit einem Sprung auf dem Sofa. Dort schmiegte er sich an Gianna und schnurrte erwartungsvoll ihren Eisbecher an.

»Na, meinetwegen«, sagte Gianna, steckte ihren rechten Zeigefinger tief in die Sahne und hielt ihn Leo hin. Der begann voller Gier daran zu schlecken. Als er den Zeigefinger sauber geleckt hatte, nahm Gianna den Mittelfinger, steckte ihn ebenso tief in die Sahne und das Spiel begann von neuem.

»Füttert ihr eure Katze immer so?«, fragte Felix.

»Pscht«, flüsterte Gianna. »Mama will das nicht. Sie sagt, Katzen sollen nicht betteln. Dabei ist er doch sooo lieb!« Zärtlich streichelte sie Leos glänzendes Fell, ehe sie ihren Ringfinger in den Eisbecher steckte.

Plötzlich war die Stimme der Großmutter aus dem Ohrensessel zu vernehmen. Sie sagte etwas auf Italienisch. Gianna hörte ihr aufmerksam zu, murmelte auch etwas auf Italienisch und sagte dann: »*Nonna* meint, wir sollten nicht immer nur sparen, sondern auch mal was ausgeben. Wer Geld verdiene und sich nichts kaufe, der sei verrückt.«

Wieder sagte die Großmutter etwas und kicherte. »Als Großvater und sie das Eiscafé gründeten, haben sie zwei Tage lang gefeiert«, übersetzte Gianna. »Und dabei hatten sie noch gar kein Geld verdient, sondern nur jede Menge Schulden bei der Bank gehabt. Aber je mehr Schulden man habe, desto netter seien sie bei der Bank zu einem. Mindestens tausend Mal habe ich die Geschichte schon gehört, wie unser Eiscafé gegründet wurde und wie Großvater nachts um zwölf anfing zu singen ...« Jetzt wurde sie von der Großmutter unterbrochen, und zwar mit erstaunlich lauter Stimme. »*Nonna* sagt, ich solle nicht so frech sein. Und du, Felix, sollst dir wegen deinem Vater keine Sorgen machen. Das mit dem *General-Anzeiger* sei eine Schande. Aber alles werde gut. Das habe sie im Gefühl.«

Die Worte der Großmutter beruhigten ihn nicht. Im Gegenteil: Er wurde dadurch an die unangenehme Wirklichkeit erinnert.

Peter, der sein Eis zu Ende gelöffelt hatte, sagte gedankenverloren: »Eine Schande, das stimmt, eine Schande ist das ...«

Felix beachtete ihn nicht weiter, weil er vom laufenden Fernseher abgelenkt wurde. »He, da läuft ja *Telekid!*« rief er.

»Klar«, sagte Gianna, »ist doch unser Sender!«

Auf dem Bildschirm sah man wild geschminkte Kinder zu irgendeiner Musik herumtoben und singen. Oder so zu tun, als ob sie sängen.

»Ziemlich blöd, findet ihr nicht?«, sagte Felix.

»Macht doch nichts«, antwortete Gianna. »Sieh mal, wie das Publikum begeistert ist wegen der komischen Kinder. Wenn es denen so gut gefällt, dann ist unsere Aktie wirklich was wert.«

»Man muss an der Doofheit der Leute verdienen. Das machen alle«, murmelte Peter.

»Ach, da fällt mir noch was ein«, sagte Gianna. »Fast hätte ich es vergessen. Als ich bei unsern Hühnern war, habe ich den Schmitz im Garten getroffen. Und ich habe ihm von dem anderen Bäcker erzählt, der unsere Idee geklaut hat.«

»Und was sagt er dazu?«

»Er meint, wer im Markt wirklich etwas werden wolle, der müsse Pionier sein. Ja, Pionier hat er gesagt. Weil nur die Pioniere gutes Geld verdienen. Das habe ein berühmter Mann herausgefunden. Er heißt ...« Gianna holte ihr Vokabelheft heraus. »... Josef Schumpeter*. Der hat auch vorhergesagt, dass einem gute Ideen immer geklaut werden.«

»Von Bäcker Timberg zum Beispiel«, sagte Peter.

»Und weil es solche Nachahmer immer gebe, müssten gute Unternehmer immer auf der Jagd nach neuen Ideen sein.«

»Das ist aber anstrengend«, sagte Felix.

»So ist das nun mal, wenn man reich wird«, meinte Peter. »Geschenkt wird einem nichts.«

12. Kapitel

Konkurrenz belebt das Geschäft

Am Sonntagmorgen holten Felix und Peter wie gewöhnlich Gianna ab, um für Bäcker Mühlbach die Brötchen auszufahren. Gerade wollten sie vor dem *Rialto* wieder losradeln, da fiel Felix' Blick auf den Eingang des *General-Anzeiger*-Hauses. Auf der Mauer, direkt neben den Zeitungsschaukästen, stand mit großen, orangen Buchstaben eine Aufschrift:

»ES IST EINE SCHAHNDE!«

Derjenige, der den Satz an die Wand gemalt hatte, war in Rechtschreibung keine große Leuchte. Dafür hatte er reichlich Farbe benutzt – von jedem Buchstaben trieften lange Farbnasen.

»Irre!«, sagte Felix.

»Da muss einer aber große Wut gehabt haben«, meinte Gianna. »Geschieht den Idioten recht. Jetzt müssen sie zur Strafe den Maler kommen lassen. Wer das wohl gewesen ist?«

Felix überlegte einen Augenblick, ob er seinem Vater so etwas zutrauen würde. Aber der Gedanke schien ihm völlig absurd. Eher noch seine Mutter, aber sie nachts mit einem Farbkübel auf dem Kartoffelmarkt? Nein.

Bäcker Mühlbach erwartete die drei Kinder schon. Er hatte für jeden eine Tour mit zwanzig Kunden zusammengestellt. »Konkurrenz belebt das Geschäft«, sagte Herr Mühlbach.

Die Brötchentüten passten gar nicht mehr auf ihre Fahrräder, so dass jeder von ihnen zweimal fahren musste. Gerade wollten sie losradeln, da entdeckte Felix an Peters Unterarm einen großen, orangen Fleck. »Mennige«, sagte Peter. »Rostschutzfarbe. Braucht man im Autogeschäft.«

Felix kam ein Verdacht. »Sag mal, du. Diese Farbe. Und die Aufschrift am *General-Anzeiger* ...«

»Pscht«, sagte Peter. »Es müssen doch nicht alle wissen.«

»Aber warum ...«

»Ich hab doch gesagt: Das lassen wir uns nicht gefallen!«

»Aber warum hast du mir denn nichts davon gesagt?«

»Du bist immer so brav. Du wärst sicher dagegen gewesen.« Felix sagte nichts mehr. Peter hatte ja Recht: Er war immer so brav. Und er wehrte sich viel zu wenig. Wie sein Vater. Andererseits durfte sich Peter doch nicht einfach so in seine Angelegenheiten mischen. Und es war ja sowieso nutzlos.

»Ach, Mist, vergiss es!«, sagte Felix und stieg auf sein Rad.

»Außerdem hast du dich verschrieben ...«

»Was habe ich?«

»Schande schreibt man ohne ›h‹ in der Mitte.«

»Na und, war doch keine Klassenarbeit.«

Felix fuhr los; er kam an der Musikalienhandlung von Herrn Schmitz vorbei und radelte dann hinten am Kirchberg den Hang hinauf zu seinen ersten Kunden. Bei der Schule kam ihm ein Radler entgegen. Zunächst beachtete er ihn gar nicht, doch dann sah er: Es war Kai, sein Feind. Felix musste nicht lange nachdenken. Er stellte sein Rad auf der Straße quer und zwang Kai zum Bremsen.

»Steig ab«, sagte er nur kurz. Da sah er, dass Kai hinten auf dem Rad einen Korb mit Brötchen hatte. Eine finstere Ahnung stieg in ihm auf: »Der Timberg und du?«

»Was ihr könnt, das kann ich schon lange«, sagte Kai und drehte seinen Kopf ein wenig zur Seite, so als erwarte er eine

Ohrfeige. Als die nicht kam, legte er nach: »Hast du überhaupt Zeit, hier herumzutrödeln? Du solltest dich ein wenig mehr anstrengen. Jetzt, wo dein Vater seinen Job los ist.«

Felix war kurz davor auszurasten. »Lass dich nicht provozieren wie beim letzten Mal!«, sagte eine Stimme in ihm, aber sie war zu leise. Er packte Kai mit der linken Hand am Kragen und schlug ihm mit der anderen, so fest er konnte, aufs Kinn. Kai stolperte und stürzte mitsamt seinem Rad hin. Sein Korb fiel herunter und etliche Brötchen kullerten über das Straßenpflaster.

Als Kai sich aufrappelte, sah Felix, dass aus seiner Nase dunkelrotes Blut tropfte. Felix erschrak, denn er hatte noch nie jemanden so fest geschlagen, dass er blutete. Kai ließ sein Fahrrad liegen. »Na warte!«, rief er und rannte den Kirchberg hinunter.

Felix stellte Kais Rad an eine Hecke, suchte die Brötchen zusammen und fuhr mit schlechtem Gewissen seine eigenen Kunden ab. Mit ungutem Gefühl kehrte er nach einer Stunde wieder in die Bäckerei zurück. Dort empfing ihn Herr Mühlbach schon unter der Ladentür. Sein Kopf war rot angelaufen, die Hände hatte er in die Hüften gestemmt.

»Bist du wahnsinnig geworden!«, schrie er Felix an. »Eine Schlägerei anzufangen! Ich hatte gedacht, ich hätte Bäckerjungen angestellt. Und jetzt sind es Schlägertypen!«

»Aber Kai hat doch ...«, sagte Felix, allerdings ließ ihn Herr Mühlbach nicht ausreden.

»Jetzt sagt die ganze Stadt, der Mühlbach, der lässt dem Timberg seine Leute verprügeln. Nein, nein, das könnt ihr mit mir nicht machen. Geh nach Hause und erzähl deinem Vater, was er für einen sauberen Sohn hat. Und lass dich bei mir ja nicht wieder blicken.« Herr Mühlbach schlug die Ladentür hinter sich zu. Das habe ich nun davon, dachte Felix. Wenn ich mich mal wehre, dann geht es schief. Und er kam sich genauso elend vor wie nach der letzten Schlägerei mit Kai. Er wartete gar nicht auf die anderen, sondern radelte traurig nach Hause.

*

»Du bist ein Idiot!«

Felix antwortete nicht, weil er fand, dass Peter Recht hatte. Er lag auf dem Bauch im Gras. Links von ihm lag Gianna, rechts von ihm Peter. Es war ein warmer, sonniger Sonntagnachmittag, der alte Weidenbaum bei der Ziegelei spendete Schatten und sie sahen gemeinsam den Forellen im Krebsbach zu.

»Du bist ein Idiot«, wiederholte Peter. »Immer bist du zu brav. Und wenn du mal nicht mehr brav bist, dann haust du gleich richtig zu. Lass solche Sachen das nächste Mal lieber mich machen.«

»Aber Recht hast du trotzdem gehabt. Wir dürfen uns nicht alles gefallen lassen«, sagte Gianna. »Außerdem sind wir auf dem Markt des Brötchenausfahrens sowieso keine Pioniere mehr. Also schadet es auch nichts, wenn wir uns dort zurückziehen. Das hat dieser Josef Schumpeter gesagt.«

»Hat er auch gesagt, dass sich die Pioniere mit den Nachahmern prügeln sollen?«, spottete Peter.

»Ich werde Schmitz gelegentlich fragen. Aber bestimmt hat er *nicht* gesagt, dass sich die Pioniere von den Nachahmern alles gefallen lassen müssen.«

Wieder lauschten sie dem Plätschern des Baches.

Auf einmal sagte Felix nachdenklich: »Wir sollten herausfinden, welches Geheimnis hinter unserem Schatz steckt ...«

»Wie meinst du das?«, fragte Peter.

»Die Goldmünzen, die sind doch von irgendjemand in dem Klarinettenkasten versteckt worden. Und derjenige, der die Klarinette verkauft hat, der wusste nichts von dem Schatz, sonst hätte er ihn doch nicht verkauft.«

»Stimmt.«

»Und vielleicht gibt es ja irgendwo noch jemand, dem dieser Schatz in Wirklichkeit gehört und der jetzt ganz arm ist, weil er den Schatz nicht hat.«

»Hast du mit Sarah gesprochen? Hat sie dir das eingeredet?«

»Unsinn. Ich habe es mir selbst überlegt. Ich finde, wir dürfen uns nichts nehmen, was uns gar nicht gehört.«

»Aber der Schatz gehört uns doch. Hat Schmitz selbst gesagt.«

»Vielleicht gibt es eben jemand, dem der Schatz noch mehr gehört als uns. Und das sollten wir herausfinden.«

»Und was wird mit unserer Million? Am Ende findet sich wirklich jemand, der glaubt, der Schatz gehöre ihm. Das ist viel zu gefährlich. Man soll keine schlafenden Hunde wecken, sagt mein Vater.«

»Hmm«, meinte Gianna. »Das ist merkwürdig.«

»Was ist merkwürdig?«

»Das hat *Nonna* auch gesagt.«

»Was hat sie auch gesagt?«, fragte Peter ungeduldig.

»Dass wir herausfinden müssen, wem der Schatz gehört. Unrechtes Gut ist verflucht, sagte sie.«

»Und?«

»Ich bin derselben Meinung wie Felix. Wir müssen das Geheimnis des Schatzes lüften. Das könnte doch auch ganz spannend sein.«

»Und wie fangen wir das an, eurer Meinung nach?«

»Als Erstes fragen wir Schmitz, wo er die Klarinette gekauft hat. Und dann sehen wir weiter. Wenn wir den Eigentümer des Schatzes gefunden haben, können wir ja immer noch überlegen, ob wir ihn hergeben.«

»Ich weiß nicht, ich hab ein schlechtes Gefühl dabei«, sagte Peter und warf ein Weidenstöckchen in den Krebsbach. »Hinterher sind wir wieder so arm wie zuvor.«

»Wenn wir den Schatz wirklich hergeben, dann bekommen wir sicher einen guten Finderlohn. Die Hälfte oder so. Und bis dahin arbeitet das Geld doch für uns«, sagte Felix. »Wir haben unsere Aktien. Und den Gewinn behalten wir natürlich. Vielleicht bringt *Telekid* so viel Gewinn, dass wir den Schatz selbst gar nicht mehr brauchen. Das ist dann wie ein Kredit, so als hätten wir das Geld ausgeliehen von jemandem, den wir gar nicht kennen. Viele Menschen leihen sich Geld und investieren es dann. Und die werden besonders reich. Hat mein Vater erzählt.«

»Reich werden mit Kredit. Klingt nicht schlecht«, sagte Peter. Er warf noch einmal ein Holzstück in den Krebsbach und schaute zu, wie es davonschwamm. Dann schlug er mit der Faust auf den Boden. »In Ordnung. Aber wehe euch, wenn es nicht klappt! Außerdem – was machen wir jetzt, wo wir nicht mehr Brötchen ausfahren können?«

»Vergiss nicht unsere Hühner«, sagte Gianna. »Die will ich nicht immer alleine füttern. Wir haben heute übrigens schon das zweite Ei bekommen. Außerdem müssen wir unsere Buchhaltung in Ordnung bringen.«

Gianna malte in ihr Vokabelheft:

Kasse, 5. Juli

Soll			Haben
Kasse	164,70	Futter	10,00
Brötchenverk.	25,90	Saldo	180,60

»Und was ist mit den beiden Eiern?«, fragte Felix.

»Die sind ja nicht in unserer Schuhschachtel, die gehören in unser Vermögen. Das sieht man in der Bilanz.«

Bilanz, 5. Juli

Aktiva			Passiva
Aktien	10.000,00	Eigenkapital	11.187,70
Hühner	110,00		+26,70
Futter	10,00		
Eier	0,80		
Girokonto	913,00		
Kasse	180,60		
	11.214,40		11.214,40

Als Gianna mit ihren Aufzeichnungen fertig war, steckte sie den Kopf bis zum Hals in den Krebsbach, drehte sich wieder auf den Rücken und prustete dann eine Fontäne in die Luft, so dass ein kühler Regen über alle drei niederging.

13. Kapitel

Von unsichtbarer Hand

»Kursfeuerwerk am Neuen Markt – Telekid springt auf 85 Mark!«
Herr Schmitz ließ die Zeitung sinken, aus der er gerade diese
Schlagzeile vorgelesen hatte. »Wisst ihr, was das bedeutet, K-
kinder. Ihr habt euren Einsatz v-verdoppelt. Das heißt mehr als
verdoppelt. In nur zwei Wochen!«

»Das müssen wir ausrechnen«, sagte Gianna.

»Wir haben 250 Aktien, mal 85, das sind ... 21.250 Mark!«,
rief Felix. »Begreift ihr das?«

»Nein«, sagte Gianna. »Ich fasse es nicht.«

Sie saßen im Garten und sahen ihren Hühnern beim Picken
zu. Felix zog in seinem Kopf Bilanz. Einerseits war Bäcker Mühlbach immer noch böse wegen der Schlägerei, deshalb konnten
sie sonntags nicht mehr Brötchen ausfahren. Andererseits hatten sich jetzt alle ihre Hühner entschlossen, Eier zu legen. Seit
der Feier bei Gianna hatten sie schon 75 Eier verkauft. Außerdem war die Stimmung bei Felix zu Hause viel besser geworden. Sein Vater bekam noch für den ganzen Rest des Jahres sein
Gehalt weiter. Das sah der Sozialplan vor, den die Gewerkschaft
mit den Besitzern der *Allgemeinen Zeitung* ausgehandelt hatte.
»Wir haben viel mehr erreicht, als wir dachten«, hatte Herr Blum
erzählt. »Vielleicht hat das mit der komischen Parole zu tun,
die an der Wand des *General-Anzeiger*-Hauses stand. Die hatten Angst, dass die Schönstädter aus Protest die *Allgemeine Zeitung* abbestellen, wenn sie uns zu schlecht behandeln. Es würde
mich schon interessieren, wer das war.« Felix war plötzlich rot
geworden, aber sein Vater hatte es zum Glück nicht gemerkt.

Später hatte er Peter erzählt, dass seine Farbschmiererei doch etwas Gutes bewirkt hatte. Der grinste und sagte nur: »Siehst du!«

Das Beste war jedoch, zuzusehen, wie ihre Aktien Tag für Tag mehr Gewinn machten. Felix hatte in der Kurstabelle* der *Allgemeinen Zeitung* die Stelle gefunden, wo die *Telekid*-Kurse notiert wurden. Schier unaufhaltsam ging es nach oben: 41,20; 43,00; 46,70 Mark ... Und jetzt ein Riesensprung von 67,40 auf 85,10 Mark. Manchmal stand hinter dem neuesten Kurs ein großes »G«. Das bedeutete »Geld«, erklärte Herr Schmitz, was in der Börsenfachsprache hieß, dass zu diesem Kurs die Aktie nachgefragt wurde, sich aber niemand fand, der sie auch verkaufen wollte. Ein sehr gutes Zeichen also. Felix erschien es inzwischen schon fast selbstverständlich, dass sie Tag für Tag reicher wurden. Die Million, von der Peter immer sprach, schien gar nicht mehr so weit weg zu sein. 21.250 Mark! Und vor wenigen Wochen hatte ihn Herr Fischer noch mit elf Mark Zinsen abspeisen wollen!

Nur Herr Schmitz schien unzufrieden. »Oh, oh, oh«, sagte er. »Die Luft wird dünn, ich weiß nicht so recht. Wenn der Kurs sich in so kurzer Zeit verdoppelt, dann stimmt da was nicht. Entweder die Fachleute haben vor ein paar Wochen den wahren Wert von *Telekid* nicht gesehen. Oder jemand versucht abzuzocken.«

»Abzocken, was heißt das?«, fragte Felix.

»Es gibt viele Methoden, um abzuzocken. Bei so einem kleinen Markt kann jemand zum Beispiel gleichzeitig kaufen und verkaufen. Er kauft und treibt damit den Kurs hoch; das macht ihm aber nichts, denn er verkauft ja auch gleichzeitig zu dem überteuerten Kurs. Oder es könnte sein, dass jemand Gerüchte ausstreut über *Telekid*, zum Beispiel über künftige Gewinne, um den Kurs in die Höhe zu treiben. Und wenn er dann oben ist, verkauft er alles ganz schnell. Kursmanipulation nennt man das.«

»Aber wenn der Kurs steigt, kann das für uns doch nur gut sein.«

»Zunächst schon. Aber wenn die übrigen Leute an der Börse merken, dass der Kurs manipuliert ist, dann stürzt er ab. Und dann ist es zu spät, um auszusteigen. An der Börse wird eben nicht geklingelt ...«

»Klar wird geklingelt«, sagte Peter. »Um zwölf. Habe ich selbst gehört.«

»So meine ich das nicht. Das mit dem Klingeln ist ein Börsenspruch. Es bedeutet, dass einem niemand vorher sagt, ob und wann man seine Aktien verkaufen soll.«

»Fragen wir doch Martha!«, schlug Gianna vor.

Die Karatefrau! Natürlich! Peter und Felix fanden, das sei eine gute Idee. Sie hatte ihnen gesagt, wann sie ihre Aktien kaufen sollten, dann wusste sie sicher auch, wann es Zeit zum Verkaufen war.

»Wollt ihr denn schon wieder nach Frankfurt fahren?«, fragte Herr Schmitz.

»Wir könnten auch anrufen«, meinte Gianna

»Anrufen? Wir haben doch einen Computer«, sagte Peter. »Wir schicken ihr eine E-Mail. Jetzt, sofort.«

Alle gingen in das Hinterzimmer und Peter setzte sich an den Computer. Er räumte die Tastatur von Zeitschriften und Notenblättern frei, meldete sich im Internet an und schrieb dann folgende Botschaft, die sie gemeinsam formulierten:

To: martha@kreditbank.com

Sehr geehrte Frau von Millern,

sollen wir Telekid jetzt verkaufen? Herr Schmitz sagt, dass die Luft duenn wird.

Gianna, Felix, Peter, die Heinzelmaennchen aus Schoenstadt.

Peter drückte die »Enter«-Taste. Herr Schmitz sah ihm bewundernd zu. »Und das kommt jetzt an?«, fragte er ungläubig.

»Das kommt an!«, antwortete Peter.

Aber Felix war trotzdem nicht zufrieden. Das alles war schön und gut, doch je besser die Nachrichten von der Börse waren, desto mehr trieb ihn die Frage nach dem Geheimnis ihres Schatzes um. Sie hatten ja den Beschluss gefasst, dieses Geheimnis zu ergründen, aber unternommen hatten sie noch nichts.

»Ich finde, jetzt, wo wir so viel Geld verdient haben, sollten wir endlich den Besitzer der Goldmünzen ausfindig machen. Selbst wenn wir etwas zurückzahlen müssten, würde uns ja noch ganz viel übrig bleiben.«

»Ihr wollt das Geheimnis des Goldschatzes ergründen?«, rief Herr Schmitz. »Das trifft sich gut. Ich habe inzwischen noch einmal mit dem Mann gesprochen, der mir die Klarinette verkauft hat, weil ich wissen wollte, wie alt sie wirklich ist. Er verwaltet den Nachlass einer gewissen Frau Weber, der das Instrument früher gehört hat. Sie war, glaube ich, seine Großtante und hatte keine Kinder oder sonst jemanden, der ihr nahe gestanden hätte. Wo die Klarinette hergekommen sein könnte, wusste er auch nicht. Frau Weber habe nie irgendein Instrument gespielt und ihr verstorbener Mann anscheinend auch nicht. Die seien noch nicht einmal ins Konzert gegangen. Eine ziemlich skurrile Sache, das Ganze.« Herr Schmitz wühlte auf

seinem Schreibtisch und unter Zeitungen und Notenblättern.
»Denn im Nachlass der Frau Weber fand sich das hier ...«

Mit diesen Worten zog Herr Schmitz eine Fotografie hervor.
Sie war ungefähr so groß wie die Fotos in Blums Familienalben,
nur war das Bild nicht farbig, sondern schwarz-weiß und völlig
vergilbt. Es war offensichtlich ein sehr altes Foto und zeigte
sieben junge Männer, die Musikinstrumente in der Hand hielten: links ein Gitarrist, neben ihm ein Schlagzeuger mit Trom-
mel und kleinem Becken, daneben ein Klarinettist, ein Saxo-
phonist, ein Trompeter, ein Posaunist und ganz rechts, so dass
er nur noch halb im Bild war, ein Geiger.

»Jetzt haben wir wenigstens ein Foto mit einer Klarinette«,
sagte Felix. »Das ist nicht viel, aber immerhin.«

»Vielleicht steht hinten was drauf«, meinte Gianna.

Er drehte das Foto um, und tatsächlich – dort hatte jemand
etwas aufgeschrieben, mit dünnem Bleistift und in einer altertümlichen Schrift, die Gianna nicht lesen konnte.

»Das ist altdeutsch«, sagte Herr Schmitz, setzte sich seine Brille
auf und las vor: » *Tanzorchester Schönstadt, Weißes Kreuz,
14.2.1935.* «

»Natürlich: das *Weiße Kreuz*«, rief Gianna. »Du musst dir nur
den neuen Eingang wegdenken, dann sieht heute alles noch
genauso aus.«

Das Foto war tatsächlich vor dem *Weißen Kreuz* in Schönstadt aufgenommen. Im Hintergrund sah man sogar die beiden Lindenbäume, unter denen auch heute noch im Sommer
die Biertische standen. Offenbar hatte dieses Tanzorchester am
14. Februar 1935 im *Weißen Kreuz* gespielt. Der verstorbenen
Frau Weber musste dieses Konzert sehr wichtig gewesen sein,
sonst hätte sie das Foto wohl kaum so lange aufbewahrt.

»Vielleicht hat ihr Mann früher bei dieser Band mitgespielt«, meinte Gianna.

»Glaube ich nicht«, sagte Herr Schmitz. »Dann hätte man bestimmt noch Noten und dergleichen in der Wohnung finden müssen. Außerdem hört man nicht einfach auf, Klarinette zu spielen, wenn man mal damit angefangen hat.«

»Vielleicht war ihr Mann zu faul zum Üben.«

»*Mama mia*, das ist doch egal«, rief Gianna. »Wir haben eine erste Spur. Das ist das Wichtigste. Wollen wir wirklich weitersuchen, auch wenn wir den Schatz verlieren könnten?«

»Ich habe kein gutes Gefühl dabei«, sagte Peter. »Was ist, wenn wir unseren Schatz loswerden? Wir müssen doch auch an uns denken.«

»Man soll aber nicht nur egoistisch sein, sondern auch anständig. Sagt meine Großmutter«, meinte Gianna.

»Du redest wie Sarah«, erwiderte Peter.

»Ja, ja«, sagte Herr Schmitz, »der Egoismus, das ist ein altes Thema bei den Wirtschaftswissenschaftlern. Der berühmteste unter ihnen, Adam Smith* ...«

»Der heißt ja fast wie Sie«, sagte Gianna.

»Schön, nicht wahr? Deshalb fühle mich ihm auch sehr verbunden. Dieser Adam Smith jedenfalls hat vor über 200 Jahren bewiesen, dass der Egoismus der Menschen durchaus nützlich sein kann, wenn er gesteuert wird durch den Wettbewerb. Der Markt sorgt nämlich *mit unsichtbarer Hand*, so hat er geschrieben, dafür, dass die Menschen Dinge tun, die der Allgemeinheit nützen.

Seinen schönsten Satz habe ich auswendig gelernt: *Nicht von der Wohltätigkeit des Fleischers, Brauers oder Bäckers erwarten wir unser Nachtmahl, sondern von deren Bedacht auf ihre eigenen In-*

teressen. Wir wenden uns nicht an ihre Menschlichkeit, sondern an ihre Eigenliebe.

»Meinte dieser Herr Smith denn, dass Menschlichkeit und Anstand schädlich sind?«, fragte Gianna.

»Oh nein, im Gegenteil. Er hat sogar verlangt, dass wir uns immer in unsere Mitmenschen hineindenken und unser eigenes Verhalten von deren Standpunkt aus beurteilen. Wahrscheinlich hätte es ihm gefallen, dass ihr euch in den ursprünglichen Eigentümer der Goldmünzen hineinversetzt. Ich finde es übrigens auch gut, dass ihr versucht, ihn ausfindig zu machen.«

»Aber Peter findet es nicht gut«, sagte Gianna.

»Natürlich finde ich es gut. Wir haben es doch zusammen beschlossen, oder etwa nicht? Außerdem wird's jetzt spannend! Ich habe nur Angst, dass wir unseren ganzen Reichtum wieder verlieren.«

In diesem Augenblick ertönte vom Computer her ein schriller Gong. Auf dem Bildschirm erschien eine Schrift: *You have new mail!*

»He, da hat jemand geschrieben, lasst uns nachsehen!«, rief Peter. Er klickte mit der Maus und auf dem Bildschirm erschien ein Text: *Telekid halten! Es gibt Uebernahmegeruechte. Gruss Martha.*

»Die Karatefrau hat geschrieben«, sagte Peter.

»Martha!«, rief Gianna. »Aber was meint sie damit: *Telekid* halten? Und was meint sie mit diesen Gerüchten?«

Herr Schmitz machte ein nachdenkliches Gesicht. »Ts, ts, ts. Wenn das nur gut geht. Frau von Millern sagt, dass ihr eure Aktien nicht verkaufen sollt. Das nennt man ›halten‹. Und sie glaubt, dass es jemanden gibt, der nach und nach die *Telekid-*Aktien aufkauft, weil er bei dem Sender die Mehrheit und damit das Sagen haben will. Er will *Telekid* übernehmen. Das hat ihr wohl jemand erzählt. Mit Sicherheit weiß sie es nicht.«

»Das geht doch nicht!«, rief Felix. »Es kann doch nicht einfach jemand unseren Sender übernehmen. Schließlich haben wir die Aktien, Martha und wir.«

»Aber ihr habt nicht alle Aktien, sondern nur einen winzigen Anteil an der Firma. Die übrigen Aktien kann jeder kaufen, egal, was er für Hintergedanken dabei hat. Übrigens ist es doch gut für euch, wenn jemand die Mehrheit bei *Telekid* zusammenkaufen will.«

»Gut für uns? Wenn ein Fremder unseren Sender haben will?«

»Natürlich. Der kauft und kauft und kauft. Und was passiert, wenn jemand immer mehr von einer Sache kauft und gar nicht genug kriegen will?«

»Die Sache wird teurer.«

»Eben. Der Unbekannte treibt den Kurs in die Höhe. Und das ist gut für euch. Wenn der rechte Augenblick gekommen ist, könnt ihr eure Aktien mit hohem Gewinn verkaufen. Aber dieser rechte Augenblick ist noch nicht gekommen, meint Frau von Millern. Weil der Unbekannte noch nicht die Mehrheit hat und der Kurs deshalb noch weiter steigen wird. Meint sie.«

»Was hat der Unbekannte denn davon, wenn er die Mehrheit hat?«, fragte Felix.

»Das weiß ich auch nicht. Vielleicht hat er eine Idee, wie man den Sender noch besser machen kann. Oder es ist der Besitzer eines anderen Fernsehsenders, der nicht möchte, dass *Telekid* ihm Konkurrenz macht ...«

»Und warum haben Sie eben gesagt: Wenn das nur gut geht?«, fragte Gianna.

»Weil ich mir überlegt habe: Was ist denn, wenn es diesen

Menschen gar nicht gibt? Wenn der nur ein Gerücht ist?«

»Aber der Kurs ist doch gestiegen.«

»Schon, schon, aber den kann man auch allein durch Gerüchte steigen lassen. Indem man eben *behauptet*, jemand wolle die Mehrheit bei *Telekid*. Dann fangen alle an zu kaufen, wie Martha ...«

»Aber Martha ist doch ...«

»Ja, ja, ich weiß. Es ist nur so ein komisches Gefühl. Das kommt schon mal vor. Wahrscheinlich täusche ich mich. Martha versteht ja viel mehr von diesen Dingen als ich.«

Felix erinnerte sich an das komische Gefühl, das er in Frankfurt hatte, als sie sich für Telekid entschieden. Und an das, was Sarah übers Fernsehen und die Doofheit der Leute gesagt hatte. Aber er wollte nicht wieder davon anfangen. »Was machen wir jetzt mit dem Foto von den Musikern?«, fragte er stattdessen.

»Der nächste Schritt ist doch ganz einfach: Ihr müsst alles herausfinden, was man über das *Schönstädter Tanzorchester* herausfinden kann«, sagte Herr Schmitz. »Ich an eurer Stelle würde dazu ins Archiv des *General-Anzeigers* gehen.«

»Archiv?«, fragte Peter.

»Frau Marcks!«, rief Felix.

»Hä?«, sagte Gianna.

»Im Archiv werden die alten Zeitungen aufbewahrt. Und Frau Marcks ist die Sekretärin von meinem Vater, die arbeitet jetzt da, seit es die Wirtschaftsredaktion nicht mehr gibt. Die ist sehr nett, die hilft uns sicher.«

»Aber das Foto ist doch von 1935!«

»Das macht nichts. Der *General-Anzeiger* ist über 120 Jahre alt. Wenn es 1935 ein Tanzorchester gab, dann ist darüber si-

cher in der Zeitung geschrieben worden. Und dann finden wir
das auch.«

*

Felix hatte ein komisches Gefühl, als er mit Gianna und Peter
in das *General-Anzeiger*-Haus ging – zum ersten Mal, seit sein
Vater dort seine Arbeit verloren hatte. Fast kam es ihm wie Ver-
rat vor. Unter den Schaukästen vor der Geschäftsstelle, dort,
wo Peter sein Graffiti hingepinselt hatte, war die Wand jetzt
mit frischer, hellgelber Farbe übermalt. Das Zeitungsarchiv befand sich im selben Flur wie die frühere Wirtschaftsredaktion.
Alles sah noch so aus wie früher, nur dass hier jetzt gähnende
Leere herrschte. Felix zeigte seinen Freunden das frühere Ar-
beitszimmer seines Vaters. Die Tür stand offen, Vaters Schreibtisch und die Bücherregale waren immer noch dort, aber leer
und staubig. In einer Ecke stapelten sich vergilbte Zeitungen.
Ein fremder Mann kam ihnen entgegen, sah sie verwundert an,
sagte aber nichts. Sie gingen bis zum Ende des Flurs, zu einer
Tür mit der Aufschrift: *Redaktionsarchiv*.

Felix klopfte, eine Frauenstimme sagte: »Herein!«, und dann
standen sie vor Carola Marcks.

»Felix!«, rief sie, als sie die drei Kinder sah. »Das ist aber eine
Überraschung!«

»Hallo, Frau Marcks!«

»Wie geht's denn deinem Vater?«

»Na ja. So lala, glaube ich.«

Frau Marcks sah Felix ernst an und sprach mit gedämpfter
Stimme weiter: »Dein Vater kann froh sein, dass er nicht mehr
bei uns ist! Es ist nicht mehr wie früher. Die neuen Leute von

der *Allgemeinen* führen sich auf, als seien sie die Größten. Alles wissen sie besser. Und immer geht es nur um eines: Kosten senken, Kosten senken. Nächstens wollen sie noch einen schriftlichen Antrag, wenn ich einen neuen Bleistift brauche. Na ja, ich bin froh, dass sie mich ins Archiv abgeschoben haben. Da habe ich wenigstens meine Ruhe ... Aber sagt mal, was führt euch denn hierher? Ihr seid doch sicher nicht gekommen, nur um zu fragen, wie es der alten Carola Marcks geht.«

Felix erzählte vom *Schönstädter Tanzorchester* und dass sie etwas darüber herausfinden wollten; von ihrem Schatz erwähnte er vorsichtshalber nichts.

Frau Marcks hörte interessiert zu und sagte dann: »*Schönstädter Tanzorchester*, so, so. Was die jungen Leute alles interessiert. Na, dann lasst uns mal sehen.«

Frau Marcks verschwand zwischen den Regalen des Archivraums. Sie reichten bis zur Decke hinauf und waren voll gepackt mit dicken Bänden und Aktenordnern. Es roch wunderbar nach Papier und Staub – der Geruch, den Felix so liebte. Nach kurzer Zeit kam Frau Marcks zurück und schleppte einen dicken, schwarzen Band unter dem Arm.

»So«, sagte sie und warf den Band auf den Tisch, wobei eine kleine Staubwolke entstand. »Hiermit müsstet ihr eigentlich weiterkommen.«

Schönstädter General-Anzeiger – Jg. 1935 stand auf dem Einband.

»Jetzt suchen wir mal die Ausgabe vom 14. Februar«, sagte Frau Marcks. Sie schlug den Band vor ihnen auf. »Bitte sehr!«

»Komische Schrift«, sagte Gianna. »Die kann ich ja gar nicht lesen.«

»Ich schon«, sagte Felix. Sein Vater hatte ihm einmal die altdeutschen Druckbuchstaben erklärt. »Hier steht: *Gegensätze im britischen Kabinett.* Und hier: *Kriegsgefahr besteht weiter.*«

Felix suchte mit Hilfe von Frau Marcks die Seiten ab.

»Seht mal hier, was für eine komische Anzeige: *Aelt. Herr. nicht arisch, s. p. 15. möb. Zi. Off. R. 97534.* Was heißt denn das: ›nicht arisch‹?«

»Habt ihr das noch nicht in der Schule behandelt? Damals haben in Deutschland die Nazis regiert. Und die haben die Juden erst nach und nach aus dem öffentlichen Leben ausgeschlossen, ehe sie sie dann umgebracht haben. Und wer Jude war, der war ›nicht arisch‹. Dass man das damals bei Wohnungsanzeigen angeben musste, habe ich allerdings auch nicht gewusst.«

»Glauben Sie denn, dass der Herr, der damals das möblierte Zimmer gesucht hat, später ermordet wurde?«

»Ich fürchte es.«

Aber von einem Tanzorchester fanden sie nichts in der Zeitung. Plötzlich schlug sich Frau Marcks an den Kopf. »Wie dumm von uns! Wenn das Konzert am 14. Februar stattgefunden hat, dann kann der Bericht doch nicht am 14. Februar in der Zeitung stehen! Sehen wir mal zwei Tage weiter.«

»Zwei Tage? Warum zwei und nicht einen?«, fragte Peter.

»Überleg doch mal: Das Konzert hat sicher abends stattgefunden und bis Mitternacht gedauert. Und da wurde die neue Zeitung schon längst gedruckt.« Frau Marcks blätterte die Ausgabe vom 16. Februar durch und ließ den Zeigefinger über die Seiten gleiten, aber vergeblich. Auch am 17. Februar fand sich nichts und bis zum 20. auch nicht.

»Vielleicht wurde das Konzert wenigstens vorher angekündigt«, meinte Felix.

Frau Marcks hielt das für eine gute Idee und begann zurückzublättern. Bis zum 7. Februar kam sie, aber es fand sich kein Sterbenswörtchen über ein Tanzorchester. »Ich glaube, hier kommen wir nicht weiter«, sagte sie.

Felix nahm sich nun selbst den Band und blätterte ziellos darin herum. Er wollte ihn gerade wieder zuklappen, da fiel sein Blick auf eine Anzeigenseite. »He, seht mal!«, rief er ganz aufgeregt. Auf der Seite befand sich eine Annonce mit folgendem Text:

Faschingstanz!
14. Februar 1935
Gasthof Weißes Kreuz, Festsaal.
Es spielen Heinrich Stakenburg und sein Schönstädter
Tanzorchester. Eintritt 20 Pf.

»Wir haben es!«, rief Felix. »Heinrich Stakenburg. Nach dem müssen wir suchen.«

»Was meinen die mit Festsaal im *Weißen Kreuz*?«, fragte Gianna. »Da ist doch kein Festsaal.«

»Da war mal einer«, sagte Frau Marcks. »Ich kann mich noch daran erinnern. Als ich ein Mädchen war, gab es dort Tanz am Samstagabend. Später hat man ihn abgerissen und einen Parkplatz draus gemacht.«

»Aber wie finden wir diesen Herrn Stakenburg?«, fragte Felix.

Frau Marcks strahlte ihn an: »Das ist nun wirklich das kleinste Problem, wenn man eine gute Dokumentaristin zur Hand hat.« Sie griff zum Telefonhörer und wählte eine Nummer. »Ja hallo, ist da das Einwohnermeldeamt? Hier ist Frau Marcks vom Archiv der *Allgemeinen Zeitung*. Ja, vom früheren *General-Anzeiger*. Ich hätte da mal eine Frage ...« Sie erzählte, dass sie jemanden suche, der im Jahre 1935 in Schönstadt gewohnt habe.

Ein paar Minuten musste sie warten, dann sagte sie überrascht: »Ach, das ist ja interessant. Adolf-Hitler-Straße 14. Und welche Straße ist das heute? Die Talstraße, ach so. Und dann ... aha ... in Russland. Da kann man nichts machen. Haben Sie ganz herzlichen Dank.« Frau Marcks legte den Hörer auf. »Tut mir Leid, das wird eine schwierige Aufgabe für euch. Dieser Heinrich Stakenburg ist nämlich schon seit Jahrzehnten tot. Er ist im Krieg gefallen. In Russland. Aber er hat, als er noch lebte, in der Talstraße gewohnt ...«

»In der Adolf-Hitler-Straße?«

»Ja, so hieß die Talstraße damals. Und zwar in der Nummer 14. An eurer Stelle würde ich dort mal vorbeigehen und sehen, ob es noch jemanden gibt, der diesen Heinrich Stakenburg gekannt hat. Einen anderen Weg sehe ich nicht.«

*

Die Talstraße 14 war ein ziemlich neuer Block mit vier Wohnungen.

»Dieses Haus hat hier 1935 ganz sicher noch nicht gestanden«, sagte Peter.

Trotzdem beschlossen sie, dort nach Heinrich Stakenburg zu fragen. Sie klingelten als Erstes links unten. Eine junge Frau mit einem Kopftuch und einem Baby auf dem Arm öffnete ihnen. Sie war sehr freundlich, sprach aber kaum ein Wort Deutsch. Eine junge Türkin – die konnte Heinrich Stakenburg nun wirklich nicht gekannt haben. Daneben wohnte ein Mann, der überhaupt nicht freundlich war. Er heiße nicht Stakenburg und kenne auch niemanden, der so heiße, und was ihnen eigentlich einfalle, einen Schichtarbeiter wegen solcher Dinge

186

wachzuklingeln. Die dritte Wohnung stand leer und in der vierten wohnte ein alter Mann. Der war immerhin so alt, dass er Heinrich Stakenburg hätte kennen können. Aber er kannte ihn auch nicht. Ja, hier habe vor ein paar Jahren noch ein altes Haus gestanden, das habe man dann abgerissen. »Schade war es nicht drum«, sagte er. Und wer da früher drin gewohnt habe, wisse er auch nicht.

»Das war's dann wohl« sagte Peter. »Wir haben es wenigstens versucht.«

14. KAPITEL

Alte Dämonen

Die Sommerferien waren wie im Fluge vorbeigegangen. Nun hatte die erste Schulstunde begonnen, aber Felix war an diesem sonnigen Augustmorgen nicht bei der Sache. Drüben am Fenster saß Kai. Vorhin hatte er das Fahrrad direkt neben dem seinen angeschlossen. Sein Feind hatte ihn dabei nur gehässig angegrinst und gezischt: »Na, braucht ihr am Sonntag Brötchen?«

Felix hatte getan, als hätte er nichts gehört. Aber jetzt arbeitete der Ärger in ihm. Außerdem war er es nicht mehr gewohnt, ruhig in einem Klassenzimmer sitzen zu müssen. Immer wieder schwebten seine Gedanken davon. Wie weit mochte der Kurs ihrer Aktie noch steigen? Am Donnerstag der letzten Ferienwoche hatte er die Grenze von hundert Mark übersprungen und lag jetzt bei 101,10 Mark. Ihre Aktien waren damit 25.277 Mark wert. Die Hühner waren ebenfalls eine lohnende

187

Investition geworden. Etwa 65 bis 70 Eier verkauften sie jede Woche im Eiscafé. Frau Giampieri hatte ihnen einen schönen Korb geschenkt, der immer mit Eiern gefüllt auf der Verkaufstheke des *Rialto* stand. Gianna hatte dazu ein Schild gemalt: *Heinzelmännchens Eierkorb.* Ja, und außerdem hatten sie auch noch kleinere Geldbeträge durch Rasenmähen und andere Arbeiten eingenommen. Sie machten wirklich Fortschritte. Nur was das Geheimnis des Schatzes betraf, waren sie kein Stück weitergekommen.

»Felix Bluuhum, aufwachen!« Die Stimme von Basilius Löwenstein riss ihn aus seinen Überlegungen. Der Mathematiklehrer musste schon eine ganze Weile neben seinem Platz stehen. Denn die gesamte Klasse hatte sich ihm zugewandt und wartete, was passieren würde. Einige kicherten.

»Ich kann mir vorstellen, dass man viele wichtige Dinge im Kopf hat, wenn man Unternehmer ist. Aber wäre es dir trotzdem möglich, uns zu sagen, welches die Wurzel aus 144 ist? Nur wenn es keine allzu große Mühe macht, meine ich.«

»25.277«, sagte Felix.

Die Schulklasse brach in schallendes Gelächter aus. Kai bellte richtig, so amüsierte er sich.

»Auch einem jungen Unternehmer muss man es gelegentlich zumuten, seine wertvollen grauen Zellen mit etwas so Überflüssigem wie dem Mathematikunterricht zu belasten, mein lieber Felix«, sagte Herr Löwenstein, worauf seine Mitschüler noch einmal losprusteten. Felix spürte, dass seine Ohren jetzt mindestens dunkelrot waren. Er ärgerte sich. Über sich selber, aber auch über Herrn Löwenstein, weil der ihn aufgezogen hatte. Er war doch sonst so fair.

Herr Löwenstein!, schoss es ihm plötzlich durch den Kopf.

Natürlich: Herr Löwenstein hatte ihnen doch schon so vieles aus der Geschichte von Schönstadt erzählt. Wenn jemand etwas über das *Schönstädter Tanzorchester* wissen konnte, dann war er es. Felix war jetzt hellwach und er beschloss, besser aufzupassen. Schließlich wollte er seinen Lieblingslehrer nicht noch einmal verärgern.

Nachdem die Schulglocke geklingelt hatte, ging er nach vorne zu Herrn Löwenstein. Dieser blickte ihn erstaunt, aber nicht unfreundlich an und strich sich durch die langen weißen Haare, wie es seine Art war.

»Na, was gibt's denn? Hast du Sorgen? So zerstreut kenne ich dich gar nicht.«

»Tut mir wirklich Leid, Herr Löwenstein ...«

»Oder machst du dir Gedanken, weil dein Vater seine Arbeit verloren hat? Das ist ja wirklich eine schlimme Sache ...«

»Nein, nein, das ist es nicht. Aber ich hätte eine Frage.«

»Schieß los, was gibt's denn?«

»Sie kennen sich doch in der Geschichte aus.«

»Ein bisschen schon. Weshalb?«

»Kennen Sie das *Schönstädter Tanzorchester*?«

»Das *Schönstädter Tanzorchester*? So was hat es mal gegeben. Irgendwann vor dem Krieg. Und was hat es mit diesem Tanzorchester auf sich?«

Felix erzählte seinem Lehrer in groben Zügen von der Klarinette und dem alten Foto und von Heinrich Stakenburg. Vom Goldschatz erwähnte er nichts.

»Was ist denn so interessant an diesem alten Foto?«, fragte Herr Löwenstein.

Felix antwortete möglichst ungenau, dass es ihn eben interessieren würde, wem die alte Klarinette einmal gehört hatte, weil er ja selber Klarinette spiele und so weiter. Herr Löwenstein gab sich mit dieser Antwort zufrieden.

»1935 war das – es würde mich wundern, wenn wir da nichts herausfinden könnten.« Er schrieb sich etwas auf einen Zettel. »Morgen werde ich mehr wissen«, sagte er und fügte dann noch hinzu: »Aber Heimatforschung hin und Heinzelmännchen her – ich hoffe doch, dass du jetzt nicht aufhörst, dich für Mathematik zu interessieren.«

*

»Ein Käseblatt ist das!« Gerold Blum schob die *Allgemeine Zeitung* angewidert von sich. »Dieser Wirtschaftsteil! Bunte Bilder und nichts dahinter. Gut, dass ich nicht mehr dabei bin.«

»Das hat Frau Marcks auch gesagt«, tröstete ihn Felix.

»Nun hör doch endlich mit deinen Grübeleien auf. Es hilft sowieso nichts«, sagte Felix' Mutter. »Hättet ihr euch eben früher gewehrt. Da fällt mir ein: Am Auto knattert der Auspuff und die Stoßdämpfer sollte man auch mal nachsehen ...«

»Findest du, es ist jetzt der richtige Zeitpunkt, um über teure Autoreparaturen nachzudenken?«, antwortete Herr Blum spitz. »Wir sollten unser Geld zusammenhalten, bis ich wieder einen Job habe.«

Und während Felix heimlich den Kopf einzog, antwortete seine Mutter noch spitzer: »Meinst du, das Auto wird so lange mit dem Kaputtgehen warten, bis der Herr Ernährer der Familie nicht mehr arbeitslos ist? Ich jedenfalls muss jetzt wieder an den Computer und übersetzen. Sonst kann ich meinen Termin nicht einhalten. Vielleicht könnte ja einer der Herren einkaufen, wenn es eure knapp bemessene Zeit zulässt.« Sie ließ die

190

beiden allein in der Küche zurück. Jetzt herrschte wieder diese giftige Stimmung im Haus, die Felix so hasste.

»Ja, ja«, sagte sein Vater, seufzte und begann den Mittagstisch abzuräumen. Nach einer Weile fragte er: »Was machst du eigentlich bei Frau Marcks?«

Felix erzählte ihm in groben Zügen, was sie vorhatten und wie weit sie schon gekommen waren.

»So, so«, sagte er. »Du wärst also bereit, 10.000 Mark herzugeben, falls ihr herausfindet, wem der Goldschatz mal gehört hat. Zehntausend Mark ... das muss man sich mal vorstellen. Das ist viel Geld.« Plötzlich gab er sich einen Ruck und fuhr fort: »Ich finde das sehr mutig, wirklich. Ich bin stolz auf dich. Von einem Schönstädter Tanzorchester habe ich allerdings noch nichts gehört.« Er griff noch einmal nach der Zeitung. »Hier, das könnte dich vielleicht auch interessieren. Es ist möglich, dass in Amerika bald die Zinsen steigen.«

»Ja, und? Was hat das mit der Klarinette zu tun?«

»Nichts. Aber mit euren Aktien. Wenn die Zinsen steigen, dann ist das schlecht für den Aktienmarkt. Hier steht's: *Fed-Präsident warnt Märkte*. Fed, das bedeutet Federal Reserve Board*, die Bundesbank der USA. Sie ist dafür verantwortlich, dass der Dollar nicht an Wert verliert. Und weiter heißt es da: *Auf einem Vortrag in New York hat Fed-Präsident Frederick Menger die Märkte vor Übertreibungen gewarnt. Die Notenbank werde die Entwicklung genau beobachten und aufkommende Inflationserwartungen sofort bekämpfen. Auch die Börse dürfe die Bodenhaftung nicht verlieren. Wall Street* reagierte mit deutlichen Kursverlusten auf diese Rede. Der Dow Jones* ging um 34,89 Punkte zurück.*«

»Ja, und?«, fragte Felix noch einmal.

191

»Ich werde dir das übersetzen: Die Fed ist, wie gesagt, die amerikanische Bundesbank, die Wall Street ist jene Straße in New York, in der sich die wichtigste amerikanische Börse befindet. Und der Dow Jones ist der amerikanische Dax. Was der Dax ist, habt ihr doch sicher in Frankfurt erfahren?«

»Klar«, sagte Felix. »Aber ich kapiere trotzdem nicht, was da in der Zeitung steht.«

»Das bedeutet: In Amerika wächst die Wirtschaft sehr schnell. Die Amerikaner verdienen mehr Geld und geben es auch aus. Der Notenbank-Präsident dort hat Angst, dass nun immer mehr Firmen die günstige Gelegenheit nutzen, um die Preise zu erhöhen, jetzt, wo den Verbrauchern das Geld so locker sitzt. Dann könnte die Inflation steigen und der Geldwert sinken. Um dem vorzubeugen, könnte er das Geld teurer machen. Er würde dazu einfach den Zins erhöhen, den die Banken bezahlen müssen, wenn sie von der Zentralbank frische Dollar haben wollen.«

»Und das steht in dem Artikel?«

»Sinngemäß, ja. Und wenn die Zinsen steigen, dann wird es lohnender, Wertpapiere mit festen Zinsen zu kaufen, also Anleihen. Deshalb verkaufen dann viele Leute ihre Aktien und kaufen stattdessen Anleihen. Dadurch werden die Aktien billiger und die Anleihen teurer. Und weil viele an der Börse fürchten, dass es wirklich so kommen könnte, sind die Kurse in New York gestern auch schon gesunken.«

»In Amerika, aber doch nicht bei uns.«

»Doch, auch bei uns. Hier steht's: Der Dax ist um 23 Punkte zurückgegangen. Amerika ist das reichste Land der Erde. Wenn dort was passiert, merken wir das auch.«

»Aber der Kurs von *Telekid* ist nochmals gestiegen«, sagte Felix mit Blick auf den Kurszettel. »102,70!«

»Vielleicht habt ihr ja Glück gehabt. Ich meinte ja nur: Vorsicht ist die Mutter der Porzellankiste. Ich an eurer Stelle würde langsam mal daran denken, meine Gewinne in Sicherheit zu bringen.« Er holte den Haushaltsgeldbeutel aus der Schublade des Küchentisches und sagte: »Wie wär's, wenn wir die Anregung deiner Mutter aufnehmen und zusammen einkaufen gehen, Sohn?«

Man konnte sagen, was man wollte, die Arbeitslosigkeit seines Vaters hatte einen großen Vorteil: Er war jetzt meistens zu Hause. Zeit ist Geld, dachte Felix und erinnerte sich an ihre ersten Gespräche mit Schmitz. Wenn man einen Vater hat, der einen Job hat, dann hat man meistens keinen Vater. Und wenn man einen Vater hat, der Zeit hat, dann hat der meistens kein Geld.

Im Supermarkt am Stadtrand fiel Felix auf, dass sein Vater vor allem Sonderangebote kaufte. Die mit den wilden Preisschildern: *Mineralwasser 3,99! Feine Wurst 0,99 à 100 gr.!*

»Du hast doch mal gesagt, dass man bei Sonderangeboten draufzahlt. Manchmal sei es besser, etwas mehr zu zahlen, wenn man dafür Qualität bekommt.«

»So, habe ich das gesagt? Das gilt leider nur für bessere Zeiten ...«

Draußen auf dem Parkplatz lief ihnen Herr Löwenstein über den Weg. Vielmehr: Er radelte ihnen über den Weg, denn Herr Löwenstein besaß kein Auto, alles machte er mit dem Fahrrad. Obwohl er einer der ältesten Lehrer der Schule war.

»Vater und Sohn beim Einkaufen? Sehr vorbildlich!«, rief er und stieg vom Rad. »Es tut mir ja so Leid, Herr Blum, ich meine die Geschichte mit dem *General-Anzeiger*. Ich wünsche Ihnen, dass die Sache schnell eine günstige Wendung nimmt.

193

Aber für Felix habe ich eine gute Nachricht: Ich habe etwas über das Tanzorchester herausgefunden.«

»Jetzt bin ich aber gespannt«, sagte Felix.

»Stell dir vor, eines der Bandmitglieder ist später Lehrer an unserer Schule gewesen. Ich glaube, er hat Bass gespielt und sogar Musik unterrichtet.«

»Wie haben Sie das herausgefunden?«, fragte Felix.

»Dieser Musiker hat vor vielen Jahren mal was für die Schulzeitung geschrieben, einen Artikel über seine Erinnerungen. Und das Beste ist: Er lebt noch, und zwar in Schönstadt, am Spalierweg. In dem alten Haus, das ganz mit Efeu zugewachsen ist.«

»Und wie heißt der Mann?«

»Frank Böhme.«

*

Das Messingschild mit der Aufschrift *Frank Böhme* war angelaufen und halb von Efeu überwuchert. Felix musste eine Ranke zur Seite schieben, als er den Klingelknopf drückte. Danach passierte eine Zeit lang gar nichts. Felix, Peter und Gianna wollten schon wieder gehen, da hörten sie drinnen ein schlurfendes Geräusch. Die Tür wurde aufgeschlossen und vor ihnen stand, gebeugt über einem Stock, ein altes Männchen.

»Was gibt's denn?«, fragte das Männchen.

»Sind Sie Herr Böhme?«, fragte Gianna

»Was dachtet ihr denn?«

»Wir sind vom Kant-Gymnasium und hätten mal eine Frage. Und zwar zum *Schönstädter Tanzorchester*.«

»Zum *Schönstädter Tanzorchester*?« Die Miene des alten Mannes hellte sich schlagartig auf. »Dass sich dafür noch jemand interessiert! Kommt herein.« Er führte die Kinder in ein kleines, dunkles Zimmer. »Leider kann ich euch nichts anbieten. Ein alter Mann ist nicht auf plötzlichen Besuch eingerichtet.«

Dann humpelte er zu einer Glasvitrine und brachte zwei gerahmte Fotos mit. Das eine zeigte die Musiker des Tanzorchesters, wie sie sich vor einer künstlichen Palme in Positur gesetzt hatten. Auf dem anderen war ein kleiner Mann mit Schnurrbart und einem Bass zu sehen. »So sah ich aus, als ich noch jung war. – Macht ihr auch Musik?«

»Klarinette«, sagte Felix.

»Ich bin Bassist«, rief Peter.

»Komisch, immer die kleinsten Leute spielen die größten Instrumente. Aber egal, wir waren jedenfalls eine tolle Kapelle, kann ich euch sagen. Das Musikmachen war gar nicht so einfach damals. Wir mussten den Rhythmus erst lernen, den die Amerikaner schon hatten. Und man konnte ja nicht so einfach nach Amerika fliegen damals. Aber wir haben trotzdem angefangen, die ganzen amerikanischen Stücke zu spielen, von Fletcher Henderson und Benny Goodman ... Obwohl das damals eigentlich verboten war. Die Nazis wollten nur deutsche Stücke haben. Aber wir haben trotzdem guten Jazz gemacht. Deshalb haben sie uns ja auch verboten. Das war 1939. Und dann kam ja auch der Krieg.«

Herr Böhme schien für einen Augenblick richtig glücklich zu sein. »Mal hat uns ein Jazzer aus Amerika gehört, ich weiß nicht mehr, wie er hieß. Der sagte, mit unserm Sound könnten wir auch in Chicago auftreten. Ja, das hat er gesagt. Und die Mädchen waren hinter uns her, kann ich euch sagen. Alle. Ja, ja, das ist lange her. Aber was wollt ihr eigentlich wissen über das *Schönstädter Tanzorchester?*«

»Wir wollten wissen, wie der Klarinettist hieß und wo er heute wohnt«, sagte Felix.

»Der Klarinettist?« Die Miene des alten Mannes verdüsterte sich. Er nahm den Bilderrahmen mit dem Palmenfoto und starrte es lange an. Dann fragte er, mit entrückter Stimme, wie aus einer anderen Welt: »Was ist mit dem Klarinettisten?«

»Wir wollten ...« Felix war ganz erschrocken.

»Wir wollten ihn etwas fragen«, half ihm Gianna.

»Gar nichts werde ich euch sagen. Einen Teufel werde ich tun, noch einmal in den alten Geschichten herumzuwühlen. Und ihr versteht das alles sowieso nicht. Die heutige Jugend hält sich ja für so viel besser. Ihr wisst ja gar nicht, wie das damals war. Und eure Lehrer auch nicht. Die erzählen euch nur dummes Zeug.«

»Aber wir wollten doch nur ...«, sagte Gianna.

»Alle Leute wollen immer nur fragen und fragen und fragen. Und hinterher drehen sie einem das Wort im Mund herum. All diese Klugschwätzer sollen doch erst mal in solchen Zeiten leben. Wenn man vor allen Leuten Angst haben muss. Und wenn Spitzel unter den Tanzgästen sitzen. Wir haben jedenfalls nichts Schlechtes getan.«

»Was ist mit dem Klarinettisten?« Gianna konnte ziemlich stur sein.

»Dem geht es gut. Falls er noch lebt. Wahrscheinlich hat er es besser gehabt im Leben als wir. Und jetzt will ich nicht weiter darüber reden. Ich habe mich schon viel zu sehr aufgeregt. Das hat mir der Arzt verboten.«

Verstört standen die Kinder auf. Im Hinausgehen fiel Felix' Blick noch einmal auf das Foto mit den Musikern. Darauf waren ja nicht sieben, sondern nur sechs zu sehen. Der Klarinettist fehlte! Am unteren Rand des Fotos entdeckte Felix eine goldene Schrift: *Schönstadt, 12. Mai 1938.*

»Der spinnt«, sagte Peter, als sie wieder auf der Straße waren.

»Der spinnt«, sagte auch Gianna.

»Aber warum?«, fragte Felix »Ich glaube, da ist was faul. Er erzählte den anderen von seiner Beobachtung. Sie beschlossen, dem Geheimnis des Klarinettisten weiter nachzugehen. Jetzt erst recht.

15. Kapitel

Inflation oder Arbeitslosigkeit

»D-der hat Dreck am Stecken«, sagte Adam Schmitz, als sie ihm von ihrem Besuch in der Villa erzählten. »Da müssen wir sofort etwas u-unternehmen.« Der Musikalienhändler schien aufs Äußerste angespannt. Besonders, als Felix erwähnte, dass der Klarinettist auf dem neueren Foto nicht mehr mit dabei war. »Vielleicht sind wir einer schlimmen Sache auf der Spur.« Damals, so erklärte Herr Schmitz ihnen, wurden Menschen einfach ins Gefängnis oder ins Konzentrationslager gesteckt, wenn sie ihre Meinung sagten. Oder wenn sie die falsche Musik machten. Oder sie wurden gleich ermordet. »Vielleicht hat der saubere Herr Böhme etwas mit dem Verschwinden des Musikers zu tun gehabt.«

»Aber er war doch selber Musiker«, wandte Peter ein.

»Das macht die Sache ja so verdächtig. Warum wollte er euch nicht davon erzählen? Er war doch offensichtlich stolz auf seine Band. Vielleicht steckt noch etwas anderes dahinter. Kommt mit!«

Herr Schmitz hängte ein Schild in die Ladentür, auf dem stand: *Bin gleich wieder zurück.* Dann schloss er ab und sie gingen zusammen in den Spalierweg hinauf.

Das Grundstück mit der Villa war umgeben von einer Ligusterhecke, die schon seit vielen Jahren nicht mehr geschnitten worden war. Herr Schmitz bedeutete Felix, Peter und Gianna, sich fürs Erste dahinter zu verstecken. »Ihr kommt erst, wenn ich euch rufe«, sagte er leise. Dann ging er auf das Haus zu und klingelte.

Sie warteten und warteten. Herr Schmitz drückte noch mal auf die Klingel. Endlich wurde der Schlüssel herumgedreht und die Tür öffnete sich.

Felix hörte die Stimme von Herrn Schmitz. »Wo ist der K-klarinettist?«, fragte er statt einer Begrüßung.

»Ich habe doch schon gesagt ...«, ertönte die brüchige Stimme des alten Mannes.

»Ihr könnt jetzt kommen!«, rief Herr Schmitz. Felix sah, wie Herr Böhme die Türe zuschlagen wollte. Aber Adam Schmitz stellte blitzschnell seinen Fuß dazwischen und dann redete er, wie Felix ihn noch nie hatten reden hören: laut und aufgeregt, mit vielen Stotterern, aber sehr bestimmt.

»Jetzt w-will ich Ihnen mal was s-sagen, mein H-herr. Meine F-freunde und ich, wir werden h-herausfinden, was aus dem K-klarinettisten geworden ist, da können Sie sich d-drauf verlassen. Und wenn wir es herausgefunden haben, d-dann werden w-wir es in die Z-zeitung b-bringen. Und in die Sch-schüler-Zeitung des Gymnasiums. Dann w-wird was los sein hier in Sch-schönstadt, da können Sie sicher sein. Und wenn es sein muss, gehen wir auch zur Polizei. Die interessieren sich nämlich für alte Nazis.« Herr Schmitz senkte jetzt die Stimme, so dass er fast flüsterte. »Es ist besser, Sie erzählen uns gleich alles.«

Herr Böhme stand da wie ein Häuflein Elend. Er hielt ihnen allen die Tür auf. Als Felix an ihm vorbeiging, schlug er die Augen nieder.

»Wo ist der Klarinettist?«, fragte Herr Schmitz, als sie wieder in dem dunklen Zimmer saßen. »Warum ist er auf dem Foto von 1938 nicht mehr drauf?«

»So, ist er da nicht mehr drauf? Komisch, das ist mir gar nicht aufgefallen«, sagte Herr Böhme.

»Denken Sie b-bloß nicht, Sie können uns für dumm verkaufen«, fiel ihm Herr Schmitz ins Wort.

»Haben Sie ihn umgebracht?«, stieß Peter hervor.

Herr Böhme sah den Jungen an, als wäre er ein Gespenst: »Ich den Martin umbringen? Ausgerechnet ich?« Er schlurfte zu der Glasvitrine und kam mit einem Stapel Notenblätter zurück. Sie waren mit einem Gummiband zusammengebunden. Herr Böhme löste das Band, nahm einen vergilbten Zettel vom Stapel und legte ihn auf den Tisch. Darauf stand:

Neu!
Das Schönstädter Tanzorchester lädt zum Faschingstanz,
14. Februar 1935.
Gasthaus Weißes Kreuz, 20 Uhr.
Eintritt 20 Pfennig.

»Die Anzeige!«, sagte Felix leise.

»Wenn ihr denn unbedingt die alten Geschichten hören wollt, na gut«, begann Herr Böhme. »Als wir in die Schule gingen, waren wir drei dicke Freunde: der Heinrich Stakenburg, der

Martin und ich. Vor allem waren wir verrückt nach Musik. Nicht nach dem, was es im Schulorchester gab. Das war langweilig. Kein Rhythmus, kein Swing. Nein, wir waren hinter der neuen Musik her, aus Amerika, die Big Bands und das alles … Der Heinrich spielte Trompete, der Martin Klarinette, ich den Bass. Außerdem hatten Martins Eltern ein Radio und ein Grammophon. Das war was ganz Besonderes damals. Und der Martin schaffte es, immer wieder neue amerikanische Platten aufzutreiben. Verbotene. Von Fletcher Henderson…«

»… und Paul Whiteman und Benny Carter und Don Redman und Benny Goodman …«, murmelte Herr Schmitz.

»Stimmt. Woher wissen Sie das?«

»Das tut jetzt nichts zur Sache. Weiter.«

»Wir waren jedenfalls versessen auf die neue Musik. Und als wir unser Abitur in der Tasche hatten, 1935, da gründeten wir ein Tanzorchester.«

»Dieser Martin, wie hieß der mit Nachnamen?«, fragte Herr Schmitz.

»Friedmann, Martin Friedmann. Sein Vater war Zahnarzt, hatte unten am Kartoffelmarkt eine Praxis. Wir fanden auch noch ein paar andere Jungen, denen die neue Musik gefiel, und dann gaben wir unsern ersten Tanzabend. Die Leute waren begeistert, vor allem die Mädchen …«

»Ich weiß«, sagte Herr Schmitz. »Was geschah mit Friedmann?«

»Es waren damals keine guten Zeiten, um moderne Musik zu machen. Ihr wisst ja, das Dritte Reich. Die Nazis wollten immer Marschmusik und so was hören. Aber am Anfang war es noch nicht ganz so schlimm. Sogar der Bürgermeister kam zu unserm Tanzabend. Und der war ein strammer Nazi. Wir haben Tanzmusik gemacht, mal ganz brav, mal weniger brav. Und ab und zu haben wir auch ein richtiges Jazzstück eingebaut ... Aber dann gab es eines Tages ein Problem mit Martin ...«

»Ein Problem? Was für ein Problem?«

»Martin war Jude.«

»Sie haben ihn verpfiffen und er musste ins KZ!«, platzte Felix heraus.

»Nein, mein Junge, da gab es nichts zu verpfeifen. Das wusste ja die ganze Stadt. Früher war das nichts Besonderes, vor 1933, ehe Hitler an die Macht kam. Da hat sich keiner was dabei gedacht. Schließlich haben alle ihre Zähne beim alten Friedmann richten lassen. Aber wie gesagt, dann kamen die Nazis. Irgendwann durften die Arier nicht mehr zum Friedmann in die Praxis gehen ...«

»Die Arier? Hat das was mit ›arisch‹ zu tun?«

»Ja, so sagte man damals. Die normalen Deutschen eben, die nicht Juden waren. Und dann schmissen die Nazis bei den jüdischen Geschäften die Scheiben ein. Und mein Vater war auch dabei ...«

»Ihr Vater? Wo war der dabei?«

»Bei den Nazis, in der Partei. Und die haben ihm natürlich die Hölle heiß gemacht, weil sein Sohn mit einem Juden zusammen Jazz spielte. Ihr habt ja keine Ahnung, wie das damals war. Das waren ganz andere Zeiten. Mein Vater hatte in der Inflation sein ganzes Geld verloren. Und dann wurde er auch noch seine Arbeit los und wir hatten zu Hause kaum was zu essen. Und als Hitler kam und ihm eine Arbeit besorgte ...«

»Er hat einen Job bei Hitler gehabt?«, fragte Peter.

»Doch nicht so. Als Hitler an die Macht kam, ging's mit der Wirtschaft wieder bergauf und mein Vater fand Arbeit. Ich kann ihm da nicht böse sein, dass er Nazi wurde. Und dass er keinen Ärger wollte.«

»Und dann?«

»Dann haben wir Martin aus der Band geworfen.«

»Und das hat er sich gefallen lassen?«

»Ihr habt Nerven. Als Jude! Ganz ruhig ist er geblieben, als wir es ihm gesagt haben. Er hat seine Klarinette geputzt und in den Kasten gepackt. ›Viel Glück‹, hat er noch gesagt.«

»Und dann ist er ins KZ gekommen?«, fragte Gianna.

»Nein. Kurz danach ist sein Vater gestorben und er ist mit seiner Mutter ausgewandert. Nach Palästina oder Amerika oder Argentinien, ich weiß es nicht. Eigentlich war er es, der Glück hatte. Kein Krieg, keine Gefangenschaft, keine Bomben. Wir dagegen ... Der Heinrich ist in Russland gefallen ...«

»Und Sie haben keine Ahnung, wo dieser Martin geblieben ist?«

»Keine Ahnung. Er hat sich auch nach dem Krieg nie mehr gemeldet. Es ging mal das Gerücht, er habe viel Geld gemacht, drüben in Amerika. Aber ich weiß es nicht.«

»Und die Klarinette?«, fragte Felix.

»Die Klarinette, woher soll ich wissen, was aus seiner Klarinette geworden ist? Die wird er mitgenommen haben.«

»Ja, klar«, sagte Felix. »Aber eines begreife ich nicht: Warum haben Sie uns das nicht alles von selbst erzählt?«

»Versteht ihr das wirklich nicht?«

»Ihnen kann doch keiner was anhaben«, sagte Herr Schmitz. »Wenn das stimmt, was Sie sagen, waren Sie einfach nur ein Feigling. Aber kein Verbrecher.«

»Eben«, sagte Herr Böhme.

*

202

»Jetzt brauche ich erst mal eine Stärkung«, sagte Herr Schmitz, als sie wieder zur Musikalienhandlung zurückkamen. Es war schon spät geworden, die Sonne stand tief. Sie setzten sich mit einer Tüte Popcorn in den Garten und sahen ihren Hühnern zu.

»Irgendwie kann ich ihn verstehen«, sagte Felix. »Wenn ich meinen Freund verraten hätte, würde ich auch nicht wollen, dass die ganze Stadt davon erfährt.«

»Vor allem, wenn ich vorher allen erzählt hätte, was für ein toller Typ ich bin«, ergänzte Peter.

»Jetzt müssen wir nur noch alle Amerikaner und Argentinier finden, die Martin Friedmann heißen, und sie fragen, ob sie schon mal im *Schönstädter Tanzorchester* mitgespielt haben. Schon haben wir ihn«, sagte Gianna.

»Ganz einfach«, seufzte Felix.

»Vorausgesetzt, er lebt noch«, gab Herr Schmitz zu bedenken.

»Und wenn er wirklich reich geworden ist, dann braucht er unseren Schatz vielleicht gar nicht«, meinte Peter.

»Mach dir da keine Hoffnungen. Die Reichen sind am meisten hinter dem Geld her. Sagt Nonna.«

»Stimmt das«, fragte Felix, »dass es unter Hitler mit der Wirtschaft wieder voranging?«

»Hmm«, sagte Herr Schmitz, »du stellst aber Fragen.«

»Der hat Panzer und Kanonen und Flugzeuge gebaut. Und Autobahnen«, erklärte Peter.

»Stimmt«, sagte Herr Schmitz. »Aber die Sache ist noch ein wenig komplizierter. Ehe Hitler an die Macht kam, 1933, waren Millionen Deutsche ohne Arbeit, sechs Millionen, glaube ich ...«

»Wie Herr Blum«, sagte Peter.

»Ja, allerdings ging es den Arbeitslosen damals viel schlechter als Herrn Blum heute. Damals bekam man nämlich vom Arbeitsamt nur ganz wenig Geld. Vielleicht möchtet ihr wissen, warum es damals so viele Arbeitslose gab. Das Angebot an Arbeitskräften war größer als die Nachfrage. Und wenn das Angebot größer als die Nachfrage ist, heißt das, dass der Preis zu hoch ist. Den Preis für die Arbeit aber nennt man Lohn. Und wenn man die Arbeitslosen von der Straße bringen will, kann man das versuchen, indem man die Löhne senkt.«

Was würde wohl passieren, überlegte Felix, wenn sein Vater viel weniger Geld als früher verdienen würde? Dann würden die Eltern ja noch mehr ums Geld streiten.

»Jedenfalls dachte man damals so und hat die Löhne gesenkt. Damit wurde die Arbeit zwar billiger, aber gleichzeitig hatten die Arbeiter weniger Geld, um einzukaufen. Deshalb ging in den Geschäften die Nachfrage nach Kartoffeln und Brot und anderen Waren zurück und die Geschäftsleute mussten noch mehr Arbeiter entlassen. Die Arbeitslosigkeit stieg, es ging immer weiter nach unten. So war das, als Hitler an die Macht kam.«

»Und was hat Hitler dann gemacht?«

»Der hat die Löhne nicht mehr gesenkt. Jedenfalls nicht auf dem Lohnzettel. Er hat Autobahnen gebaut und Panzer und Flugzeuge, wie Peter gesagt hat. Da er das Geld dafür nicht hatte, hat er es einfach drucken lassen und mit diesem frisch gedruckten Geld die Arbeiter bezahlt, die Panzer und Autobahnen bauten.«

»Damit ist aber das Versprechen, das hinter dem Geld steht, nichts mehr wert«, sagte Felix.

»Genau, doch das hat man erst nach dem Krieg gemerkt. Nun war mehr Geld im Umlauf, aber es gab nicht mehr Waren, die man davon hätte kaufen können. Denn Panzer kauft man ja normalerweise nicht. Die Arbeiter bekamen also ihre Löhne, aber diese wurden immer weniger wert. Das fiel anfangs niemandem auf, denn die meisten Deutschen durften ja Deutschland nicht verlassen und konnten ihr Geld auch nicht in Dollar oder Franken umtauschen, wie das heute ganz normal ist. Hitler wollte das Problem lösen, indem er andere Länder eroberte und dort die Waren stahl, die die Deutschen nicht hatten. Aber das hat ja nicht geklappt, wie man weiß. Deshalb war das Geld nach dem Krieg nichts mehr wert und man musste eine neue Währung einführen, unsere D-Mark.«

»Und wenn Hitler den Krieg gewonnen hätte?«, fragte Peter.

»Dann würdet ihr jetzt nicht hier sitzen und reich werden wollen. Ihr wärt in der Hitlerjugend und müsstet in Uniform für den nächsten Krieg üben.«

»Wie war das noch mal mit der Inflation?«, fragte Felix. »Als der Vater von Herrn Böhme sein ganzes Geld verloren hat ...«

»Inflation heißt Aufblähung und bedeutet, dass die Geldmenge sich aufbläht und deshalb immer mehr an Wert verliert. Hitler hat eine verdeckte Inflation betrieben. Die offene Inflation, von der Herr Böhme sprach, gab es schon vorher, und zwar 1923. Da war zeitweise ein Brötchen nur noch für zehn Milliarden Mark zu haben. Ihr könnt euch vorstellen, wie viel dann ein Sparbuch wert war, auf dem jemand sein Leben lang ein paar tausend Mark gespart hatte – nichts. Dass Böhmes Vater sauer war, kann ich verstehen. Aber darum muss man nicht gleich Nazi werden ...«

»Ich hab eine Idee«, sagte Gianna plötzlich. »Wie wär's, wenn wir diesen Martin Friedmann im Internet suchen. Wir müssen nur den Namen eingeben. Wenn er reich ist, hat er vielleicht eine eigene Homepage im Internet.«

»Müsste man probieren«, sagte Peter.

»Meint ihr, das funktioniert?«, fragte Herr Schmitz.

»Kann schon sein.«

Sie gingen ins Hinterzimmer und schalteten den Computer an. Als die Internet-Suchmaschine auf dem Bildschirm erschien, tippte Peter *Martin Friedmann* ein und klickte das Feld *Suche* an. Es dauerte nicht lange, dann kam das Ergebnis: *Sie haben 36.562 Treffer. Wir zeigen die ersten zehn Resultate.* Und dann ging es los: Martin Müller, Systemtechnik; Professor Michael Friedmann, Universität Bielefeld; und so weiter.

»Der zeigt ja jeden Namen an, in dem Martin *oder* Friedmann vorkommt. Wir können doch nicht über 36.000 Einträge überprüfen. So kommen wir ja nie weiter!«, rief Felix.

»Dann machen wir noch einen Versuch. Wir werden nach allen Martin Friedmanns suchen, die eine eigene E-Mail-Adresse haben.« Nach ein paar Maus-Klicks hellte sich Peters Gesicht auf. »Jetzt wird's schon besser: 131 Treffer für den Namen Friedmann.« Und einen Moment später rief er: »Hier haben wir's: Martin Friedmann. Der könnte es sein!«

»Das glaubst du doch selber nicht«, sagte Gianna. »Woher willst du wissen, dass unser Martin Friedmann eine E-Mail-Adresse hat? Wo wohnt der überhaupt?«

»Irgendwo in Amerika ...«

»Ich glaub's einfach nicht. Unser Friedmann ist doch bestimmt schon so alt wie Nonna, wenn er überhaupt noch lebt. Und alte Leute haben keinen Computer ...«

»Weißt du was Besseres?«, fragte Peter.

Keiner wusste was Besseres, daher setzten sie sich vor den Bildschirm und diktierten Peter, was er schreiben sollte: »*Sehr geehrter Herr Friedmann, kennen Sie das Schoenstaedter Tanzorchester? Wenn ja, haben wir eine aeusserst wichtige Mitteilung fuer Sie wegen Ihrer Klarinette. Bitte melden. Peter Walser, Felix Blum, Gianna Giampieri.*«

»Schönstadt schreibt man aber nicht mit ›oe‹«, sagte Felix.

»Im Internet schon. Die Software kann nämlich kein ›ö‹ lesen. Da kommt nur Wortsalat heraus.«

Peter klickte nun auf das Feld *Send* und zwinkerte Felix zu. »Das wäre erledigt.«

»Jetzt bin ich aber mal gespannt«, sagte Herr Schmitz.

In diesem Augenblick ertönte ein Signal und auf dem Bildschirm erschien eine Aufschrift: *You have new mail.*

»Das gibt's doch nicht. So schnell kann der doch gar nicht antworten.«

Peter holte die neue E-Mail auf den Bildschirm. Dann stieß er einen Pfiff aus. »Au backe!«, sagte er und las vor: »*bei telekid stimmt was nicht. morgen verkaufen. limit 110. gruss martha.*«

»Eure Martha weiß nicht, was sie will«, sagte Herr Schmitz. »Mal hü, mal hott, das gefällt mir nicht. Erst will sie unbedingt, dass wir kaufen. Jetzt sollt ihr unbedingt verkaufen.«

»Sie wird Gründe haben«, sagte Gianna. »Ich vertraue ihr.«

*

Etwas ratlos saßen sie am nächsten Tag im Hinterzimmer der Musikalienhandlung. Vor ihnen lag der Wirtschaftsteil der *Allgemeinen Zeitung.* Ihre gesamten *Telekid*-Aktien hatten sie verkauft. Für 110,30 das Stück. Auf ihrem Girokonto waren abzüglich der Gebühren, genau 27.190,70 Mark eingegangen. Und in Giannas Vokabelheft stand jetzt folgende Bilanz:

Bilanz, 6. August

Aktiva		Passiva	
Aktien		Eigenkapital	28.529,50
Hühner	110,00		
Futter			
Eier			
Girokonto	28.103,70		
Kasse	315,80		
	28.529,50		28.529,50

»Aber wo bleiben denn die Eier?«, fragte Peter.

»Die sind alle verkauft«, sagte Gianna. »Acht Mark für zwanzig Eier. Gut, oder?« Sie legte ein Fünf- und drei Einmarkstücke auf den Tisch.

»Man kann euren Gewinn übrigens noch besser ausrechnen«, mischte sich Herr Schmitz ein. »Was habt ihr bisher ausgegeben?«

Gianna blätterte zurück. »22,30 für Eis und Zigarre, 110 Mark für die Hühner, 30 Mark für Futter, 35 Mark für den Tresor, 128 Mark für die Bank.«

»Jetzt kommt ein zweiter Teil der doppelten Buchführung, den ich bisher verschwiegen habe. Man muss nämlich nicht nur verbuchen, was in der Kasse ist, sondern auch, wie es hineinkommt und wie es wieder hinausgeht.«

Herr Schmitz nahm das Vokabelheft und zeichnete Folgendes hinein:

Gewinn- und Verlustrechnung, bis 5. August

Aufwendungen		Erträge	
Aktienkauf	10.000,00	Erlöse aus Arbeit	339,30
Tresor	35,00	Erlöse aus	
Bankgebühren	128,00	Aktien	27.190,70
Hühner	110,00		
Futter	30,00		
Eis und Zigarre	22,30		
Gewinn	17.204,70		
	27.530,00		27.530,00

»Siebzehntausendzweihundertvier«, sagte Peter ehrfürchtig.

»Jetzt kann man auch die rechte Seite unserer Bilanz etwas aussagefähiger machen«, sagte Herr Schmitz. »Seht mal her.«

Bilanz, 6. August

Aktiva		Passiva	
Aktien		Eigenkapital	11.324,80
Hühner	110,00	Gewinn	17.204,70
Girokonto	28.103,70		
Kasse	351,80		
	28.529,50		28.529,50

»Und warum ist das Eigenkapital plötzlich so wenig geworden?«, fragte Felix.

»Ich habe es aufgeteilt in den Gewinn und in das Kapital, das schon vor eurem Aktienkauf in der Firma steckte. Der Gewinn ist das, was ihr mit *Telekid* verdient habt. So ungefähr jedenfalls. Wenn ihr die nächste Bilanz aufstellt, dann sind der Gewinn und das alte Eigenkapital zusammen das neue Eigenkapital.«

Felix überlegte sich unterdessen etwas ganz anderes: Warum hatten sie eigentlich verkauft? Der Kurs von *Telekid* war nochmals gestiegen, auf über 112 Mark; und dies, obwohl die meisten anderen Aktien an diesem Tag an Wert verloren hatten. Sie hätten heute gut und gerne noch 500 Mark dazuverdienen können, wenn sie nicht auf Martha gehört hätten.

»Hoffentlich weiß die Karatefrau wirklich, was sie tut«, sagte Felix.

»Das weiß sie bestimmt«, antwortete Gianna, aber es klang nicht mehr ganz so überzeugt wie gestern.

»Jetzt seid mal nicht so gierig«, sagte Herr Schmitz. »Man soll nie versuchen, den Höchstkurs zu erwischen. Das geht immer schief. Der zweitbeste Kurs ist auch gut. Auf jeden Fall habt ihr euer Geld jetzt auf dem Konto. Da ist es sicher. Ihr habt euren Gewinn mitgenommen, das machen alle Profis von Zeit zu Zeit. Und ihr könnt euch jetzt in Ruhe überlegen, wie ihr es das nächste Mal anlegen wollt. Der Markt scheint ja ohnehin nervös zu sein. Die Leute haben Angst vor Zinserhöhungen.«

»Warum muss man davor Angst haben? Höhere Zinsen sind doch was Gutes«, sagte Felix.

»Schon, aber wenn die Zinsen steigen, sinken die Kurse.«

»Wieso denn das?«

»Ist doch klar. Stellt euch vor, ihr habt eine Anleihe von 100 Mark, für die ihr jedes Jahr fünf Mark Zins bekommt. Das wären also genau fünf Prozent. Nun steigen die Zinsen und es gibt neue Anleihen, für die man sechs Mark im Jahr bekommt. Wer zahlt jetzt noch 100 Mark für eine Anleihe, die nur fünf Mark bringt, wenn er für das gleiche Geld eine mit sechs Mark Zins bekommt?«

»Niemand.«

»Eben. Deshalb muss derjenige, der eine der alten Anleihen verkaufen will, mit seinem Preis runtergehen, und zwar so lange, bis sie auch wieder sechs Prozent Zins bringt.«

»Auf 83 Mark und noch was«, sagte Felix.

»Wieso?«, fragte Gianna.

»Ein ganz normaler Dreisatz. Du rechnest einfach 100 mal 5 ...«

»Schon gut, schon gut«, sagte Gianna.

Herr Schmitz kritzelte ein paar Zahlen auf ein Blatt Papier. »Weil sechs Prozent von 83,30 ungefähr gleich viel sind wie fünf Prozent von 100 Mark. Die Anleihen werden also billiger. Und wenn etwas billiger wird, wird mehr davon verkauft. Viele Aktienbesitzer verkaufen jetzt ihre Aktien und kaufen Anleihen. Die Nachfrage nach Aktien sinkt also und zugleich sinken auch die Aktienkurse.«

»Ich dachte immer, Anleihen seien eine sichere Sache«, sagte Felix. »Wie kommt es dann, dass die Kurse so stark sinken können?«

»Anleihen sind deshalb sicher, weil sie irgendwann fällig werden. Das heißt, derjenige, der sich das Geld geliehen hat, zahlt es wieder zurück. Bei den meisten Staatsanleihen geschieht das nach zehn Jahren. Und nach diesen zehn Jahren bekommt man garantiert seine 100 Mark wieder zurück, vorausgesetzt natürlich, der Staat geht nicht pleite, aber das ist in Deutschland seit fünfzig Jahren nicht mehr vorgekommen. Bis es so weit ist, dass die Anleihen zurückgezahlt werden, können die Kurse allerdings stark schwanken.«

»Aber warum steigen die Zinsen denn überhaupt?«, fragte Gianna.

»Weil die Notenbanken, also zum Beispiel die Deutsche Bundesbank, Angst vor der Inflation haben.«

»Damit die Leute nicht ihr Geld verlieren wie damals der Vater von dem alten Böhme.«

»Nein, nein. Das hat damit nichts zu tun. Damals stiegen die Preise um 10.000 Prozent. Heute geht es nur darum, ob sie um zwei oder drei Prozent steigen. Wenn die Preise steigen, bedeutet das, es gibt zu viel Geld im Verhältnis zu den Waren, die man damit kaufen kann. Also erhöht die Bundesbank, die ja das Geld zur Verfügung stellt, den Preis dafür. Und das ist der Zins.«

»Das verstehe ich nicht«, sagte Felix. »Ich habe noch nie für einen Geldschein Zinsen zahlen müssen.«

»Du nicht. Aber die Banken müssen es. Und weil die Banken auf dem höheren Zins nicht selbst sitzen bleiben wollen, geben sie ihn an ihre Kunden weiter, die einen Kredit aufnehmen wollen. Also wird es teurer, bei der Bank Geld zu leihen.«

»Aha, so ist das also«, sagte Gianna.

In diesem Augenblick ertönte erneut ein Computersignal: *You have new mail!*

»He, vielleicht schreibt uns Martha jetzt, was mit den Aktien los ist«, sagte Gianna.

Aber es war keine E-Mail von der Karatefrau. Es war eine Botschaft auf Englisch: *Hi, chaps, guess you mailed from germany and like to chat on clarinets. Sorry, I don't speak any german and I'm not interested in clarinets. Maybe you'd like to chat on baseball. I'm 14 and pitcher in our high school team. Do you have a baseball team too? By the way: What means schoenstadt? Marty, St. Louis.*

»Das war Martin Friedmann aus St. Louis in Amerika«, sagte Herr Schmitz. »Er schreibt, dass er kein Deutsch spricht und sich nicht für Klarinetten interessiert. Dafür spielt er Baseball und er fragt, was Schönstadt eigentlich bedeutet. Und er ist 14 Jahre alt.«

»Klingt nicht gerade, als hätte er 1935 in einem Tanzorchester in Schönstadt gespielt«, sagte Felix.

»Witzbold«, sagte Gianna.

»Scheint jedenfalls, als ob wir über das Internet nicht weiterkommen. Wir brauchen irgendeinen anderen Weg, um Martin Friedmann zu finden.«

»Ich muss gestehen, ich bin mit meinem Latein am Ende«, sagte Herr Schmitz. »Vielleicht wäre es ja auch gar nicht so schlimm, wenn das Geheimnis des Schatzes verborgen bliebe. Stimmt's, Peter?«

Peter antwortete nicht. Peter war weg. Er musste sich klammheimlich aus dem Laden geschlichen haben. Aber warum?

»Macht euer Freund das öfter?«, fragte Herr Schmitz.

»Nein«, sagte Felix. »Das hat er noch nie gemacht.«

»*Che mona!*«, sagte Gianna. »Der spinnt heute. Das wird sich schon wieder legen. Vergessen wir's!« Sie schüttelte den Kopf und murmelte: »Ich sag's ja – kleine Jungen!«

Felix ärgerte sich über Peter. Aber er machte sich auch Sorgen.

Als sie sich von Herrn Schmitz verabschiedet hatten und zusammen vor dem Musikaliengeschäft standen, fragte er Gianna, ob sie vielleicht bei Walsers Tankstelle vorbeigehen sollten und nach dem Rechten sehen. Aber Gianna meinte, kleinen Jungen dürfe man nicht auch noch nachrennen, wenn sie durchdrehten. Dann werde alles nur noch schlimmer. Gianna lief zum Kartoffelmarkt hinunter und Felix schwang sich auf sein Rad, um nach Hause zu fahren.

Unterwegs kam ihm plötzlich eine Ahnung. Er fuhr an ihrem

Haus vorbei und weiter die Bergstraße hinauf in den Schönstädter Forst. Das Krebsbachtal lag schon im Schatten des Wal-
des, als er unten an der Ziegelei ankam. Brandgeruch sagte ihm,
dass er mit seiner Ahnung richtig gelegen hatte. Er stieg vom
Rad und ging hinter die Ziegelei. Und tatsächlich – da saß Peter. Er hatte ein kleines Feuer angezündet und wickelte gerade
eine Forelle in Aluminiumfolie ein.

»Was machst du für Sachen? Warum bist du einfach abge-
hauen?«, sagte Felix vorwurfsvoll.

Peter legte die Forelle in die Glut. »Ach, lass mich.«

Felix schwieg einen Moment und starrte in das Feuer. Dann
sagte er: »Hast du Sorgen? Mit deinem Vater?«

»Quatsch. Lass mich in Ruhe. Du verstehst das ja doch nicht.
Du bist zu brav.«

»Wieso brav?«

Peter drehte die Forelle in der Glut auf die andere Seite, dann
sprang er auf und es sprudelte aus ihm heraus: »Du lässt dir
alles gefallen. Der Schmitz und die blöde Karatetante in Frankfurt sagen uns, was wir mit unserem Geld machen sollen. Du
prügelst dich mit Kai, aber dann lässt du dir gefallen, dass wir
nicht mehr Brötchen austragen können. Und am Ende lässt du
dir von irgendeinem blöden Klarinettisten unseren Schatz weg-
nehmen.«

»Wir haben ihn doch noch gar nicht gefunden. Und es bleibt
uns in jedem Fall die andere Hälfte von dem Geld. Außerdem
wissen wir ja gar nicht, ob er den Schatz wiederhaben will.«

»Und was ist, wenn doch? Nein, ich habe mir das Reichwerden
anders vorgestellt. Ich habe gedacht, wir machen das zusammen. Wir, verstehst du? Nicht irgendwelche Erwachsenen.
Irgendetwas Großes. Wovon alle Leute in der Stadt reden. Das

mit *Telekid,* das war doch Kinderkram.«

»Mit *Telekid* haben wir unser Geld verdoppelt!«

»Schon, schon! Aber was ist jetzt? Jetzt sitzen wir da und warten ab, dass der feine Herr Friedmann unseren Schatz abholt.« Peter warf den Stock, mit dem er gerade noch in der Glut herumgestochert hatte, in weitem Bogen fort.

»Und was schlägst du vor?«

»Wenn ich das wüsste, wäre ich nicht so sauer.«

»Sollen wir aufhören, nach Friedmann zu suchen?«

»Quatsch. Jetzt haben wir schon damit angefangen.«

»Und sonst? Sollen wir vielleicht Schuhe putzen?«

»Quatsch. Das hätte gerade noch gefehlt. Ich putze doch nicht anderen Leuten die Schuhe.«

Felix sagte nichts mehr.

»Red weiter«, sagte Peter.

»Wieso? Du hältst ja doch alles für Quatsch.«

»Es tut gut, wenn man sauer ist und ein Freund redet auf einen ein, dass man nicht mehr sauer sein soll. Also red weiter!«

»Krieg ich ein Stück von deiner Forelle?«

»Diebesgut!«, sagte Peter und zum ersten Mal grinste er wieder.

»Eigentum ist Diebstahl«, sagte Felix und grinste auch.

Nun holte Peter sein Taschenmesser heraus und begann mit großem Geschick, die dampfende Forelle zu zerlegen. Er durchschnitt die Haut am Rücken des Fisches und schob dann kleine Portionen auf die Alufolie. Fast keine Gräten waren mehr in dem weißen Fleisch. Die beiden Freunde saßen schweigend da und steckten sich die Fischstückchen mit den Fingern in den Mund.

»Sollen wir telefonieren?«, fragte Felix.

»Das Telefon!«, rief Peter. »Das hatte ich völlig vergessen. Wir können ja um die ganze Welt telefonieren. Umsonst.«

»Man müsste die Telefonnummer von Martin Friedmann haben.«

»Haben wir aber nicht. Und sonst? Wen könnten wir anrufen?«

»Wie wär's mit Sarah?«

»Sarah? Die gefällt dir, stimmt's? Aber ich dachte, du interessierst dich für Gianna ...«

»Ach komm, vergiss es.«

16. KAPITEL

Wer nicht wagt, der nicht gewinnt

Am nächsten Tag, nach der Mathematikstunde, wurde Felix von Basilius Löwenstein angesprochen: »Na, habt ihr von Böhme etwas über das Tanzorchester erfahren?«

Felix berichtete, was Herr Böhme ihm erzählt hatte und dass sie jetzt den Klarinettisten suchen wollten. Die Sache mit den Nazis und Böhmes feigem Verhalten verschwieg er.

Herr Löwenstein wunderte sich ein wenig über Felix' Interesse für den Klarinettisten. »Du bist wohl auf der Suche nach Vorbildern. Nur zu, das ist das richtige Alter dafür! Aber was sagst du da? Der Mann ist ausgewandert und lebt wahrscheinlich in Amerika? Dann ist es doch ganz einfach ...« Nun erzählte Herr Löwenstein, dass der Bürgermeister von Schönstadt im vergangenen Jahr frühere Bürger der Stadt, die als Juden in der

Nazizeit ausgewandert waren, in ihre alte Heimat eingeladen hatte. »Der Friedmann könnte mit dabei gewesen sein. Am besten schaut ihr noch mal im Zeitungsarchiv nach. Der Besuch hat im Mai letzten Jahres stattgefunden.«

*

»Du recherchierst ja genauso stur wie dein Vater«, sagte Frau Marcks, als Felix wieder bei ihr auftauchte, diesmal allein. Es hörte sich an wie ein Lob. Sie verschwand zwischen ihren Regalen und kam bald mit einem Ordner wieder. *Rathaus-Besuche ausländisch* stand hinten auf dem Rücken. Sie blätterte und legte dann einen Artikel vor Felix hin. Die Überschrift lautete: *Ehemalige Schönstädter als Ehrengäste empfangen – Dies ist ein anderes Deutschland, lautet das einhellige Urteil.*

Der Artikel trug das Datum des 14. Mai vergangenen Jahres. Darin wurde berichtet, wie eine Gruppe von 24 Juden im Rathaus empfangen wurde, wie der Bürgermeister ihren Mut bewunderte, nach der schlimmen Vergangenheit wieder in ihre Heimat zurückzukommen, dass sie Ehrengäste seien, und so weiter. Die Gäste sagten, dass sie sich freuten und dass sie sicher seien, es würden so schlimme Dinge wie früher in Deutschland nie wieder passieren. Neben dem Artikel war ein Bild zu sehen mit einer Gruppe älterer Frauen und Männer. Felix suchte mit dem Finger die Bildunterschrift ab, in der die Namen der Besucher standen: Frieder Müller, Aaron Kirschstein, Lore Einslinger, Sarah Adamowski ... Insgesamt 24 Namen waren es.

Aber ein Martin Friedmann war nicht dabei.

»Vielleicht ist er schon tot«, sagte Felix.

»Vielleicht aber auch nicht«, sagte Carola Marcks.

»Vielleicht hatte er keine Zeit.«

»Vielleicht.« Carola Marcks griff zum Telefon. Sie begrüßte jemanden am anderen Ende der Leitung und fragte ihn, warum ein gewisser Martin Friedmann im letzten Jahr nicht nach Schönstadt gekommen sei. Dann wartete sie und nach einer Weile rief sie erstaunt aus: »Aha!« Sie schrieb etwas auf einen Zettel. »Vielen Dank, das war sehr hilfreich«, sagte sie und legte auf. Nun wandte sie sich an Felix: »Halt dich fest, mein Junge – Martin Friedmann gibt es wirklich. Zumindest gab es ihn noch im vergangenen Jahr. Ich habe gerade mit dem Stadtschreiber gesprochen. Er hat damals die Einladung organisiert und auch die Adresse von Martin Friedmann herausgefunden und ihm eine Einladung geschickt. Der hat sich aber nie gemeldet.«

»Vielleicht ist er doch schon gestorben.«

»Glaube ich nicht, dann hätte der Stadtschreiber es erfahren. Hier ist jedenfalls die Adresse: *Martin S. Friedmann, 28 Harlowe Drive, Spruce River, New Jersey.* Aber sag mal: Warum ist es eigentlich so unglaublich wichtig für dich, diesen Mann zu finden?«

»W-warum?«, stotterte Felix. »W-weil er Klarinettist ist.«

»Nur deshalb?«

»Nur deshalb.«

Frau Marcks schüttelte belustigt den Kopf und machte sich wieder an die Arbeit.

Felix radelte hinüber zur Tankstelle von Peters Eltern. Sein Freund war gerade dabei, den Reifendruck eines Autos zu prüfen.

»Hallo, Felix. Große Neuigkeiten!«

»Was, bei dir auch?

»Ich habe Heimvorteil. Hast du schon Zeitung gelesen?«

»Nöö, wieso?«

»Dann komm mal mit.« Peter zog aus seinem Overall einen zerknitterten Zeitungsartikel und hielt ihn Felix unter die Nase. Das Papier roch nach Öl und Farbe. Felix las:

Telekid-Manager verhaftet. Der Finanzvorstand des Börsenneulings Telekid, Winfried Paaren, ist am Mittwoch in Frankfurt verhaftet worden. Ihm werden Manipulationen mit dem Börsenkurs vorgeworfen. Die Aktien waren nach der Börseneinführung im Frühsommer kometenhaft aufgestiegen. Erst am Dienstag begannen die Kurse zu bröckeln, nachdem an der Börse Gerüchte über Unregelmäßigkeiten aufgekommen waren. Paaren wird vorgeworfen, bewusst zu optimistische Zahlen lanciert zu haben und Kursgewinne für eigene Aktiengeschäfte genutzt zu haben. Für Donnerstag wurde der Handel mit der Aktie ausgesetzt.

»Irre!«, rief Felix.

»Na, was sagst du nun?«

»Wie es der Schmitz vorausgesagt hat. Ein Glück, dass wir verkauft haben. Womöglich wäre sonst alles weg.«

»Stimmt. Und jetzt deine Neuigkeit!«

Felix erzählte, wie er die Adresse von Martin Friedmann herausgefunden hatte.

Peter zog seine Stirn in Falten. »Wie gewonnen, so zerronnen! Den Schatz sind wir nun bald los. Aber eines muss man dir lassen: Stur bist du wirklich! Brav und stur.«

»Schlimm?«

»Vergiss es!«

In diesem Augenblick stutzten die beiden. Ein sattes Motorengeräusch dröhnte die Talstraße herauf. Als sie aufblickten, sahen sie einen breiten, roten Sportwagen in die Tankstelleneinfahrt einbiegen.

»Ein *Ferrari Testarossa!*«, rief Peter.

»Ziemlich laut«, sagte Felix.

Der Sportwagen hielt an einer Zapfsäule, die Tür öffnete sich und der Fahrer stieg aus. Er ähnelte den Leuten an der Frankfurter Börse, über die Sarah so geschimpft hatte. Das Auffallendste an ihm aber waren die knallroten Hosenträger, die er über dem blau gestreiften Hemd trug.

Als der Mann die Zapfpistole in den Tankstutzen gesteckt hatte, sprach ihn Peter an: »Reifendruck?«

»Nicht nötig.«

»Scheiben?«

»Nein, danke. Kein Bedarf.«

Peter ließ sich nicht abschrecken. »Toller Wagen«, sagte er. »Wie viel macht der Spitze?«

»240, aber der Motor ist gedrosselt. Er könnte noch mehr.«

»PS?«

»390.«

»Irre«, sagte Peter mit echter Bewunderung. »Da muss man wohl gut verdienen für so einen Wagen.«

»Geschenkt wird er einem nicht.«

»Und wie haben Sie das geschafft?«

»Mit Warentermingeschäften*, falls du weißt, was das ist.«

Peter war jetzt richtig hellhörig geworden. »Hat das was mit der Börse zu tun?«

»So ähnlich. Aber das versteht ihr erst, wenn ihr größer seid. Ich muss jetzt weiter.«

»Ihre Warendingsbums interessieren uns aber. Wir haben auf *Telekid* gesetzt und rechtzeitig verkauft. Jetzt suchen wir was Neues.«

»Was? *Telekid*? Wieso habt ihr *Telekid* rechtzeitig verkauft?«

»Ein Tipp.«

Der Mann mit den Hosenträgern schien ehrlich beeindruckt.

»Und warum investiert ihr an der Börse?«

»Was sollen wir sonst machen mit unserm Geld?« Peter war wirklich gut in solchen Situationen, fand Felix.

Der Mann lehnte sich an sein Auto und blickte die beiden an, immer noch verblüfft. Schließlich streckte er Peter die Hand entgegen. »Willy Rappke von der Firma *Progress Investment* aus Frankfurt. Ihr habt echt Geld zum Investieren?«

»Logisch.«

»Ich muss mal telefonieren«, sagte Rappke. Er holte ein Handy aus seinem Auto, wählte eine Nummer und lief dann telefonierend zweimal um die Zapfsäulen herum. Dann stieß er mit elegantem Schwung die Antenne zurück, legte das Telefon wieder ins Auto und holte eine schwarze Broschüre heraus. Oben drauf war in Gold die Aufschrift geprägt: *Progress Investment*.

»Hier findet ihr alles über Warentermingeschäfte. Falls ihr was nicht versteht – auf der Rückseite findet ihr meine Telefonnummer in Frankfurt. Ruft mich an, wenn ihr mehr wissen wollt. Bei Warentermingeschäften kann man, wenn man Glück hat, 70 Prozent im Jahr verdienen. 70 Prozent! Das ist ein bisschen mehr als auf einem Sparbuch.«

»Mit *Telekid* haben wir über 100 Prozent verdient«, sagte Felix, der sich nun zum ersten Mal in das Gespräch einmischte.

»Denkt darüber nach. Es ist wirklich eine interessante Sache.« Der Mann mit den Hosenträgern zahlte und fuhr davon.

»Klingt verlockend«, sagte Felix. »Aber auch irgendwie riskant.«

»Wieso denn? 70 Prozent – stell dir das mal vor!«

»Ich weiß nicht, wir sollten Herrn Schmitz fragen.«

»Nichts mit Herrn Schmitz. Diesmal machen wir die Sache selbst. Wir werden auf eigene Faust herausfinden, was es mit diesen Warendingsbums auf sich hat. Außerdem brauchen wir die Gewinne, jetzt, wo wir unseren Schatz vielleicht bald los sind. Komm, lass uns einen Brief an deinen Friedmann in Amerika schreiben!«

Sie setzten sich in den Kassenraum der Tankstelle und entwarfen folgenden Brief:

Lieber Herr Friedmann!

Waren Sie Klarinettist im Schönstädter Tanzorchester? Wir haben bei der verstorbenen Paula Weber eine Klarinette gefunden, die vielleicht Ihnen gehört hat. Wir müssen Sie etwas sehr Wichtiges fragen.

Felix Blum, Peter Walser, Gianna Giampieri.

PS: Sie können uns auch eine E-Mail schicken!

Das Wort »sehr« unterstrichen sie zweimal. Dann brachten sie den Brief zum Postamt und schickten ihn per Luftpost nach Amerika.

»Der Countdown läuft«, sagte Peter. Jetzt müssen wir aus dem Schatz schnell etwas machen. Bevor er weg ist.«

*

Die Broschüre von Herrn Rappke erwies sich als absolut unverständlich. Peter und Felix versuchten gemeinsam mit Gianna, aus den vielen Worten und Zahlen herauszulesen, was es mit diesen Warentermingeschäften auf sich hatte – vergeblich. Deshalb wollte Felix seinen Vater fragen – möglichst allgemein, so dass er sich nicht in ihre Angelegenheiten einmischen konnte.

Der Geruch von Gewürzen und Knoblauch wehte Felix schon an der Haustür entgegen, als er am Abend nach Hause kam. Sein Vater hatte gekocht und seine Mutter arbeitete noch in ihrem Zimmer. Das gab es jetzt öfter, seit sein Vater arbeitslos war. Außerdem stritten sich seine Eltern nicht mehr so häufig wie früher, kam es ihm vor.

»An dir ist ein Koch verloren gegangen, Gerold«, sagte Felix' Mutter beim Abendessen. »Schade, dass wir bisher so selten etwas davon hatten.«

»Du hast Nerven«, sagte sein Vater. Aber er lachte, wischte sich die Hackfleischsoße vom Kinn und angelte die letzte Nudel aus seinem Teller. Später spielten sie sogar noch *Monopoly*, obwohl Felix' Mutter das eigentlich nicht mochte. Aber sie war versöhnlich gestimmt und behielt sogar die Fassung, als Felix erst die Schlossallee, dann die Parkstraße und schließlich das ganze Spiel gewann. »Du bist halt ein Kapitalist, was will man da machen?«, sagte sie.

Ganz beiläufig fragte Felix nun: »Papa, was sind eigentlich Warentermingeschäfte?«

»Warentermingeschäfte? Wollen die *Heinzelmännchen* jetzt das ganz große Geschäft machen?«

»Nein, nein, das interessiert mich nur so. Ich hab was in der Zeitung drüber gelesen.«

»Also gut. Wie erkläre ich das am besten? Normalerweise, wenn du dir etwas kaufst, zum Beispiel einen Fahrradschlauch, dann nimmst du ihn doch gleich mit nach Hause. Stimmt's?«

»Logisch. Was sonst?«

»Bei Warentermingeschäften ist das anders. Man kauft Dinge, um sie *später* zu haben.«

»Das ist alles?«

»Das ist alles. Wenn Mama am Mittwoch beim Bäcker Brötchen bestellt und du holst sie am Samstag ab, dann ist das im Grunde ein Warentermingeschäft. Auch wenn man es vielleicht nicht so nennt.«

»Und damit soll man reich werden?«

»Hat dir einer erzählt, dass man damit reich werden kann?«

»Nein, nein, ich wüsste es nur gern ...«

»Also, mit Warentermingeschäften für Brötchen kann man natürlich nicht reich werden. Aber mit Kaffee zum Beispiel. Stell dir vor, du kaufst heute tausend Säcke Kaffee, um sie in einem halben Jahr zu haben. Jeder Sack kostet dich 150 Mark. Kurze Zeit danach zerstört ein Frost die halbe Kaffee-Ernte Brasiliens. Jetzt haben alle Kaffeehändler Angst, dass sie keine Ware mehr für Weihnachten bekommen, und der Kaffeepreis steigt deshalb auf 200 Mark. Den müssen die anderen bezahlen, aber nicht du, weil du ja wegen deines Warentermingeschäfts den Kaffee für 50 Mark weniger bekommst. Jetzt kannst du mit Gewinn weiterverkaufen und hast dann insgesamt 50 000 Mark verdient. Das kann mit den unterschiedlichsten Sachen funktionieren, zum Beispiel mit Weizen, Seide, Kupfer, Blei, Schweinebäuchen ...«

»Schweinebäuche?«

»Ja, Schweinebäuche. Man kann mit allem Möglichen spekulieren.«

»Wir könnten doch Schweinebäuche kaufen und verkaufen, dann würden wir reich werden und du müsstest dir keine Arbeit mehr suchen.«

»Wenn das so einfach wäre. Schweinebäuche und Kaffee und alles andere können natürlich nicht nur teurer, sondern auch billiger werden. Spekulation ist riskant und man kann viel Geld dabei verlieren. Deshalb lasse ich die Finger von so was. Vielleicht, wenn ich Geld übrig hätte und ein bisschen verrückter wäre ... Spaß machen würde es mir schon, einmal so richtig zu spekulieren.«

Felix fragte sich, ob sie zu Hause nicht mehr Geld haben würden, wenn sein Vater ein wenig verrückter wäre.

*

Für den nächsten Samstag hatten sie sich bei der Ziegelei verabredet. Es war kühl draußen und es regnete, als hätte der Herbst schon ein paar Wochen zu früh Einzug gehalten. Hinter den Holunderbüschen am Krebsbach fand Felix bereits Peters Fahrrad vor. Sein Freund kam ihm mit einem großen Büschel Reisig unter dem Arm entgegen.

»Komm, hilf mir Holz zusammensuchen. Bei dem Sauwetter brauchen wir ein Feuer in der Bude.«

Felix brach aus den Fichten dürre Äste heraus, sammelte auf dem Boden morsches Holz und brachte alles zusammen in das Chefzimmer oben in der alten Fabrik. Im Kanonenofen dort prasselte bereits ein Feuer. Gemeinsam standen die Jungen davor und wärmten sich die Hände. Langsam verlor sich das klamme Gefühl in den Gliedern. Sie hörten Schritte die Treppe heraufkommen.

»Wer da?«, rief Peter.

»Na, wer wohl?«

Peter schob den Riegel zur Seite und ließ Gianna hinein.

225

»Schön warm habt ihr's hier«, sagte sie und stellte sich an den Ofen.

Peter holte den Prospekt von Herrn Rappke hervor. »Und nun zum geschäftlichen Teil. Was machen wir mit diesen Warendingsbums? Ich hab mir das alles noch mal angesehen und ich muss sagen: Ich verstehe nur Bahnhof.«

Felix berichtete, was er von seinem Vater erfahren hatte. »Wenn ich das richtig verstanden habe, dann geht es bei Warentermingeschäften darum, in die Zukunft zu blicken. Das ist ziemlich riskant. Aber ein Gewinn von 70 Prozent ist durchaus drin.«

»Gut finde ich die Geschichte mit dem Kaffee«, sagte Peter. »Eigentlich geht es doch gar nicht darum, ob die Kaffeehändler wirklich weniger Kaffee kaufen können, sondern darum, ob sie Angst davor haben. So was Ähnliches hat der Schmitz doch auch schon gesagt.«

»Stimmt. Es ist wie bei *Telekid*: Es kommt nicht darauf an, dass der Fernsehsender gut ist, sondern dass die Börsenhändler glauben, dass er gut ist.«

»Und die können sich täuschen«, sagte Peter. »Vor allem, wenn jemand sie reinlegt. Es braucht bloß jemand den Mann mit dem *Testarossa* reinzulegen und schon ist unser Geld weg.«

»Wenn er oft reingelegt würde, dann hätte er keinen *Testarossa*«, sagte Felix.

»Aber vielleicht hat er einen *Testarossa*, weil er seine Kunden reinlegt?«

»Dann wäre er schon lange nicht mehr im Geschäft. Rechnet doch mal nach: 70 Prozent Gewinn. Das heißt, wenn wir 20.000 Mark einzahlen, dann haben wir bald 34.000 Mark ...«

»Was ist denn mit dir los?«, fragte Gianna. »Du bist doch sonst immer so vorsichtig.«

»Wenn er zuschlägt, schlägt er zu«, sagte Peter und klopfte Felix anerkennend auf die Schulter.

»Also, was meint ihr? Sollen wir?«

»Mir ist das nicht geheuer«, sagte Gianna. »Denkt an *Telekid*. Außerdem hat mir nicht gefallen, was ihr mir von dem Kerl erzählt habt. Das ist ein Angeber, dem ist alles zuzutrauen.«

»Aber 70 Prozent ...«

»Ich schlage euch einen Kompromiss vor«, sagte Peter. »Wir stecken nicht unser ganzes Geld in diese Warentermingeschäfte, sondern die Hälfte: 10 000 Mark. Wenn schon Felix dafür ist ...«

Und so wurde also beschlossen, dass die *Heinzelmännchen* ins Warentermingeschäft einsteigen.

17. KAPITEL

Eine Wette auf die Zukunft

Als Nächstes passierte die Geschichte mit Nelly. Nelly war Giannas Lieblingshuhn. Und Nelly legte die meisten Eier von allen Hühnern auf ihrem Hühnerhof. Das behauptete jedenfalls Gianna, obwohl Felix fand, dass die Eier alle gleich aussahen, wenn man sie aus dem Nest holte. »Nein, nein, nein«, pflegte Gianna zu sagen, »man kann sie unterscheiden. Wenn ein Ei hinter dem Stapel mit den alten Obstkisten liegt, dann ist es von Nelly.«

Als sich die *Heinzelmännchen* am 1. September trafen, merkte Felix gleich, dass mit Gianna etwas nicht stimmte. Sie war ganz bleich, ihr Mund sah aus wie ein Strich, die Augen funkelten böse.

»Das lasse ich mir nicht gefallen«, sagte sie statt einer Begrüßung, als sie auf Walsers Tankstelle von ihrem Fahrrad stieg. »Da könnt ihr euch drauf verlassen!«

»Was lässt du dir nicht gefallen?«, fragte Felix vorsichtig.

»Mama will, dass wir Nelly schlachten. Und die anderen Hühner auch.«

»Eines Tages landen sie alle in der Suppe«, meinte Peter trocken.

»*Porca miseria*, du spinnst wohl!«, rief Gianna. »Nelly wird nie geschlachtet. Sie wird auch kein Suppenhuhn, sondern sie wird Eier legen. Immer. Auch wenn das meiner lieben Frau Mama nicht passt. *Basta!*«

»Aber warum will sie denn, dass wir die Hühner schlachten?«, fragte Felix.

»Nur weil das mit dem Frühstücksei passiert ist.«

»Ich versteh kein Wort. Erzähl doch mal richtig.«

»Nelly hatte ein richtig schönes Ei gelegt, ein besonders großes. Ich hab's am Sonntagmorgen gefunden, zusammen mit zwei anderen Eiern. Die habe ich dann Mama gebracht und vorgeschlagen, dass wir heute ausnahmsweise jeder ein Frühstücksei essen könnten. Das tun wir nämlich sonst nie. Und das besonders große Ei habe ich meiner Mutter geschenkt. Sie hat die Eier gekocht und auf den Frühstückstisch gestellt. Dann hat sie das große Ei genommen und hat es aufgeschlagen. Aber da kam kein Eiweiß zum Vorschein, sondern nur eine blutige Masse.«

»Angebrütet«, sagte Peter.

»Eben. Nelly hatte das Ei angebrütet und jetzt war da schon

ein halb fertiges Küken drin. So eine Sauerei wolle sie nie wieder haben, sagte sie. Wenn das bei einem Kunden passiert wäre! Sie werde nicht dulden, dass so etwas in unserm Eiscafé verkauft wird. Wenn wir schon reich werden wollten, dann sollten wir es auf anständige Weise tun.«

»Hat sie das so gesagt?«, fragte Peter.

»Ja, aber auf Italienisch«, sagte Gianna.

»Und jetzt will sie alle unsere Hühner schlachten und aufessen?«

»Nein, das traut sie sich nicht. Mama kann doch keiner Fliege etwas zu Leide tun.«

»Und wer soll die Hühner dann schlachten?«

»Keine Ahnung.«

»Na also!« Peter strahlte. »Wo kein Henker ist, da gibt's auch keine Hinrichtung. Und wenn wir in Zukunft besser aufpassen, dass keine Eier angebrütet werden, wird deine Mutter ihren Ärger vielleicht schnell vergessen.«

Gianna sah Peter dankbar an. »Ach, es tut gut, wenn man sich auf seine Freunde verlassen kann.«

In diesem Augenblick hörten sie ein dröhnendes Motorengeräusch. Sie hatten darauf schon gewartet. Und tatsächlich bog jetzt der rote *Testarossa* von Herrn Rappke in die Tankstelleneinfahrt ein. Er parkte vor dem Kassenhäuschen, der Motor wurde abgestellt und Rappke stieg aus.

»Nun, was machen die Geschäfte?«, fragte er.

»Gut, gut«, sagte Peter. »Und selbst?«

»Danke der Nachfrage. Habt ihr euch denn schon mal unseren Prospekt angesehen?«

»Haben wir. Wir haben auch Erkundigungen eingeholt.«

»Ach ja?«

229

»Wir wissen jetzt, was Warentermingeschäfte sind. Aber wir würden gern erfahren, wie Sie das genau machen, ehe wir uns entscheiden.«

»Klar, kann ich verstehen. Kundenbetreuung ist übrigens der wichtigste Teil meines Geschäftes. Nur informierte Kunden sind zufriedene Kunden. Und nur zufriedene Kunden sind gute Kunden, wie ich immer zu sagen pflege. Schauen wir uns mal ein Beispiel an.« Herr Rappke holte ein Blatt Papier hervor, das über und über mit Zahlen bedruckt war.

»Dies ist ein Geschäft, das wir gerade abgewickelt haben: Vor einem halben Jahr haben wir für einen Kunden das Recht erworben, Kupfer zu kaufen, und zwar drei Tonnen am 15. Oktober. Das Kupfer haben wir natürlich nicht bei uns in Frankfurt, sondern wir haben eine amerikanische Brokerfirma* damit beauftragt, das Geschäft an der Börse von Chicago abzuwickeln ...«

»Was heißt Broker?«, fragte Felix.

»Broker nennt man in Amerika die Börsenhändler. Und Chicago ist die wichtigste Terminbörse der Welt. Der Kunde wollte natürlich das Kupfer gar nicht selbst besitzen ...«

»Hab ich mir schon gedacht«, sagte Peter.

»Er wollte nur Geld verdienen, so wie ihr auch. Deshalb hat er sich an uns gewandt, weil wir mit solchen Geschäften viel Erfahrung haben. Wir beobachten ständig den Markt und daher sahen wir voraus, dass die Kupferpreise steigen werden. Dies ist auch tatsächlich eingetreten, deshalb ist natürlich das Recht, zum alten, niedrigeren Preis zu kaufen, unheimlich wertvoll geworden. Vorige Woche haben wir das Recht für 17.000 Mark wieder verkauft. Bezahlt hat der Kunde vorher nur 10.000 Mark. Stellt euch vor, 7000 Mark Gewinn in einem halben Jahr, das ist eine Rendite von 70 Prozent! Solche Geschäfte nennt man übrigens Kaufoptionen* oder Calls*.«

»Und was wäre gewesen, wenn die Preise gesunken wären?«, fragte Felix.

»Dann hätten wir statt einer Kaufoption ein Put* erworben, eine Verkaufsoption*. Also das Recht, das Kupfer zum alten, höheren Preis zu verkaufen.«

»Wenn Sie es vorher gewusst hätten. Aber Sie hätten sich auch täuschen können.«

»Du hast völlig Recht. Das Warentermingeschäft birgt Risiken. Wir können uns auch irren. Aber bei uns arbeiten ausgewiesene Fachleute. Und die haben fast noch nie falsch gelegen. Tausende zufriedener Kunden können das bestätigen. Selbst wenn es mal ein bisschen nach unten geht, auf die Dauer kann man bei uns nur gewinnen.«

»Das ist ja wie mit einer Wette«, sagte Felix.

»Eine Wette – wie meinst du das?«

»Man wettet, dass ein bestimmtes Ereignis in der Zukunft eintritt. Wie beim Fußball, wenn es darum geht, ob der *SV Schönstadt* gewinnt oder nicht. Nur eben mit Kupfer oder Schweinebäuchen oder so was ...«

»Schweinebäuche, woher weißt du das?«

»Wir haben uns eben informiert.«

»Gut, vielleicht sieht das ein bisschen aus wie eine Wette, manche Leute sagen sogar: wie in einem Spielcasino. Aber das stimmt nicht. Auf den Warenmärkten geht es um harte Fakten. Wenn man die kennt, dann kann man auch richtig entscheiden. Aber ich kann verstehen, dass ihr vorsichtig seid. Deshalb wollte ich euch für den Beginn etwas anderes vorschlagen: Diamanten.«

»Diamanten?«

»Ja. Ihr fangt ja offensichtlich erst an mit dem Geldverdienen. Deshalb solltet ihr etwas Bombensicheres kaufen. Und was könnte sicherer sein als Diamanten, das härteste Material der Welt?«

Herr Rappke öffnete seinen braunen Aktenkoffer und holte daraus eine Schatulle hervor. Er öffnete sie und man sah, dass sie innen ganz mit rotem Samt ausgeschlagen war. Auf dem Samt lagen lauter Plastiktütchen. Felix sah noch genauer hin und entdeckte, dass in die Tütchen kleine, glitzernde Steine eingeschweißt waren.

»Bitte sehr«, sagte Rappke. »Habe ich zu viel versprochen? Eine kleine Auswahl unserer Diamanten. Der hier zum Beispiel, ein wunderschönes Exemplar aus Russland mit 6 Karat. Den könnt ihr für den einmaligen Preis von 998 Mark haben. Das ist fast geschenkt, wenn man seinen Wert bedenkt. So etwas verkaufen wir nur an besonders wichtige Kunden.«

»Aber sind die auch echt?«, fragte Peter.

»Na, hör mal, wir sind doch keine Betrüger. Natürlich sind die echt. Sie sind in Folie eingeschweißt. Und seht ihr die kleinen Zettel? Das sind Prüfzertifikate von der Antwerpener Diamantenbörse. Mit Stempel!«

Felix sah sich die Plastiksäckchen genauer an. Tatsächlich war in jedem ein kleiner, weißer Zettel.

»Ihr könnt sie zu einem Juwelier bringen, um die Echtheit zu überprüfen. In unserem Geschäft ist man großzügig. Vertrauen gegen Vertrauen. Wenn ihr euch einen Stein ausgesucht habt, lasst ihr ihn überprüfen und entscheidet dann zusammen mit euren Eltern, ob ihr ihn kaufen wollt. Die anderen schickt ihr mir einfach wieder zurück.«

»Aber Diamanten sind doch so ähnlich wie Gold. Die bringen keine Zinsen«, sagte Felix.

»Das ist gut beobachtet, mein Junge. Diamanten bringen keine Zinsen. Aber sie bringen Sicherheit. Diamanten sind die stabilste Anlage, die es gibt, viel härter als Gold. Besonders jetzt, wo in Europa ein neues Geld eingeführt wird. Viele Menschen haben Angst, dass der Euro zu weich sein wird. Und da ist es gut, sein Geld in einer ganz harten Anlage in Sicherheit zu bringen. Fragt eure Eltern.«

»Nein, nein, wir werden unsere Eltern nicht fragen. Das machen wir alles alleine«, sagte Peter.

Jetzt erstarrte Herr Rappke plötzlich. »Ihr macht ... das alles ... alleine?«, sagte er stockend. »Ohne Eltern?«

»Klar.«

»Und ... wie viel wollt ihr denn anlegen?«

»Wir dachten erst mal so an zehntausend Mark.«

»Zehntausend?« Herr Rappke musste schlucken. »Moment mal. Ich muss in der Firma anrufen.« Er zog ein Handy hervor und begann, auf dem Gelände der Tankstelle herumzulaufen. Er drehte eine große Acht um die beiden Zapfsäulen herum, machte einen Abstecher zur Autowaschanlage hinüber und kam dann nach einem Umweg über das Reifenprüfgerät wieder zu ihnen zurück. Während der ganzen Tour gestikulierte er wild, er redete aufgeregt und machte ein sehr ernstes Gesicht. Felix meinte einmal den Satz »Aber es sind doch Kinder!« gehört zu haben, doch er war sich nicht ganz sicher.

Schließlich klappte Herr Rappke sein Handy wieder zusammen, schob die Antenne zurück und sagte: »Ihr habt Glück. Normalerweise machen wir so große Geschäfte natürlich nur mit erwachsenen Kunden. Aber da ihr so sachverständig seid, hat meine Firma entschieden, dass wir diesmal eine Ausnahme machen. Ihr könnt euch einen Diamanten aussuchen, wenn ihr wollt. Wollt ihr?«

»Wir müssen uns beraten«, sagte Felix. Entschlossen zog er Peter und Gianna hinüber zu der Autowaschanlage. Jemand ließ gerade sein Auto waschen, deshalb verstanden sie sich kaum.

»Was meint ihr?«, fragte Felix.

»Ich weiß nicht«, sagte Gianna. »Der Mann ist mir einfach nicht geheuer. Ein anständiger Mensch fährt nicht so ein Auto. Außerdem habe ich nicht verstanden, was er mit dem weichen Geld gemeint hat.«

»Ich auch nicht«, sagte Peter. »Aber wo er Recht hat, hat er Recht. Diamanten sind hart.«

»Und wir können sie überprüfen lassen«, fügte Felix hinzu. »Wir gehen also gar kein Risiko ein. Wenn die Diamanten uns nicht gefallen, dann geben wir sie ihm einfach wieder zurück. Auf jeden Fall können wir so feststellen, ob er ein Betrüger ist oder nicht. Übrigens: Ein Betrüger würde uns wohl kaum einfach so seine Diamanten geben.«

»Warum nehmen wir dann nicht gleich den Stein für 998 Mark, den er uns gezeigt hat?«, fragte Peter.

»Stimmt eigentlich«, sagte Felix.

»Von mir aus«, meinte Gianna. »Dabei kann ja wohl nichts schief gehen.«

Sie gingen zurück zu dem roten Sportwagen, um Rappke ihre Entscheidung mitzuteilen.

»Sehr gut, ein vorsichtiger Entschluss«, sagte dieser. Er drückte Felix das Tütchen mit dem Diamanten in die Hand. »Ihr dürft das gute Stück eine Woche lang behalten, um es prüfen zu lassen und euren Entschluss zu überdenken. Dann schickt ihr die

Tüte entweder zurück und wir vergessen alles. Oder aber ihr bezahlt den Preis von 998 Mark. – Da fällt mir ein: Wie wollt ihr eigentlich bezahlen, wenn ihr eure Eltern nicht davon unterrichtet? Von euch hat doch wahrscheinlich keiner ein eigenes Konto ...«

»Machen Sie sich da mal keine Sorgen«, sagte Peter. »Wir haben ein Konto. Und Ihr Geld bekommen Sie schon rechtzeitig.«

»Na, wenn das so ist. Dann sind wir also jetzt Geschäftspartner.«

»Erst mal abwarten«, sagte Peter großspurig.

Herr Rappke tankte sein Auto voll, ließ sich von Peter die Windschutzscheibe waschen, gab ihm dafür noch ein Fünfmarkstück und donnerte dann davon.

Die drei Freunde machten sich mit ihrem Diamanten auf den Weg in die Stadt zu einem Juwelier, ganz so, wie Herr Rappke es ihnen vorgeschlagen hatte.

Der Juwelier packte den Stein gar nicht erst aus, sondern besah sich nur den Zettel. »Das ist ein echtes Zertifikat aus Antwerpen. So etwas fälscht man nicht. Da könnt ihr ganz beruhigt sein. Aber sagt mal, wo habt ihr Kinder denn einen solchen Diamanten her? Habt ihr eine Erbschaft* gemacht?«

»Ja, so was Ähnliches«, sagte Felix.

»Aber doch wohl keine krummen Sachen?«

»Wo denken Sie hin? Dachten Sie, wir wären Räuber?«

»Nein, nein. Ich wundere mich nur.«

Am nächsten Tag brachte Felix den Diamanten zur *Kreditbank* und legte ihn in ihr Schließfach. Er war froh, dass er jetzt nicht mehr auf ihn aufpassen musste.

*

235

Herr Rappke hielt sich an die Vereinbarungen, das musste man ihm lassen. Auf den Tag genau eine Woche später fuhr er mit seinem *Testarossa* wieder bei Walsers Tankstelle vor. Er stieg aus und tat so, als seien sie schon uralte Bekannte.

»Na, Leute, wie geht's – habt ihr den Diamanten prüfen lassen?«

»Alles in Ordnung. Wir nehmen den Stein. Geben Sie uns Ihre Kontonummer, dann überweisen wir Ihnen das Geld.«

»Ich hatte nichts anderes erwartet. Jetzt könnt ihr wirklich beruhigt sein. Ihr habt etwas getan für eure Sicherheit. Ihr solltet das aber vielleicht euren Eltern sagen. Wollt ihr nicht? Na, ihr müsst's wissen. Aber jetzt solltet ihr in eine Sache einsteigen, bei der es auch Renditen gibt: Warentermingeschäfte. Habt ihr euch da schon entschieden?«

»Ja, haben wir«, sagte Felix. »Aber wir wollen vorsichtig sein. Wir werden erst mal nur einen Teil investieren: 10.000 Mark.«

»Das ist sehr vernünftig«, sagte Herr Rappke. »Man soll nicht alles Pulver gleich am Anfang verschießen. 10.000 Mark, das ist sehr vernünftig. Damit können wir schon arbeiten. Und 70 Prozent von 10.000 sind ja auch eine ganz schöne Rendite.«

»7.000 Mark«, sagte Felix.

»Und ihr könnt dann ja immer noch mehr investieren, wenn es gut läuft.«

»In was werden Sie unser Geld jetzt eigentlich anlegen? In Kupfer oder in Kaffee oder vielleicht in Schweinebäuche?«

»Das kann man vorher nicht sagen. Das entscheiden unsere Experten von Tag zu Tag. Es kann sein, dass sie heute Kaffee auf Termin kaufen, zwei Tage später Schweinebäuche und am dritten vielleicht sogar eine ausländische Währung. Das hängt alles vom Markt ab. Ihr erhaltet regelmäßig eine Abrechnung von uns. Darin könnt ihr sehen, was mit eurem Geld geschehen ist. Jetzt muss ich weiter. Wir hören voneinander!«

Und weg war er.

»Tut mir Leid, ich mag den Kerl nicht«, sagte Gianna.

»Man muss seine Geschäftspartner nicht unbedingt mögen«, antwortete Peter.

»Und die Diamanten waren ja echt«, ergänzte Felix. »Daran gibt es keinen Zweifel.«

In diesem Augenblick kam Herr Walser aus seiner Werkstatt. Er wischte die Hände an einem Putzlappen ab und fragte: »Was will denn immer dieser komische Typ mit dem *Ferrari?* Macht ihr krumme Geschäfte?«

»Geschäfte schon, aber keine krummen«, sagte Peter. »Was du immer denkst, Papa.«

»Ich denke, was ich denke«, sagte Herr Walser mürrisch. »Ich kenne meinen Sohn. Außerdem frage ich mich, wie ein Knilch wie der so ein großes Auto bezahlen kann. Ich könnte es mir jedenfalls nicht leisten. Und ich verdiene mein Geld redlich.«

»Ach, Papa«, sagte Peter.

Später malte Gianna eine neue Bilanz. Sie sah so aus:

Bilanz, 9. September

Aktiva		Passiva	
Progress Investment	10.000,00		
Hühner	110,00	Eigenkapital	28.529,50
Diamant	998,00		
Girokonto	17.105,70	Gewinn	+ 98,80
Kasse	414,60		
	28.628,30		28.628,30

»Und was ist das für ein Gewinn von 98,50?«, fragte Peter.

»Das sind die Eier unserer Hühner!«

*

Die Sache mit den Hühnern entspannte sich erst einmal. Es wurde Herbst, bald würde das Eiscafé am Kartoffelmarkt in die Winterpause gehen. Frau Giampieri würde in die Berge fahren, um den Skilift zu beaufsichtigen, und Gianna würde mit ihrer Großmutter in Schönstadt zurückbleiben. Ihre Mutter hatte jetzt andere Dinge im Kopf als Giannas Hühner. Außerdem wusste sie auch niemanden, der die Tiere hätte schlachten können. Und daher blieb alles beim Alten. Wie Peter gesagt hatte: Wo es keinen Henker gibt, da gibt es auch keine Hinrichtung. Und im Winter würden sie die Eier bei Schmitz im Geschäft verkaufen.

Ungefähr zwei Wochen nachdem die *Heinzelmännchen* mit 10.000 Mark ins Warentermingeschäft eingestiegen waren, fand Felix, als er von der Schule kam, auf dem Küchentisch einen grauen Briefumschlag vor. Der Brief war von der Firma *Progress Investment* und an *Herrn Felix Blum* adressiert.

Felix riss den Umschlag auf und fand darin zwei Bögen Papier. Auf dem einen stand nur folgender Text: *Sehr geehrte(r) Kunde(Kundin), beiliegend erhalten Sie den aktuellen Stand Ihres Kontos bei der Progress Investment GmbH. Sollten Sie noch Fragen dazu haben, steht Ihnen unser Herr Rappke gerne zur Verfügung. Mit freundlichen Grüßen.* Und dann kam eine unleserliche Unterschrift. Auf dem zweiten Blatt standen lange Zahlenkolonnen, aus denen Felix nicht schlau wurde. Ganz unten fand er fett gedruckt eine Zahl: *Guthaben 8.130 DM.*

Mit allem hatte Felix gerechnet, nur damit nicht, dass sie schon nach zwei Wochen *weniger* Geld als vorher haben würden. Fast zwanzig Prozent Verlust! Sollte Gianna doch Recht haben und mit Rappke stimmte etwas nicht?

Plötzlich hörte Felix neben sich die Stimme seines Vaters: »Na, du siehst ja ganz schön fertig aus. Hast du etwa eine schlechte Note geschrieben?«

»Nein, nein«, sagte Felix.

»Oder einen Liebesbrief bekommen?«

»Quatsch!« Felix wurde ärgerlich. »Ich geh mal zu Peter runter!« Er wartete eine Antwort gar nicht ab, sondern rannte aus der Küche, holte sein Rad aus dem Schuppen und fuhr in die Talstraße hinunter.

»Das kann doch gar nicht sein«, sagte Peter, als Felix ihm den Brief und die Abrechnung von *Progress Investment* zeigte.

»Doch, da steht es groß und breit: 8.130 Mark. Der Rappke hat gleich zu Anfang Verlust gemacht. Meinst du, Gianna hat vielleicht doch Recht gehabt?«

»Womit?«

»Dass ein Mann, der so ein Auto fährt, Dreck am Stecken haben muss. Vielleicht sollten wir sofort das Geld zurückfordern, ehe noch mehr weg ist.«

»Aber dann können wir den Verlust ja gar nicht mehr reinholen. Ich finde, die sollen mit unserem Geld erst mal was machen«, sagte Peter. »Am besten rufen wir diesen Herrn Rappke an und sagen ihm, dass wir die 70 Prozent Rendite sehen wollen.«

»Jetzt lohnt es sich, dass wir unsere eigene Telefonzelle in der Ziegelei haben«, sagte Felix.

Sie fuhren ins Krebsbachtal, versteckten ihre Räder, holten

Peters altertümliches Telefon aus der Mauernische, in der es verborgen war, und schlossen es an. Peter wählte die Nummer, die auf dem Brief von *Progress Investment* angegeben war.

»Hallo, ist da Herr Rappke?« Peter schrie in den Hörer, als ob der andere ihn auch ohne Telefon verstehen sollte.

»Ja!«, schrie er dann noch einmal. »Warum? ... Aha! ... Echt?« Dann hängte er auf.

»Nun?«, fragte Felix.

»Das war der Rappke. Er versteht gar nicht, warum wir uns beschweren. Es sei doch alles gut gelaufen. Am Anfang fielen bei solchen Geschäften eben Gebühren an. Und wir hätten so große Gewinne gemacht, dass wir den größten Teil der Kosten schon wieder drin hätten. Das steht alles auf dem Zettel, hat er gesagt. Und wenn es so weitergehe, seien wir schon in zwei Wochen im Plus.«

»Traust du ihm?«

»Ich weiß nicht so recht. Am Telefon klang das alles ganz toll. Und wenn wir jetzt aussteigen, dann müssen wir den Verlust einstecken. Also, ich bin dafür, dass wir weitermachen. Wer nichts wagt, der nichts gewinnt.«

»70 Prozent ...«, sagte Felix.

»Hoffen wir's!«

Sie stellten das Telefon wieder in die Mauernische und fuhren nach Schönstadt zurück.

Als Felix mit Peter zusammen nach Hause kam, empfing ihn gleich sein Vater: »Ein Eilbrief ist für dich angekommen. Aus Amerika. Sieht wichtig aus.«

Und ob der wichtig war! »Jetzt ist's passiert«, sagte Peter. »Jetzt sind wir unseren Schatz los!«

Der Brief lag auf dem Küchentisch. Es klebte eine Briefmarke darauf, die einen Indianerkopf zeigte. Die Adresse war mit Schreibmaschine geschrieben. Felix riss den Umschlag mit dem Zeigefinger auf und entfaltete einen handgeschriebenen Brief. Er las vor:

Martin S. Friedman
  Spruce River
  New Jersey
  Sehr verehrte Frau Giampieri, sehr geehrter Herr Blum, sehr geehrter Herr Walser,
    vielen Dank für Ihren freundlichen Brief. Er hat mich sehr überrascht. Wie haben Sie meine adress herausgefunden? Ich habe schon lange nichts mehr aus Schönstadt verlauten gehört. Ja, ich habe Frau Weber gekannt und ich habe auch clarinet gespielt. Deshalb es interessiert mich sehr, was Sie herausgefunden haben. Würden Sie mir bitte Bescheid geben bald als möglich? Sie finden mein Telefon oben auf dem Briefkopf. Auch eine E-Mail können sie schicken.
    Ich erwarte Ihre Nachricht.
    Martin S. Friedman

»Sehr geehrter Herr Walser – das klingt gut«, sagte Peter. »Der schreibt aber ein komisches Deutsch. Ich dachte, der ist mal aufs Kant-Gymnasium gegangen.«
    »Vielleicht verlernt man das, wenn man lange in Amerika lebt.«
    »Wenn der so ein komisches Deutsch schreibt, ist er wahrscheinlich arm und hat kein Geld. Und dann braucht er die 10.000 Mark dringend.«
    »Es gibt auch reiche Leute, die nicht Deutsch können. Außerdem kann er vielleicht besser Englisch.«

»Das heißt gar nichts. Die Reichen sind die Schlimmsten.«

»Sollen wir ihn jetzt anrufen und ihm von dem Schatz erzählen?«

»Spinnst du? Wir müssen Zeit gewinnen. Zeit ist Geld! Je mehr Zeit wir haben, desto mehr Gewinn können wir noch aus unserem Schatz herausholen. Wir schreiben ihm einen Brief. Aber nicht als Eilpost, das sage ich dir!«

Der Brief, den Felix und Peter dann zusammen schrieben, hatte folgenden Inhalt: *Sehr geehrter Herr Friedmann, bei Frau Weber wurde eine Klarinette gefunden. Gehört sie Ihnen? Wenn ja, haben wir Ihnen etwas sehr Wichtiges mitzuteilen! PS: Ihre Adresse haben wir vom Schönstädter Stadtschreiber.*

Felix hatte zunächst vorgeschlagen, Friedmann gleich von dem Goldschatz zu erzählen, aber Peter fand das zu gefährlich.

»Noch wissen wir nichts über ihn. Außerdem brauchen wir Zeit! Und den Brief, den schicken wir erst nächste Woche ab.«

Felix war damit einverstanden. Hinterher, als Peter gegangen war, fragte ihn sein Vater, wieso er denn Post aus Amerika bekomme. Ob er plötzlich einen reichen Onkel in Amerika entdeckt habe.

Nein, antwortete Felix, aber sie seien dabei, das Geheimnis des Schatzes zu ergründen.

»Alle Achtung«, sagte sein Vater. »Ich finde es gut, dass ihr euch noch mit was anderem beschäftigt als mit Geld.«

*

Inzwischen war es richtig Herbst geworden. Das merkte man an den Krähenschwärmen, die vom Schönstädter Forst in die Stadt einfielen und sich dann auf den Linden vor dem Kant-

Gymnasium niederließen. Man merkte es auch daran, dass die Hühner immer weniger Eier legten. Das sei völlig normal, behauptete Gianna. Normale Hühner legten im Winter keine Eier. Nur die unnormalen in den Legebatterien.

Ihm wäre es lieber, sie hätten eine Legebatterie, antwortete Peter, womit er sich einen bitterbösen Blick von Gianna einhandelte.

Vor allem jedoch merkte man die Herbstzeit daran, dass sie im Schulorchester lauter Weihnachtslieder spielten. Felix mochte Weihnachtslieder. Er dachte während der Proben an frühere Weihnachtsabende. Da stritten sich seine Eltern meistens nicht, jedenfalls nicht ums Geld, und es gab viele Kerzen im Haus. Wenn er so zurückdachte, war er an Weihnachten meistens glücklich gewesen.

Peter dagegen hasste Weihnachten. Das behauptete er jedenfalls. »Wenn wir nur endlich wieder was Vernünftiges üben«, sagte er immer nach den Proben. »Dieses ewige Weihnachtsgedudel!«

Eines Nachmittags im Oktober, als sie die Hühner fütterten, trafen sie wieder Herrn Schmitz.

»Sieh mal einer an, da kommen ja drei ganz Fremde in meine armselige Hütte«, sagte er ironisch. »Seid ihr so mit dem Geldscheffeln beschäftigt, dass ihr euch nicht mehr um arme, alte Musikanten kümmern könnt?«

»Von wegen Geld scheffeln«, sagte Felix. »Wir warten ab.«

Das war das erste Mal, dass er Herrn Schmitz richtig angelogen hatte. Und er hatte ein ziemlich schlechtes Gewissen dabei. Denn ein bisschen gehörte der Schatz ja auch Herrn Schmitz. Aber sie warteten ja tatsächlich. Auf den Brief von der *Progress Investment* und auf die Antwort von Martin Friedmann. Und er überlegte sich, was wohl Herr Schmitz sagen würde, wenn sie den Schatz um 70 Prozent vermehren könnten. Aber solche Überlegungen halfen nur wenig gegen das schlechte Gewissen.

»Solltet ihr nicht euer Kapital allmählich neu anlegen? Ich verstehe ja, dass ihr vorsichtig geworden seid, nachdem die Sache mit *Telekid* gerade noch mal gut gegangen ist. Aber irgendwann müsst ihr das Geld wieder neu anlegen. Geld auf dem Girokonto bringt keine Zinsen. Wenn ihr sichergehen wollt, dann nehmt doch Anleihen oder Fonds oder Bundesschatzbriefe*...«

»Nein, nein, das ist uns alles zu riskant«, sagte Peter.

»Aber hört euch doch erst mal an, was das überhaupt ist. Da leiht ihr das Geld der Bundesregierung, die kann nicht pleite gehen. Und ihr bekommt einen festen Zins, der wird euch garantiert. Zur Zeit sind das so an die sechs Prozent ...«

»Nein, nein, vielleicht später. Wir warten erst mal ab«, sagte Felix.

»Komisch. Wollt ihr denn plötzlich nicht mehr reich werden?«

»Doch, doch. Aber wir wollen erst mal drüber nachdenken. Außerdem müssen wir jetzt so viel für Weihnachten proben. Wir können uns ja nicht nur mit Geld beschäftigen.«

»Versteh einer diese Kinder«, sagte Herr Schmitz. Er nahm sich sein Saxophon vom Ständer und spielte *Girl from Ipamena*. Wie er so dastand und spielte, kam er Felix wie ein kleiner Junge vor, der von Leuten, die er für seine Freunde hielt, hereingelegt wurde.

Hinterher, als sie nach Hause gingen, sagte Felix zu Peter: »Meinst du nicht, wir hätten Schmitz etwas sagen sollen von dem Diamanten und den Warentermingeschäften?«

»Bist du verrückt? Der wäre sicher dagegen. Der war ja schon gegen *Telekid*.«

»Aber vielleicht könnte er uns einen Rat geben.«

»Von wegen. Das mit dem Reichwerden schaffen wir auch allein.«

*

Zwei Tage später hätte Felix dann gerne den Rat eines Erwachsenen eingeholt. Da tauchte nämlich Herr Rappke wieder auf. Sie hingen gerade zu dritt an der Tankstelle herum und putzten gelegentlich eine Windschutzscheibe oder füllten Frostschutzmittel in Scheibenwaschanlagen. Es war neblig und kalt, und wenn man einen nassen Schwamm angefasst hatte, blieb das klamme Gefühl minutenlang in den Fingern.

»Wenn wir reich sind, dann werde ich nie wieder eine Windschutzscheibe putzen«, sagte Peter.

In diesem Augenblick bog der rote *Testarossa* dröhnend in die Tankstelleneinfahrt ein. Herr Rappke stieg aus und wedelte mit einem Blatt Papier.

»Die Geschäfte gehen gut, sehr gut sogar. Toll, dass ich euch die gute Nachricht gleich selbst überbringen kann. Aber was rede ich da, seht doch selbst.«

Das Papier, das Herr Rappke in der Hand hielt, war wieder mit langen Zahlenkolonnen bedeckt, deren Sinn Felix nicht verstand. Rechts unten aber leuchtete ihm eine fett gedruckte Zahl entgegen: *11.987,55 DM*, und davor: *Ihr neuer Kontostand.*

»Seht ihr, wie schnell die Dinge sich bei Warenterminegeschäften entwickeln? Drei Wochen seid ihr im Markt und schon habt ihr fast zweitausend Mark verdient. Und dies, obwohl wir unsere Kosten in Rechnung stellen mussten. Unsere Experten haben euer Geld in Kupfer-Optionen gesteckt. Und Kupfer hat unglaublich angezogen.«

»Angezogen?«, fragte Peter.

»Das nennt man so, wenn etwas teurer wird«, erklärte Felix.

»Siehst du?«, sagte Peter zu Gianna.

»Hmm«, war die Antwort.

»Jetzt seid ihr platt, was?«, mischte sich Herr Rappke wieder ein. »Die Dinge laufen so gut, dass ich euch einen dringenden Rat geben möchte: Ihr solltet jetzt unbedingt nachschießen.«

»Nachschießen?«

»Ihr solltet in den steigenden Markt hineinkaufen. So gute Bedingungen wie zur Zeit sind selbst in unserem Markt selten.«

»Heißt das, dass wir mehr bezahlen sollen?«, fragte Felix.

»Ihr könntet mehr Geld investieren, um euren Gewinn zu erhöhen.«

»Bekommen wir denn jetzt mehr als 70 Prozent Gewinn?«, fragte Felix.

»Eine Garantie kann es dafür natürlich nicht geben, aber bei der jetzigen Lage auf dem Kupfermarkt halte ich es für sehr wahrscheinlich. Auf der ganzen Welt steigt die Nachfrage nach Kupfer, weil überall neue Telefon- und Fernsehkabel verlegt werden. Ich staune immer wieder, was für einen guten Riecher unsere Markthasen haben.«

»Aber Kupfer ist doch schon teurer geworden. Ist es da nicht schwierig, noch einen guten Gewinn zu machen?«

»Ich muss schon sagen, ihr stellt kluge Fragen, sehr gut, sehr gut. Die Luft wird dünner, da habt ihr völlig Recht. Deshalb kommt es darauf an, jetzt schnell zuzuschlagen. Zack! Damit wir noch den aufsteigenden Markt voll erwischen. In einer Woche kann es schon zu spät sein.«

»Und wenn es jetzt schon zu spät ist?«

»Dann setzen unsere Markthasen eben wieder auf den fallenden Markt und kaufen *Puts*. Überlegt's euch. Aber denkt daran: Wer zu spät kommt, den bestraft das Leben. Und wenn man zu lange überlegt, dann ist's eben zu spät.«

»Zeit ist Geld«, sagte Felix, aber da war Herr Rappke schon in seinen Wagen gestiegen. Er winkte kurz und brauste davon.

»Der will uns erpressen«, sagte Gianna. »Das ist doch ganz klar. Schnell, schnell und nur ja keine Zeit zum Nachdenken, das gefällt mir nicht.«

»Aber er hat doch Recht«, sagte Peter. »Stell dir vor, wir hätten bei *Telekid* zu lange gewartet. Dann hätten wir heute nur halb so viel Geld, wie wir haben.«

»Und du stell dir vor, wir wären bei *Telekid* zu spät eingestiegen, kurz bevor der Schwindel aufgeflogen ist. Dann wären wir jetzt unser ganzes Geld los.«

»Aber woher willst du wissen, ob es schon zu spät ist?«

»Ich sag ja gar nicht, dass ich das weiß. Mir gefällt es nur nicht, wenn einer drängelt. *Ecco!*«

»Probieren wir es doch mit der Hälfte«, schlug Felix vor. »Wir haben jetzt noch 17.000 Mark auf unserm Girokonto. Und jetzt zahlen wir noch mal 8.500 Mark ein, mehr nicht. Man muss das Risiko streuen, hat Schmitz gesagt.«

»Ich weiß nicht, ich habe da ein schlechtes Gefühl. Ihr tut so, als sei es selbstverständlich, dass wir so viel Geld haben. Aber 20.000 Mark diesem Kerl hinterherwerfen, das kann nicht gut gehen, das tut man einfach nicht!«

Doch weil sich Felix und Peter einig waren, wurde Gianna überstimmt. Die *Heinzelmännchen* beschlossen, noch einmal 8.500 Mark in Warentermingeschäfte zu investieren.

18. KAPITEL

Nachschießen

»Was hältst du eigentlich von Berlin?«, fragte ihn sein Vater, als Felix an einem trüben Novembertag von der Schule nach Hause kam.

»Wieso Berlin?«, fragte Felix.

Sein Vater stand auf einer Leiter an der Hauswand und machte sich an der Dachrinne mit einer Rohrzange zu schaffen. Auf dem Boden lagen Teile eines alten Fallrohres. Offenbar hatte er damit begonnen, die seit Jahren tropfende Regenrinne zu erneuern. Ein Stück neues Kupferrohr war oben schon zu sehen.

»Würdest du gerne in Berlin leben?«, rief er.

»Nein«, rief Felix zurück, »warum?«

Sein Vater steckte die Rohrzange in die Seitentasche seiner blauen Arbeitshose und stieg die Leiter herunter.

»Eine große Zeitung in Berlin sucht einen erfahrenen Wirtschaftsredakteur. Ich denke, dass ich mich dort bewerben werde. Berlin ist doch nicht schlecht: Es ist viel los dort, schließlich ist es die Hauptstadt, es gibt viele Seen ... Wir könnten Segeln lernen ...«

»Ich will aber nicht nach Berlin«, sagte Felix. Er hatte einen Kloß im Hals.

»Na ja, wir werden sehen. Was hältst du von unserer neuen Dachrinne? Es hat auch Vorteile, wenn man arbeitslos ist.«

»Von mir aus könntest du immer zu Hause bleiben. Auf jeden Fall möchte ich nicht nach Berlin.«

»Aber du weißt doch: Im nächsten Jahr bekomme ich kein Geld mehr vom *General-Anzeiger*. Und dann muss irgendetwas passieren. Ach, übrigens: Du hast wieder Post bekommen aus Amerika. Der Brief liegt auf dem Küchentisch.«

»Waas?« Felix rannte ins Haus und wäre dabei fast über die Türschwelle gestolpert. Er riss den Brief auf und las:

Sehr verehrte Frau Giampieri, sehr geehrter Herr Walser, sehr geehrter Herr Blum,
ich werde am 3. Dezember in Schönstadt ankommen. Die Maschine aus New York landet auf 13 Uhr zu Frankfurt. Würden Sie mir bitte ein Zimmer im Weißen Kreuz reservieren, so es dieses noch gibt. Bitte melden Sie sich am Abend des 2. bei mir.
Mit freundlichen Grüßen
Martin S. Friedman

Jetzt ist es passiert, dachte Felix. Er war stolz darauf, dass er wirklich das Geheimnis des Goldschatzes gelüftet hatte. Jedenfalls war er sehr nahe dran. Drei Wochen waren es noch bis zum 2. Dezember. Hoffentlich ging mit ihren Warentermingeschäften alles gut. Was wäre, wenn Herr Rappke ihren Gewinn verspielen würde? Dann stünden sie wieder genauso da wie damals im Sommer, als die *Heinzelmännchen* gegründet wurden.

»Siehst du?«, sagte Peter, als Felix ihm später den Brief zeigte. »Jetzt sind wir den Schatz so gut wie los. Ich sage ja immer: Du bist zu brav, mein Freund. Jetzt haben wir den Salat.« Und nach einer Weile fügte er hinzu: »Aber spannend ist es trotzdem. Meinst du, er ist stinkreich?«

»Vielleicht ist er ja auch ein armer Schlucker …«

»Wenn er sich mal eben ins Flugzeug setzt, um nach Deutschland zu fliegen? Nein, nein, die meisten Amerikaner sind reich. Robert kennt einen, der hat einen reichen Onkel in Amerika und dieser Onkel besitzt so viel Land, dass man an einem Tag mit dem Auto nicht drum herum fahren kann.«

»Ist das wahr?«

»Sagt jedenfalls Robert.«

»Und was machen wir nun mit dem reichen Amerikaner, wenn er nach Schönstadt kommt?«

»Eigentlich ist er ja ein reicher Schönstädter. Als Erstes, würde ich sagen, gehen wir ins *Weiße Kreuz* und bestellen ihm ein Zimmer.«

»Der denkt, dass wir Erwachsene sind. In dem Brief hat er uns gesiezt.«

»Umso besser. Dann wird er staunen, was er für tolle junge Kerle vor sich hat. Und wenn wir ihm seine Klarinette zeigen, schenkt er uns vielleicht noch was von seiner Farm. Und vielleicht ein Pferd und einen *Cadillac*.«

»Du hast Nerven«, sagte Felix. Wenn man mit Peter eine Zeit lang redete, dann wusste man bald nicht mehr, was war ausgedacht und was war Wirklichkeit. Felix mochte das an seinem Freund. Nun fragte er ihn noch, was er denn von Berlin halte. Und er erzählte, dass sein Vater dort eine Arbeit suche und dass sie vielleicht bald von Schönstadt wegziehen würden.

»Quatsch«, sagte Peter. »Das kommt alles ganz anders. Glaub mir.«

*

Peter sollte Recht behalten. Es kam wirklich alles ganz anders. Aber nicht so, wie Peter es wohl vermutet hatte.

Zwei Tage später, es war ein Freitag, lag wieder ein Brief auf dem Küchentisch, als Felix von der Schule heimkam. Es war keine amerikanische Briefmarke darauf, sondern eine deutsche. Auf dem Umschlag stand seine Adresse, aber kein Absender. Als Felix den Umschlag aufriss, sah er, dass er von der *Progress Investment* war. Herr Rappke schickte ihnen den neusten Stand ihrer Warentermingeschäfte.

Felix überflog die langen Zahlenkolonnen, suchte die fett gedruckte Zahl rechts unten – und erstarrte. Mit allem Möglichen hatte er gerechnet. Vielleicht würden die Markthasen von Herrn Rappke aus den 18.500 Mark, die sie bisher eingezahlt hatten, schon 37.000 Mark gemacht haben, vielleicht ein bisschen weniger, vielleicht waren es auch nur ein paar Mark mehr. Tatsächlich aber stand dort: *4.837,39 DM*. Felix las das Blatt noch einmal von oben bis unten durch, er suchte nach irgendeiner Lösung für das Rätsel. Doch an dem Ergebnis änderte sich nichts. *Guthaben 4.837,39 DM*. Wenn das stimmte, dann hatte sich das Geld, das sie eingezahlt hatten, auf ein Viertel vermindert. Auf ein Viertel!

Ohne gegessen zu haben, schwang sich Felix aufs Rad und fuhr zu Peter hinunter. Dabei schwirrte ihm der Kopf. Der ganze Gewinn aus ihren *Telekid*-Aktien war zusammengeschmolzen, und wenn jetzt Herr Friedmann aus Amerika kam und seinen Schatz wiederhaben wollte, dann war ihr ganzer Reichtum weg. Und wenn das Geld weiter zusammenschmolz, dann konnten sie nicht mal mehr den Wert des Goldschatzes zurückgeben.

»Und um mir das zu sagen, habt ihr mich aus Amerika geholt!«, würde Herr Friedmann sagen. »Ihr seid mir eine feine

Gesellschaft!« Jetzt kam es darauf an, den Rest des Geldes so schnell wie möglich von Herrn Rappke zurückzufordern!

Peter saß im Kassenhäuschen der Tankstelle und kaute an einem Käsebrötchen, als Felix zu ihm hereinstürzte. Er las den Brief von der *Progress Investment* und wurde bleich.

»Da stimmt was nicht«, sagte er. »Wir müssen sofort Herrn Rappke anrufen.«

Sie fuhren so schnell sie konnten zur Ziegelei hinunter. Aber als sie ihr Telefon einsteckten und wählen wollten, war alles still.

»Verdammt!«, rief Peter. »Die Leitung ist tot. Irgendjemand hat gemerkt, dass wir telefonieren und nicht bezahlen. Auch das noch. Jetzt hilft alles nichts. Wir müssen von der Tankstelle aus telefonieren.«

Sie rasten wieder in die Talstraße zurück und stürzten in das Kassenhäuschen. Peter griff sich das Telefon und wählte die Nummer, die oben unter dem Briefkopf der *Progress Investment* stand.

»Ja, guten Tag, hier ist Peter Walser. Ich möchte bitte Herrn Rappke sprechen. Ja, ich warte ...« Leise sagte er zu Felix: »Ich werde weiterverbunden.«

In diesem Augenblick kam Herr Walser herein und fragte mürrisch: »Was macht ihr denn da?«

»Geschäftliches«, sagte Peter so beiläufig wie möglich.

»Na, dann seht mal zu, dass ihr das Geschäftliche schnell erledigt, ihr könnt nicht den ganzen Nachmittag das Telefon belegen.« Dann war er wieder draußen.

»Herr Rappke?«, rief Peter jetzt in den Hörer. »Ja, hallo. Wir wollten mal fragen: Das mit den 4.837 Mark, das kann doch nicht stimmen, oder? Das ist doch ein Druckfehler? ... Was? ...

Ja, aber warum ...« Nun sagte Peter eine Zeit lang gar nichts mehr. »Aha«, murmelte er dann. »Nachschießen, um Verluste in Gewinne umzuwandeln. Ich weiß nicht ... Ich muss meine Freunde fragen ... Also dann ... Auf Wiedersehen. Ja, wir rufen an.«

Während des Telefongesprächs war Peter immer bleicher geworden. Und richtig kleinlaut, ganz gegen seine Art.

»Nun?«, fragte Felix, als Peter aufgelegt hatte. »Was ist passiert?«

»Was in dem Brief steht, stimmt.«

»Nur noch 4.837 Mark sind übrig? Unser halbes Vermögen ist weg?«

»Ein unglücklicher Zufall, sagt Herr Rappke. Da kann man nichts machen, behauptet er.«

»Ein Zufall?«

»Ich versuch mal, ob ich alles zusammenkriege, was er mir erzählt hat. Seine Markthasen hätten das Geld wieder in Kupfer angelegt, also in Warentermingeschäfte mit Kupfer. Aber dann habe es plötzlich Gerüchte gegeben, dass in Afrika neue Kupfervorräte entdeckt worden seien, irgendwo im Urwald. Nun hätten alle Angst gehabt, dass es bald zu viel Kupfer geben könnte. Deshalb ist der Kupferpreis gefallen. Und damit waren unsere Kupferkontrakte – ja, ich glaube, er hat Kontrakte* gesagt – plötzlich viel weniger Geld wert. Aber das sei alles nicht schlimm, weil diese Gerüchte nämlich falsch seien und der Kupferpreis bald wieder steigen werde. Wir sollten sogar den niedrigen Preis nutzen und nachschießen.«

»Nachschießen?«

»Wenn ich ihn richtig verstanden habe, möchte er, dass wir noch etwas investieren, damit er die Verluste ausgleichen kann.«

»Waas? Der spinnt ja!« Felix schrie richtig. »Jetzt auch noch mehr Geld bezahlen? Damit dann alles weg ist? Niemals!«

»Rappke hat gesagt, wenn wir nicht nachschießen, müssen wir damit rechnen, dass das ganze Geld weg ist. Er braucht nämlich ein Sicherheitspolster, hat er gesagt.«

»Das ist mir völlig egal. Der bekommt jedenfalls keine einzige Mark mehr von unserm Schatz.«

»Und wenn dann alles weg ist? Vielleicht hat er ja Recht und es ist noch was zu retten.«

Felix rechnete im Kopf: Jetzt hatten sie noch ungefähr 8.500 Mark auf dem Konto. Das war immerhin noch eine ganze Menge. Außerdem gab es noch den Diamanten. Und beides lag sicher auf der Bank. Andererseits hatten sie schon einmal viel mehr gehabt. Und wenn jetzt Herr Friedmann aus Amerika kam, war das Geld vielleicht ganz weg und sie standen wieder am Anfang, bei null. Die Lage war verzweifelt. Vielleicht hatte Peter Recht und man musste das Risiko eingehen und noch mal etwas investieren.

»Wir müssen eine Vorstandssitzung einberufen, in der Ziegelei«, sagte Felix.

»Herr Rappke hat gesagt, die Zeit drängt. Bald wäre es zu spät, um wieder einzusteigen.«

»Für eine Vorstandssitzung muss Zeit sein. Vielleicht weiß Gianna einen Ausweg.«

»Du bist aber lustig. Wieso ausgerechnet Gianna?« Peter hatte sich von dem Telefongespräch schon wieder halb erholt.

Dabei war es gar keine so schlechte Idee, die Felix da gehabt hatte. Denn Gianna stellte kluge Fragen, als sie wenig später zusammen in der Ziegelei saßen, während im Kanonenofen ein Feuer brannte. »*Che mona*«, sagte sie. »Da stimmt was nicht,

254

das habe ich gleich gesagt. Wieso braucht der noch mehr Geld, wenn er schon unser anderes Geld verjubelt hat? Er könnte doch auch mit dem bescheidenen Rest wieder Gewinne machen.«

»Hmm«, sagte Peter, »das habe ich mir so noch gar nicht überlegt, da hast du Recht.«

»Ich kann ihn schon verstehen«, sagte Felix. »Von nichts kommt nichts, von wenig kommt wenig, von viel kommt viel. Deshalb braucht er mehr Geld, um aus den Verlusten, die er gemacht hat, wieder ins Plus zu kommen. Von den 5.000 Mark, die er jetzt noch hat ...«

»... die *wir* noch haben«, betonte Gianna.

»Klar, das meine ich doch. Nehmen wir nun an, von den 5.000 Mark würde er 70 Prozent Gewinn machen. Das wären dann 3.500 Mark, und damit hätten wir dann 8.500 Mark, also immer noch weniger, als wir vorher einbezahlt haben.«

»Du rechnest das so schön aus. Aber wenn seine Markthasen doch nichts davon verstehen? Und wenn das mit dem Kupfer alles Quatsch ist? Und wenn Rappke ein Betrüger ist?«

»Und wenn er kein Betrüger ist?«, rief Peter. »Und wenn wir jetzt unsere letzte Chance verpassen, wirklich reich zu werden? Und wenn uns dieser Mister Friedmann aus Amerika dann den Rest von unserm Schatz wegnimmt?«

Keiner antwortete jetzt mehr etwas. Felix, Gianna und Peter saßen da, horchten auf das Bullern des Feuers im Kanonenofen und dachten nach. Felix zermarterte sich den Kopf. Mal fand er, was Peter gesagt hatte, stimmte, dann wieder gab er Gianna Recht. Was tun?

»Mein Bruder Robert sagt: Man kann nicht mitten im Sprung umkehren«, meinte Peter nachdenklich.

»Und was soll das heißen?«

»Na, ich finde, wir sollten das zu Ende bringen, was wir angefangen haben.«

»Das sehe ich auch so«, sagte Felix.

»Aber wie meint ihr das?«, beharrte Gianna. »Ihr wollt doch
nicht etwa sagen, dass wir ...«

»Ich finde, wir sollten die restlichen 8.500 Mark auch in
Warentermingeschäfte investieren.«

»Das darf doch nicht wahr sein!«, stöhnte Gianna auf.

»So haben wir wenigstens noch eine Chance«, sagte Peter.

Und Felix bestätigte: »Der Kupferpreis kann ja nicht immer
weiter fallen.«

Eine Weile lang saßen sie schweigend da.

Schließlich sagte Gianna: »Ich finde es total unmöglich und
verrückt, aber ich bin dafür, dass wir's machen. Jetzt kommt's
auch nicht mehr drauf an. Aber gnade euch Gott, wenn es schief
geht!«

»Wieso? Was ist dann?«

»Dann drehe ich euch den Hals um. Allen beiden!«

»Wird schon nicht schief gehen«, sagte Peter.

Als sie zur Tankstelle zurückkamen, gingen sie ans Telefon
und überwiesen der Firma *Progress Investment* genau 8.500 Mark.
Felix war froh, als sie das alles hinter sich hatten. Vorläufig wollte
er von diesen riesigen Geldbeträgen nichts mehr wissen.

19. KAPITEL

Macht hoch die Tür

Felix' Vater wollte sich nun allen Ernstes bei der Zeitung in Berlin bewerben. Am ersten Montag im Advent würde er für ein paar Tage dorthin fahren.

»Laß dich beim Gehalt von denen nicht über den Tisch ziehen«, sagte Felix' Mutter einige Tage vorher beim Abendessen. »Das Leben in Berlin ist teuer.«

»Ja, ja, ich passe schon auf.«

»Ich weiß, ich weiß. Und dann vergisst du es plötzlich. Und du vergisst auch, dass du eine Familie hast, für die du Verantwortung trägst.«

Und schon hatten die beiden mal wieder den dicksten Streit. Felix wollte überhaupt nichts davon hören. Vor allem wollte er auf keinen Fall von Schönstadt wegziehen. Nicht nach Berlin und auch sonst nirgendwo hin. Außerdem wartete er sehnlichst auf neue Post von *Progress Investment*, mit jedem Tag dringlicher. Schließlich hatten sie alles auf eine Karte gesetzt. Jetzt musste sich zeigen, ob sie wirklich reich werden würden oder ob sie alles verloren hatten. Am schlimmsten war, dass er über diese Dinge nicht mit seinen Eltern reden konnte.

Am ersten Advent gab es dann das große Weihnachtskonzert in der Aula des Kant-Gymnasiums. Seit Menschengedenken war dieses Konzert der große Auftritt des Schulorchesters. Seit einem Monat schon probten sie zweimal die Woche. Trotzdem war die Musiklehrerin, Frau Böhm-Bewark, wenige Tage vor dem Auftritt noch unzufrieden. Sie schimpfte über die unsauberen Violinen, die undisziplinierten Celli und die Holzbläser, die immer wieder ihren Einsatz verpassten. Aber das musste niemanden beunruhigen, das war jedes Jahr so.

Auf dem Programm stand ein Weihnachtskonzert von Corelli und, als Besonderheit, eine Suite aus der *Westside Story* von Leonard Bernstein, in die Frau Böhm-Bewark einen Sololauf für Klarinette eingebaut hatte. Und diesen Sololauf sollte Felix spielen. Zunächst war er sehr stolz darauf gewesen, je näher aber der 30. November, der erste Advent, rückte, desto mehr Angst hatte er. Und Frau Böhm-Bewark war der Meinung, dass er faul sei und viel zu wenig übe.

Felix war tatsächlich sehr abgelenkt – er machte sich immer mehr Sorgen um ihr Geld. Jeden Tag, wenn er nach Hause kam, hoffte er, einen Brief von Rappke vorzufinden. Aber dieser Brief kam nicht. »Vielleicht sind die Markthasen noch am Arbeiten«, sagte Peter. Aber es klang nicht sehr hoffnungsvoll. Gianna sagte gar nichts. »Verdammt«, meinte Peter ein anderes Mal, »wir müssen doch irgendetwas tun«. Aber was, das wusste er auch nicht.

Dann kam der 28. November, ein Freitag. An diesem Tag sollte die Generalprobe für das Weihnachtskonzert stattfinden, und zwar nachmittags um vier Uhr. Zum Ausgleich fiel die letzte Schulstunde aus und sie durften schon um zwölf nach Hause gehen. Und plötzlich, auf dem Heimweg, platzte Felix der Kragen.

»Ich halte das nicht mehr aus!«, rief er. »Wir müssen unser Geld zurückholen!«

»Jetzt auf einmal?«, sagte Gianna.

»Ja, es sind schon wieder zwei Wochen vergangen, seit Rappke sich zum letzten Mal gemeldet hat. Das kann doch nicht in Ordnung sein. Ich bin dafür, dass wir sofort in Frankfurt anrufen. Der soll uns unser Geld überweisen, das heißt alles, was davon noch übrig ist. Und zwar sofort.«

»Aber was ist mit den Verlusten? Die können wir dann nicht mehr ausgleichen«, sagte Peter.

»Das ist mir völlig egal. Wir hätten von vornherein auf Gianna hören sollen. Da stimmt was nicht. Wir müssen sofort anrufen. Jetzt!«

»Na gut, anrufen schadet ja nichts«, sagte Peter. »Vielleicht klärt sich alles noch auf. Kann doch sein. Das erste Mal hat er unsere Verluste ja auch ausgeglichen.«

Inzwischen waren sie bei Walsers Tankstelle angekommen. Sie stürzten in das Kassenhäuschen, begleitet von den misstrauischen Blicken Herrn Walsers, der gerade in seiner Werkstatt neben der Hebebühne stand und einen Ölwechsel machte. Peter holte den letzten Brief von der *Progress Investment* heraus und wählte die Nummer von Rappke. Er hielt sich den Hörer ans Ohr und wartete. Und dann erstarrte er. Er ließ den Hörer sinken und reichte ihn Felix. Der hörte zunächst einen Pfeifton und dann eine teilnahmslose Stimme, die sagte: *»Dieser Anschluss ist vorübergehend nicht erreichbar.«*

»Gib mal her«, sagte Gianna und griff nach dem Hörer. Sie lauschte kurz auf die Ansage. Dann legte sie auf und sagte so teilnahmslos wie die Telefonstimme: »Jetzt ist es so weit.«

»Was ist so weit?«, fragte Felix.

»Jetzt drehe ich euch den Hals um.«

»Wieso denn? Vielleicht ist Rappke im Urlaub. Oder er musste mal aufs Klo.« Felix wollte noch mal den Hörer aufnehmen, aber Gianna hielt seine Hand fest.

»Vergiss es. Wenn einer aufs Klo geht, wird nicht das Telefon abgestellt. Und wenn er in Urlaub fährt, auch nicht. Dann wäre ein automatischer Anrufbeantworter zu hören. Wenn ein Telefonanschluss nicht erreichbar ist, dann wurde er abgestellt. Zum Beispiel, weil einer seine Telefongebühren nicht mehr bezahlt hat.«

»Also doch ein Betrüger«, sagte Peter.

»Wahrscheinlich. Bestimmt hat er sich mit unserm Geld aus dem Staub gemacht.«

»So ein Schwein.«

»Vielleicht ist es nur ein dummer Zufall«, meinte Felix, »und morgen klärt sich alles wieder auf.«

»Quatsch. Unser Geld ist weg. Nix mit Reichwerden.«

»So ein Schwein!«

»Und jetzt?«, fragte Felix.

»Jetz bin ich erst mal platt«, sagte Gianna.

»Du wolltest uns doch den Hals umdrehen.«

»*Porca miseria*. Ich finde, ihr habt eure Strafe schon.«

Erst jetzt wurde Felix so richtig klar, was das alles bedeutete. Herr Rappke mit seinem *Testarossa* war ein Betrüger, daran konnte es wohl keinen Zweifel mehr geben. Ihr Schatz war weg. Richtig weg. Sie waren wieder dort, wo sie im Sommer angefangen hatten. Aus dem Reichwerden war nichts geworden. Sie hatten es gründlich vermasselt. Felix fühlte sich total am Boden.

Herr Walser blickte zur Tür herein: »Was ist denn euch für eine Laus über die Leber gelaufen?«

»Ach, nichts Besonderes, nur ein bisschen Ärger in der Schule«, sagte Peter.

»Immer das Gleiche«, sagte Herr Walser und war schon wieder fort. Die drei saßen da und stierten ins Leere. Dann stand Gianna auf, legte Felix den Arm um die Schulter und sagte: »Für irgendwas wird es schon gut sein.«

Felix fiel es schwer, nicht auf der Stelle loszuweinen.

»Aber irgendwas müssen wir jetzt tun«, sagte Peter. »Wir können die Sache doch nicht einfach abhaken.«

»Vielleicht ist alles nur ein Missverständnis ...«, sagte Felix.

»Du weißt doch genau, dass das kein Missverständnis ist«, erwiderte Gianna. »Mach dir nichts vor! Das Geld ist futsch. Jetzt sollten wir überlegen, wie wir es Schmitz beibringen.«

»Au weia, auch das noch«, sagte Peter. »Aber ich finde, Gianna hat Recht. Wir müssen es ihm sagen. Alles andere wäre feige.«

»Na gut«, meinte Felix. »Außerdem haben wir ja immer noch unseren Diamanten. Der ist uns wenigstens sicher.«

*

Herr Schmitz empfing sie überschwänglich, als sie in sein Geschäft kamen. »Sieh mal einer an, da lassen sich die Herrschaften Kapitalisten mal wieder herab, in meine bescheidene Hütte zu kommen. Das freut mich aber. Wollt ihr euch über Geldanlagen unterhalten? Oder mir nur mitteilen, was ihr mit euren Hühnern im Winter machen wollt? Aber halt mal, warum schaut ihr denn so finster? Habt ihr euch gestritten? Oder gibt es Probleme in der Schule?«

»Wir müssen mal mit Ihnen reden«, sagte Felix.

»Nur zu. Da hindere ich euch nicht.«

»Dürfen wir nach hinten kommen?«

»Ihr macht's aber spannend. Natürlich dürft ihr.« Sie gingen zusammen in das Hinterzimmer. Herr Schmitz nahm sein Saxophon von einem der Stühle. »Macht es euch bequem, so gut es geht. Und dann erzählt mir, wo das Problem liegt. Habt ihr was ausgefressen?«

»Irgendwie schon«, sagte Felix. Und dann erzählte er die ganze Geschichte. Von den Diamanten. Und Herrn Rappke. Und den Warentermingeschäften, dem Zwang nachzuschießen, den Verlusten, dem toten Telefonanschluss. »Und jetzt wissen wir nicht mehr, was wir tun sollen.«

Herr Schmitz sah Felix mit großen Augen an. Dann zuckte es in seinem Gesicht und es sah aus, als kämen ihm Tränen in die Augen. Plötzlich prustete Herr Schmitz los. Er lachte, wie Felix noch nie jemanden hatte lachen sehen. Der Musikalienhändler bog sich vor Lachen und bekam kein normales Wort mehr heraus.

»Entschuldigt bitte ... ich weiß, es ist unpassend ... aber das ist so komisch ...« Und dann prustete er wieder los. Felix und seine beiden Freunde sahen ihm fassungslos zu, wagten aber nicht zu fragen, warum er denn so lachte. Erst nach ein paar Minuten beruhigte er sich wieder.

»Entschuldigt vielmals, das war wirklich nicht passend. Also, dieser Herr Rappke hat euch einen Diamanten angeboten, weil er so hart ist?«

»Ja, das hat er.«

»Und dann hat er euch Warentermingeschäfte angeboten und behauptet, es gebe dort 70 Prozent Gewinn?«

»Ja, genau.«

»Eigentlich müsste ich euch ja böse sein, weil ihr mir nichts von euren Plänen erzählt habt. Aber ich bin euch nicht böse. Ich wollte euch ja immer in die Geheimnisse der Wirtschaft einführen. Doch dieser Herr Rappke hat es viel besser getan, als ich es je gekonnt hätte. Deshalb musste ich so lachen. Nur wenn man selber investiert, lernt man richtig. Ihr seid auf einen ganz normalen Anlagebetrug hereingefallen.«

»Ich finde es total unfair, dass Sie uns jetzt auslachen, Herr Schmitz«, sagte Gianna böse.

»So, meinst du? Aber ein bisschen unfair war es doch auch, dass ihr mir nichts von eurer famosen Anlagestrategie erzählt habt, findet ihr nicht?«

»Wir wollten auch mal allein was machen«, sagte Peter, »und uns nicht immer alles von Erwachsenen vorschreiben lassen. Außerdem hatten wir Angst, dass Sie Nein sagen würden zu den Warentermingeschäften.«

»Das hätte ich in der Tat. Und das wäre doch wohl auch besser gewesen. Oder nicht?«

»Aber es könnte doch sein, dass alles nur ein Missverständnis ist und sich noch aufklärt ...«

Herr Schmitz schüttelte den Kopf. »Felix, mach dir nichts vor. Das Geld ist weg, so sicher wie das Amen in der Kirche.«

»Aber warum sind Sie sich da so sicher?«

»Die Geschichte mit den 70 Prozent Gewinn, die hohen Kosten am Anfang, dann der erste Gewinn, dann der Verlust und dass ihr nachschießen sollt – das alles ist eindeutig. So gehen die Betrüger am grauen Kapitalmarkt* vor. Ich habe schon viele Artikel darüber gelesen. Wie, sagtet ihr, hieß euer Mann?«

»Rappke, Willy Rappke.«

»Nein, von dem Namen habe ich noch nie etwas gehört.«

»Aber was heißt das, grauer Kapitalmarkt? Hat uns Rappke das Geld einfach geklaut?«

»Ja und nein. Er hat euch betrogen. Unter grauem Kapitalmarkt versteht man all die Firmen, die das Geld anderer Leute verwalten, ohne Banken, Versicherungen, Bausparkassen oder so was zu sein. Das sind nicht alles Verbrecher, es gibt da sicher auch anständige Firmen. Aber weil der Staat diesen Bereich nicht so streng beaufsichtigt wie die Banken, tummeln sich dort mehr dunkle Gestalten als anderswo. Und weil unerfahrene, geldgierige Leute von diesem grauen Kapitalmarkt angezogen werden wie die Motten vom Licht. Leute, bei denen der Verstand aussetzt, wenn sie von fantastischen Gewinnen hören. 70 Prozent!«

»Aber warum ...«

»Denkt doch mal nach, wie soll denn ein Gewinn von 70 Prozent entstehen? Wenn das so leicht wäre, dann würden es doch alle machen.«

»Bei *Telekid* haben wir über 100 Prozent verdient.«

»Da hattet ihr einfach unverschämtes Glück. Das war hoch riskant und hätte ins Auge gehen können. Wenn du so willst, dann war euer Gewinn der Lohn für das gefährliche Spiel, das ihr gespielt habt. Kein vernünftiger Mensch an der Börse hätte euch diesen Gewinn vorher *versprochen*. Dieser Herr Rappke allerdings hat es getan.«

»Er hat uns aber gesagt, dass da noch ein kleines Risiko ist ...«

»Ein kleines Risiko! Also kann er sagen, dass er euch gewarnt hat. Deshalb wird es schwer sein, ihn dranzukriegen. Selbst wenn sie ihn erwischen.«

»Wer soll ihn denn erwischen?«

»Die Polizei natürlich, nachdem wir Anzeige erstattet haben.«

»Sie wollen zur Polizei gehen?«

»Natürlich, was dachtet ihr denn? Wollt ihr tatenlos zusehen, wie euer ganzer Schatz verschwindet?«

»Aber unsere Eltern ... die wissen noch gar nicht, dass er weg ist.«

»Mein Vater rastet aus, wenn er das erfährt«, sagte Peter.

»Meine Mutter auch«, sagte Felix.

»Was ist schlimmer: 27.000 Mark verlieren oder ein Anpfiff von den Eltern?«

»Wahrscheinlich ist das Geld doch sowieso weg.«

»Ihr wollt also nicht mal die kleinste Chance ergreifen?«

»Doch schon ... Aber was hat Rappke denn nun mit unserem Geld gemacht?«

»Das weiß ich natürlich auch nicht, das findet vielleicht die Polizei heraus. Kann gut sein, dass er mit dem Geld gar nichts gemacht hat, sondern es einfach eingesteckt hat. Lass mal den Brief sehen, den ihr von *Progress Investment* bekommen habt.«

Peter reichte ihm das Blatt mit den vielen Zahlen.

»Da kann ich nichts draus erkennen; vielleicht ist das alles frei erfunden. 70 Prozent, das muss man sich mal vorstellen! Der Zins ist doch der Preis des Wartens. Man wird dafür belohnt, dass man sein Geld nicht gleich ausgibt, sondern es jemandem anders leiht. Wenn man ganz sicher sein will, dass man sein Geld auch wieder zurückbekommt, dann liegt der Zins zur Zeit bei ungefähr sechs Prozent. Zum Beispiel wenn man Anleihen der Bundesregierung kauft. Seit es die Bundesrepublik Deutschland gibt, hat noch jede Bundesregierung ihre Schulden pünktlich zurückbezahlt. Jeder Zins, der über diese sieben Prozent hinausgeht, ist die Prämie für ein Risiko, das man eingeht. Bei Aktien zum Beispiel besteht das Risiko darin, dass es dem betreffenden Unternehmen schlechter geht als gedacht oder dass aus irgendeinem anderen Grund die Kurse sinken. Aber 70 Prozent, so viel Risiko kann man ja gar nicht eingehen. Da muss die Gier schon sehr groß sein, wenn man auf so ein Versprechen reinfällt.«

»Also gut, gehen wir zur Polizei«, sagte Gianna entschlossen.

»Wir können die Polizisten ja bitten, sie sollen die Geschichte mit dem Schatz nicht in der ganzen Stadt herumerzählen. Dann erfahren es eure Eltern nicht gleich.«

»Und was erzählen wir Friedmann?«, fragte Peter.

»Stimmt, der kommt ja in ein paar Tagen«, sagte Felix verzagt.

»Na, wenigstens haben wir noch unseren Diamanten«, meinte Gianna. Sie nahm ihr Vokabelheft, hielt inne und fragte: »Wo steht bei einer Gewinn- und Verlustrechnung das, was man verloren hat?«

»Der Verlust steht rechts«, sagte Schmitz

Gianna zeichnete mit zornigen Strichen ihr T in das Vokabelheft. Als das Konto fertig war, sah es so aus:

Gewinn und Verlustrechnung seit den Sommerferien

Aufwendungen		Erträge	
Rappke	27.000,00	Für Eier	350,40
(Betrug!!!)		Andere Arbeiten	38,20
		Verlust	**26.611,40**
	27.000,00		27.000,00

Anschließend malte Gianna noch eine Tabelle:

Bilanz, 9. September

Aktiva		Passiva	
Rappke			
Hühner	110,00	Eigenkapital	28.628,30
Diamant	998,00		
Girokonto	705,70		
Kasse	203,20		
Verlust	**26.611,40**		
	28.628,30		28.628,30

»Der Verlust passt ja genau in die linke Seite hinein, so dass es aufgeht«, sagte Peter.

»Daran könnt ihr sehen, dass Gianna sich nicht verrechnet hat.«

»Na, toll. Wenigstens etwas Gutes …«

»Beim nächsten Mal müsst ihr dann den Verlust vom Eigenkapital abziehen, um euer neues Eigenkapital zu erhalten. Außerdem solltet ihr die Bilanz in einem weiteren Punkt korrigieren. Eure Hühner sind jetzt ein halbes Jahr alt. Und da sie insgesamt nur ungefähr ein Jahr lang Eier legen, dürft ihr sie nicht mehr mit dem vollen Wert ansetzen; ich würde nur noch den halben nehmen. Außerdem würde ich den Diamanten ebenfalls nur mit dem halben Wert ansetzen. Er wird zwar echt sein, aber bestimmt ist er nicht so viel wert, wie ihr bezahlt habt. Diese Korrekturen nennt man ›Wertberichtigung‹.

»So ein Schwein«, sagte Peter.

»Wie bitte?«, fragte Schmitz.

»Rappke natürlich.«

*

»Anlagebetrug – bei Kindern! Wollt ihr mich verkohlen?« Kriminalkommissar Manfred Ohlsen blickte die drei ungläubig an, die da vor ihm in seinem Zimmer standen. »Ich habe ja schon viel erlebt, aber dass Kinder einem Anlagebetrüger zum Opfer fallen, das ist mir wirklich neu.«

»Ein bisschen war es auch mein Geld«, meldete sich nun Herr Schmitz.

»Die Sache wird ja immer komplizierter. Wie kann jemandem etwas ein bisschen gehören? Na ja, egal. Wie viel Geld war denn drauf auf euren Sparbüchern?«

»Es geht nicht um Sparbücher, sondern um Warentermingeschäfte«, sagte Peter. »Und es geht um 27.000 Mark.«

»Was, 27.000 Mark? Das müsst ihr mir aber sehr genau erzählen. Sonst glaube ich euch nämlich nicht.«

Während die drei erzählten, hörte Herr Ohlsen sehr aufmerksam zu. Er schrieb fleißig mit, schüttelte gelegentlich den Kopf
und stellte ab und zu eine Gegenfrage.

Als sie fertig waren, sagte Herr Ohlsen: »Das ist ja wirklich
eine sehr sonderbare Geschichte. Dass diese Typen sich jetzt
auch an Kinder wagen. Sie werden immer skrupelloser. Aber
ich muss euch sagen, dass ich zunächst gar nicht viel tun kann.
Ich werde den ganzen Vorgang an das Landeskriminalamt wei-
terleiten. Dort sitzen Fachleute, die sich mit solchen Sachen
auskennen. Wenn wir Glück haben, ist dieser Rappke schon
dort bekannt. Unsereiner muss bei solchen Wirtschaftsfragen
passen. Ich bin schon froh, wenn ich den Kontoauszug von
meiner Bank verstehe. Ihr werdet aber auf jeden Fall von mir
hören.«

»Wir hätten da noch eine Bitte, Herr Kommissar«, sagte Herr
Schmitz.

»Und die wäre?«

»Ob Sie wohl dafür sorgen könnten, dass möglichst niemand
in Schönstadt von dieser Sache erfährt? Vorerst.«

»Die Sache ist euch wohl peinlich?«

Felix und Peter nickten.

»Ich werde sehen, was sich machen lässt. Aber ich hätte an
euch auch noch eine Bitte.«

»Was für eine Bitte?«, fragte Felix.

»Es wäre nett, wenn ihr mir bei Gelegenheit mal erklären
könntet, was eigentlich ein Warentermingeschäft ist.«

»Wird gemacht«, sagte Peter. »Aber erst mal müssen Sie den Verbrecher finden.«

»Nichts leichter als das«, sagte Herr Ohlsen und seufzte.

*

Felix' Nerven waren zum Zerreißen gespannt. Der Tag der Ankunft von Martin Friedmann, dem ja der Schatz vermutlich gehörte, rückte immer näher. Dass die Polizei ihr Geld wiederfinden würde, war völlig unwahrscheinlich. Und seinen Eltern durfte Felix nichts davon erzählen. In diesem Zustand nun sollte er beim Weihnachtskonzert spielen. Und auch noch jene Solostelle, die die Musiklehrerin extra für ihn in die Partitur geschrieben hatte. Das musste ja schief gehen.

Am Sonntagmorgen hatte er, wie an jedem ersten Advent, eine Tüte mit Süßigkeiten und ein Buch neben seinem Frühstücksteller vorgefunden. *Wirtschaft leicht gemacht*, so hieß das Buch.

»Das ist doch erstaunlich«, sagte sein Vater. »Der Weihnachtsmann scheint zu wissen, dass du dich zur Zeit sehr mit Gelddingen beschäftigst.«

Felix verdrehte die Augen. »Danke, Papa. Danke, Mama.«

»Vielleicht hilft es dir ja ein wenig beim Reichwerden.«

Wenn die beiden wüssten, dachte Felix.

Später, am Nachmittag, zog er sich für das Konzert um: eine dunkle Hose, ein weißes Hemd. Er verstand nicht recht, warum seine Mutter so gerührt war, als sie ihn in diesem Aufzug vor sich stehen sah. »Mein Junge«, sagte sie und hatte nasse Augen. Rührung war das Letzte, was er jetzt brauchen konnte.

Seine Stimmung wurde etwas besser, als er in die festliche

Atmosphäre in der Aula eintauchte. Hinten, im Instrumente-
raum, blies er seine Klarinette ein; auch die Geiger und die
Cellisten stimmten hier die Instrumente; Peter schleppte seinen Kontrabass an, wie immer war er ein bisschen zu spät, aber
nicht so spät, dass Frau Böhm-Bewark mit ihm hätte schimp-
fen können.

Als sie mit ihren Instrumenten auf die Bühne gingen, war die
Aula schon bis auf den letzten Platz gefüllt. Rechts am Rand
der Bühne stand ein geschmückter Weihnachtsbaum. Felix
konnte seine Eltern im Publikum erkennen, auch die Eltern
von Peter und Gianna mit ihrer Großmutter. Das Gemurmel
der Gäste und die Geräusche der Instrumente beim Stimmen
gaben dem Ganzen etwas Festliches und Erwartungsvolles.

Der Rektor hielt eine kurze Rede und dann spielte das
Schulorchester das Weihnachtskonzert von Corelli. Die Sechst-
klässler führten ein weihnachtliches Theaterstück auf, dann folg-
te eine Flötensonate von Bach und anschließend war Pause.

Gleich zu Beginn der Pause sah Felix, dass Peter ihn aufgeregt
und mit wichtiger Miene zu sich winkte. Peter lehnte über seinem riesigen Kontrabass und flüsterte: »Wir müssen eine Vorstandssitzung einberufen. Jetzt sofort. Hier.«

»Was ist denn passiert?«

»Wart's ab.« Peter winkte mit dem Bogen seines Basses wild
in den Saal hinein.

Gianna sah ihn; sie sagte irgendetwas zu ihrer Großmutter,
dann kam sie nach vorne und sprang auf die Bühne. »Was ist
denn los? Ist schon wieder was Schlimmes passiert?«

»Eine Vorstandssitzung. Jetzt sofort.«

»In Ordnung. Die Sitzung ist eröffnet.«

»Wir suchen Rappke.«

»Was machen wir?«

»Wir suchen den Mann, der unser Geld geklaut hat, wir machen das selber. Die Polizei, die hat doch keine Ahnung. Ihr habt diesen Ohlsen ja erlebt: ›Wir leiten den Vorgang an das Landeskriminalamt weiter‹ – wenn ich das schon höre. Der weiß doch nicht mal, was ein Warentermingeschäft ist.«

»Und was hast du vor?«

»Wir fahren nach Frankfurt und besuchen die Firma *Progress Investment*. Die Adresse steht ja auf dem Brief.«

»Und dann?«

»Dann sehen wir weiter. Vielleicht rückt der Rappke das Geld freiwillig raus, wenn er merkt, dass wir ihm auf der Spur sind.«

»Und wann sollen wir deiner Meinung nach nach Frankfurt fahren?«

»Morgen!«

»Morgen?«, sagte Felix. »Du spinnst. Morgen ist doch Schule, außerdem würden meine Eltern das gar nicht zulassen. Und deine auch nicht.«

»Wenn wir sie nicht fragen, haben sie keine Gelegenheit, nein zu sagen. Und die Schule muss dann eben mal zurücktreten.«

Felix sagte erst mal gar nichts, aber Giannas Augen fingen an zu leuchten. »Du meinst, wir werden morgen die Schule schwänzen, um auf Verbrecherjagd zu gehen? *Porca miseria*, das ist gut. Das ist klasse! Ich bin dabei!«

»Aber ...«, wandte Felix ein.

»Du bist zu brav, mein Freund«, sagte Peter. »Jetzt musst du mal über deinen Schatten springen.«

Felix wollte kein Feigling sein. Und es fiel ihm ein, dass sein Vater morgen für drei Tage nach Berlin fahren wollte, um sich dort bei einer Zeitung vorzustellen. Und er dachte an die 27.000

Mark. Also gab er sich einen Ruck und sagte: »In Ordnung.«

»Topp«, sagte Peter. »Hört meinen Plan: Wir verlassen morgen unsere Wohnungen ganz normal, als würden wir zur Schule gehen. Wir gehen aber nicht in die Schule, sondern nehmen den Zug nach Frankfurt. Der fährt um ...«

»8.38 Uhr«, sagte Felix.

»Genau, den nehmen wir. Und unseren Eltern hinterlassen wir eine Botschaft, damit sie sich keine Sorgen machen und uns in der Schule entschuldigen.«

»Und wie bezahlen wir die Fahrkarten nach Frankfurt?«

»Hör mal, Gianna, wir haben zwar viel Geld verloren, aber wir sind nicht pleite. Sieh dir deine Bilanz an: Wir haben noch ungefähr 300 Mark im Schuhkarton. Das muss reichen.«

»Du bist ein Genie, Peter«, sagte Gianna und gab ihm einen Kuss auf die Wange. Peter strahlte und warf Felix einen triumphierenden Blick zu. Aber Felix dachte nur: Wenn wir nach Frankfurt fahren, kann ich vielleicht Sarah wieder sehen.

Die ganze Debatte hatte flüsternd über Peters Kontrabass stattgefunden. Jetzt erschreckte sie Frau Böhm-Bewark: »Ihr habt ja furchtbar Wichtiges zu besprechen. Hoffentlich seid ihr bei dem Bernstein genauso bei der Sache. Setzt euch auf eure Plätze!«

Oh je, der Bernstein! Jetzt musste Felix auch noch sein Klarinettensolo spielen. Mit klopfendem Herzen setzte er sich an seinen Platz; er nahm die Klarinette in die Hand, befeuchtete das Blättchen mit der Zunge und versuchte, sich zu konzentrieren. Im Stillen schloss er eine Wette ab: Wenn er sein Solo ohne Fehler schaffte, dann würde auch das Abenteuer in Frankfurt gut gehen.

Frau Böhm-Bewark hob den Taktstock und das Orchester setzte mit einem gewaltigen Akkord ein. Dann wurde es schlagartig leiser und das erste Thema der Suite wurde aufgenommen. Felix wartete auf seinen Einsatz; jetzt waren es noch acht Takte. Er blickte zu Peter hinüber. Der bearbeitete seinen Kontrabass wie ein Berserker, aber für einen winzigen Augenblick sah er von seinen Noten auf und zwinkerte seinem Freund zu. Felix bekam noch mehr Herzklopfen; dann aber setzte er die Klarinette entschlossen an den Mund und begann seinen Lauf, der sich vom eingestrichenen C in einem wilden Wirbel zum zweigestrichenen C hinaufwand. Der Lauf kam richtig, Felix hörte selbst, wie er in der Aula nachklang. Jetzt war der Bann gebrochen. Er ließ sein Instrument jubilieren und spürte, dass das Orchester an genau der richtigen Stelle einsetzte, um die Klarinette wieder in seine Gemeinschaft aufzunehmen.

Der Beifall hinterher war grandios, Felix wusste überhaupt nicht, wohin mit seiner Rührung und seinem Stolz. Viele Leute trampelten mit den Füßen und riefen »Bravo«. Und Peter zwinkerte ihm unablässig zu. Nun musste es ja gut werden mit dem Schatz.

Das Weihnachtskonzert ging zu Ende mit dem Lied *Macht hoch die Tür, die Tor macht weit,* so wie in jedem Jahr. Als alle aufstanden und die Aula verließen, sagte Felix seinen Eltern, dass er mit den Freunden nach Hause gehen wolle. Draußen, auf dem Kirchplatz vor der Schule, besprachen sie noch die letzten Einzelheiten ihres Vorhabens. »Nehmt alle was zum Schreiben mit. Und ein bisschen Taschengeld«, sagte Peter. »Und die Briefe von der *Progress Investment*«, ergänzte Gianna. So gingen sie langsam in Richtung Kartoffelmarkt. Plötzlich rief Peter: »Schaut mal, wer da sitzt!«

»Wo?«, fragte Felix.

»Dort, auf der Bank unter den Linden.«

Tatsächlich, dort saß in Kälte und Dunkelheit eine Gestalt. Sie hatte ein schwarzes Sweatshirt mit Kapuze an, die Kapuze war über den Kopf gezogen. Unten leuchteten weiße Turnschuhe. Im Arm hatte die Gestalt einen – Teddybär. Es war Kai.

»Sieh mal einer an, was für ein Zufall.« Peter baute sich vor Kai auf. »Das trifft sich ja gut.«

»Ach, lasst mich doch in Ruhe und haut ab.«

»Das würde dir so passen. Wir haben noch ein Hühnchen mit dir zu rupfen. Bist du bereit zu einem ehrlichen Kampf oder soll ich dich einfach so verhauen?« Mit diesen Worten packte Peter Kai an seinem schwarzen Sweatshirt und hob ihn hoch, so dass der Junge ihn um einen Kopf überragte. Der Teddybär fiel auf den Boden.

»Lass mich!«, schrie Kai.

Plötzlich ließ Peter das Sweatshirt los. »He, Leute – der weint ja. Wenn man so schnell Muffensausen bekommt wie der, dann sollte man sich ein bisschen anständiger aufführen, findet ihr nicht?«, sagte Peter hinterhältig.

Kai zog die Nase hoch. »Ich habe kein Muffensausen, bilde dir das bloß nicht ein.« Dann fing er auf einmal an zu zittern und schluchzte los. »Ich ... ich kann nicht mehr«, stammelte er. »Ich weiß nicht mehr, was ich tun soll. Es ist alles Mist. Und keiner kann mir helfen.«

»Was ist denn los?«, fragte Felix, freundlicher, als er beabsichtigt hatte.

»Ich bin so verdammt allein«, sagte Kai. Und dann erzählte er: Das Leben zu Hause sei ihm zuwider. Und jetzt hätten sich seine Eltern getrennt. Außerdem war sein Vater gar nicht sein wirklicher Vater, sondern jemand ganz anderes. Das war bei

274

der Gelegenheit herausgekommen. Jetzt würde es noch schlimmer werden bei ihm zu Hause. Und dann sagte Kai den verblüffenden Satz: »Kann ich nicht bei den *Heinzelmännchen* mitmachen? Bitte!«

»Nach all dem, was passiert ist? Kommt nicht in Frage«, sagte Peter.

»Aber ich will auch gar nichts von eurem Reichtum haben. Ich will nur mitmachen.«

»Die *Heinzelmännchen* sind nicht reich. Nicht mehr«, sagte Felix. »Außerdem habe ich diese fiese Geschichte bei euch im Garten noch nicht vergessen.«

»Das tut mir Leid, wirklich.«

»Davon können wir uns nichts kaufen«, sagte Peter streng. »Jetzt ist eine Abreibung fällig. Diesmal unter fairen Bedingungen.«

»Ich will mich aber nicht hauen! Ich hasse Schlägereien«, rief Kai verzweifelt. »Ich will einfach nur bei euch mitmachen.«

»Mal sehen«, sagte Felix und warf seinen beiden Freunden einen fragenden Blick zu. Beide nickten zustimmend und Felix sagte laut: »Wir könnten es ja mal auf einen Versuch ankommen lassen. Du musst aber vorher eine Mutprobe bestehen. Eine echte Mutprobe.«

»Eine Schlägerei?«

»Keine Schlägerei. Komm morgen früh an den Bahnhof. Und zwar so zeitig, dass du den Zug um 8.38 Uhr zur Kreisstadt noch kriegst. Und denk dran, dass du vorher noch eine Fahrkarte kaufen musst.«

»Was habt ihr vor?«

»Wir verreisen«, sagte Peter. »Und wir wissen noch nicht genau, wann wir zurückkehren werden. Sorge dafür, dass du in der Schule entschuldigt wirst. Und denke dir irgendeine Erklärung für deine Eltern aus.«

»Ihr meint: Wir hauen ab? Wir schwänzen die Schule? Aber das ist doch keine Mutprobe. Was habt ihr denn vor in der Kreisstadt?«

»Wo wir genau hinfahren und was wir dort tun, das erfährst du morgen früh. Vergiss nicht, Geld mitzunehmen, und zwar nicht nur für die Fahrkarte. Und Proviant wäre auch nicht schlecht.«

»Und ihr wollt mich nicht reinlegen?«

»Das Risiko musst du schon eingehen. Vertrauen gegen Vertrauen. Also: Bis morgen früh. Und kein Wort zu irgendjemand. Ist das klar?«

»Klar.«

»Und noch etwas, Kleiner«, sagte Gianna.

»Was denn?«

»Vergiss deinen Teddybär nicht.«

20. KAPITEL

Die Jagd nach dem verlorenen Schatz

Der Morgen war grau und neblig, vom Schönstädter Forst flogen kreischend die Krähenschwärme über die Stadt. Felix und Peter waren die Ersten, die genau um acht Uhr in der Bahnhofshalle eintrafen, dann kam Gianna und schließlich Kai. Felix war wie immer mit seiner Schultasche aus dem Haus gegangen, dabei hatte er jedoch leise einen Brief in den Briefkasten geworfen, auf dem stand: *Liebe Mama, lieber Papa, ich konnte heute nicht in die Schule gehen, weil ich dringend etwas mit Peter zusammen herausfinden muss. Entschuldigt ihr mich bitte? Ich werde euch hinterher alles erklären! Euer Felix.* Er wusste, dass dieser Brief nicht besonders beruhigend wirken würde, aber ihm war nichts anderes eingefallen.

Kai stand ein bisschen verloren da mit seiner Schultasche. Er hatte dasselbe schwarze Kapuzenhemd an wie am Abend zuvor.

»Hast du genug Geld für eine Fahrkarte nach Frankfurt?«, fragte Peter.

»Natürlich habe ich das. Was machen wir denn in Frankfurt?«

»Das wirst du noch erfahren. Jetzt kaufen wir erst mal die Fahrkarten.«

Der Zug, der zur Kreisstadt fuhr, kam pünktlich. Sie stiegen ein und die Fahrt begann. Felix wunderte sich, dass es so einfach ging, mit dem Zug allein in die Welt hinauszufahren.

»Nun erzählt doch mal, was ihr vorhabt in Frankfurt. Bitte«, sagte Kai.

»Wir suchen einen Verbrecher«, antwortete Peter.

»Hä?«

»Einen Verbrecher. Wenn du's nicht glaubst, dann lass es eben bleiben.«

»Ich glaub's euch ja. Und was ist das für ein Verbrecher?«

»Ein Betrüger. Er schuldet uns noch viel Geld.«

»Wie viel?«

»Das spielt jetzt keine Rolle. Vielleicht sagen wir es dir später«, mischte sich Gianna ein. »Erzähl du uns doch mal, warum du Felix angegriffen hast.«

»Ich weiß auch nicht. Ihr wart so angeberisch. Und so dick befreundet. Ich wollte von Anfang an bei euch mitmachen. Aber

277

ich dachte immer: Wenn ich euch frage, sagt ihr nein. Das hat mich wütend gemacht.«

»Du denkst zu viel, Junge. Oder zu wenig. Wie viel hast du eigentlich bei deinem Bäcker verdient?«

»Nicht viel. Ich hab ja dann gleich aufgehört, als ihr keine Brötchen mehr verkauft habt.«

»So ein Quatsch«, sagte Gianna. »So viel Ärger wegen nichts. Typisch Männer.«

In der Kreisstadt mussten sie umsteigen. Als sie im Zug nach Frankfurt saßen, sagte Felix plötzlich: »Wir brauchen noch einen Stadtplan.«

»So, brauchen wir?«, erwiderte Peter und grinste. »Dann wollen wir doch mal sehen …« Er kramte in seiner Schultasche und zog einen nagelneuen, rotgelben *Plan der Stadt Frankfurt/Main* heraus. »Du vergisst immer, dass dein Freund gute Kontakte zu einer Tankstelle hat. Da gibt es jede Menge Autofahrerbedarf. Ohne mich wärst du verratzt und verfatzt.«

Sie breiteten den Stadtplan vor sich aus. Peter hatte auch den letzten Brief von Herrn Rappke mit der Adresse der *Progress Investment* herausgeholt. »Gürtlerstraße 37. Hier, die ist gar nicht weit von der Börse entfernt. Da kennen wir uns ja aus.«

»Na, dann kann eigentlich nichts mehr schief gehen.«

»Ach, übrigens: Ich habe noch mehr mitgebracht.« Peter kramte in seiner Tasche und präsentierte ihnen ein schwarzes Etui.

»Irre – ein Handy!«, rief Kai. »Wo hast du das denn her?«

»Von Robert, meinem Bruder.«

»Und das hat er dir so einfach gegeben?«

»Sagen wir mal, ich habe es mir zum vorübergehenden Gebrauch geliehen.«

»Und was willst du damit anfangen in Frankfurt?«

»Hast du schon mal eine Verbrecherjagd ohne Telefon gesehen, Gianna?«

Felix schlug vor, noch einmal Rappkes Telefonnummer zu wählen. »Nur zur Sicherheit«, sagte er.

Peter wählte, wartete ab und hielt seinem Freund das Handy hin. »Noch Zweifel?«

»Nein, keine Zweifel. Rappke ist ein Betrüger.«

Trotz des Zuglärms hörten sie ganz eindeutig die bekannte Stimme: »*Dieser Anschluss ist vorübergehend nicht erreichbar …*«

Vom Hauptbahnhof in Frankfurt fuhren sie wieder bis zur S-Bahn-Haltestelle »Hauptwache«; von dort hatten sie ungefähr eine Viertelstunde lang zu gehen, dann waren sie in der Gürtlerstraße. Die Nummer 37 war ein ganz normales vierstöckiges Haus. Offensichtlich wohnte aber niemand darin, auf allen Etagen waren Büros. Das sah man an den Neonlampen und den Bildschirmen, die durch die Fenster zu erkennen waren.

Unten, neben der Tür, war eine Reihe mit acht Messingschildern angebracht, auf denen lauter Firmennamen standen. Es begann ganz oben mit der *Orient Trading GmbH*, darunter die *Banca di Firenze, Niederlassung Frankfurt* und so weiter. Nur eine *Progress Investment* gab es nirgends.

»Fehlanzeige«, sagte Felix.

»Aber seht euch mal die Schilder genau an«, meldete sich Kai zu Wort. »Das hier unten sieht doch nagelneu aus. Jedenfalls ist es viel sauberer als die anderen, so als sei es gerade erst angebracht worden.«

Kai hatte Recht: Links unten prangte ein nagelneues Messingschild mit der Aufschrift: *Financial Innovation – Anlagen und Vermögensverwaltungs GmbH*.

»Gar nicht so dumm, der Neue«, sagte Peter, was wohl als Kompliment für Kai gedacht war.

»Vielleicht ist Rappkes Firma umgezogen und die da können uns sagen, wohin«, meinte Felix.

»Umgezogen! Du glaubst wohl immer noch an das Gute im Menschen. Untergetaucht sind die, du wirst schon sehen«, sagte Peter und drückte den Klingelknopf, der zu dem nagelneuen Messingschild gehörte.

Der Türsummer ertönte, sie gingen eine halbe Treppe hinauf, dann durch eine Glastür und standen vor einem großen Schreibtisch, hinter dem eine junge, sehr elegante Frau mit langen, blonden Haaren sie begrüßte: »Guten Tag, kann ich helfen? Habt ihr euch verlaufen?«

»Vielleicht. Wir suchen die Firma *Progress Investment*. Sie hat diese Adresse: Gürtlerstraße 37. Aber wir finden sie nicht. Können Sie uns sagen, wo die jetzt ist?«

»Ihr sucht die *Progress Investment*? Das ist aber komisch. Ich dachte, in eurem Alter interessiert man sich für Fußball und so was. Ja, es stimmt, hier war bis letzte Woche die Firma *Progress Investment*. Aber die sind ausgezogen, deshalb konnten wir ja überhaupt dieses Büro mieten. Ein Glück, denn es gibt so wenig günstige Büros in Frankfurt.«

»Und wissen Sie auch, wo diese Firma jetzt ist?«

»Nein, das weiß ich nicht. Aber ich werde Herrn Müller fragen, unseren Geschäftsführer, der hat den Einzug organisiert. Vielleicht kann der euch weiterhelfen.« Sie stand auf, ging quer durch den Büroraum und verschwand hinter einer Tür.

»Hast du die Beine gesehen?«, flüsterte Peter.

»*Cretino*«, sagte Gianna.

Felix sah sich in dem Büro um. Es war ein sehr vornehmes Büro, überhaupt nicht zu vergleichen mit der Wirtschaftsredaktion des *General-Anzeigers* in Schönstadt. Die Schreibtische waren aus hellbraunem und schwarzem Holz, überall standen neue Bildschirme, an denen junge Männer und Frauen arbeiteten, der Boden war mit einem dunkelblauen Teppichboden ausgelegt. Am Eingang, dort, wo sie jetzt warteten, stand ein großer Christbaum.

Es dauerte nicht lange, da kam die junge Frau mit einem Mann zurück. Auffallend an Herrn Müller waren die dünne Goldrandbrille und die roten Hosenträger, die er über einem knallblauen Hemd trug.

»Guten Tag, Herrschaften«, begrüßte er die Wartenden. »Ihr sucht die *Progress Investment*, das tut mir Leid. Die Firma ist umgezogen, ich weiß nicht einmal, ob sie noch in Frankfurt ist. Obwohl die in der gleichen Branche arbeiten wie wir, nämlich Finanzanlagen. Aber das interessiert euch ja sicher nicht. Was wolltet ihr denn von dieser Firma?«

»Wir kennen da jemanden«, sagte Felix knapp.

»Und wen, wenn ich fragen darf? Ein paar der Kollegen habe ich noch kennen gelernt.«

»Willy Rappke.«

»Rappke, Rappke ... Nein, so jemanden habe ich nicht kennen gelernt, tut mir Leid. Aber wenn ihr miteinander bekannt seid, dann wird er sich ja sicher bald bei euch melden. Viel Glück!«

Sie verabschiedeten sich und gingen wieder auf die Straße hinaus. »So was Blödes. Jetzt sind wir so klug wie vorher«, sagte Gianna. »Jetzt können wir gerade wieder nach Hause fahren.«

»Moment mal«, sagte Peter. »Wir sollten nicht so schnell aufgeben. Ein Mensch und eine Firma können doch nicht einfach vom Erdboden verschwinden, das gibt's doch nicht.«

»Ich glaube, das gibt's ziemlich oft«, sagte Felix. »Eigentlich besteht eine Firma ja nur auf dem Papier, so wie die *Heinzelmännchen*. Wenn man das Papier zerreißt, gibt es sie nicht mehr. Und die Büros, was sind schon Büros?«

Während sie so sprachen, waren sie auf der Gürtlerstraße hin und her geschlendert, ohne rechtes Ziel, in der Hoffnung, dass ihnen irgendeine Idee käme. Plötzlich hielt Gianna Felix am Arm fest und zischte: »Pscht! Seht mal, was dort hinten ist!« Sie waren mittlerweile so weit gegangen, dass sie in den Hinterhof der Gürtlerstraße 37 sehen konnten. Dort war ein Parkplatz, und dort stand – ein roter *Testarossa!*

»Verdammt, der ist hier irgendwo in der Nähe«, sagte Peter. »Jetzt müssen wir nur noch auf ihn warten.«

»Kennt ihr das Auto?«, fragte Kai.

»Das ist Rappkes *Testarossa*. 390 PS.«

»Klasse«, sagte Kai. »Aber wenn das Auto ihm gehört und er ist wirklich ein Verbrecher, dann darf er euch hier nicht sehen. Sonst ist er doch gewarnt. Ihr müsst euch also verstecken. Aber *mich* kennt er nicht. *Ich* werde auf ihn warten.«

Sie mussten zugeben, Kai hatte Recht. Das Grundstück neben der Gürtlerstraße 37 war durch eine hohe Mauer von dem Parkplatz und der Straße abgetrennt, dort versteckten sich Felix, Peter und Gianna. Kai jedoch lehnte sich an ein Verkehrsschild, zog die Kapuze hoch, verschränkte die Arme und machte ein gelangweiltes Gesicht. Richtig fies sah er aus.

Und dann warteten sie. Und warteten. Ab und zu lugten Felix oder Peter um die Ecke und sahen zu, wie Kai an dem Verkehrsschild lehnte. Sie konnten nichts anderes tun als warten.

Plötzlich, nach einer schier unendlichen Zeit, hörten sie Türenschlagen. Felix sah mit einem Auge, wie Kai ungerührt dastand. Ein Motor wurde angelassen und der *Testarossa* fuhr vor, er bremste kurz in der Einfahrt, dann brauste er durch die Gürtlerstraße davon. Felix sah von hinten noch die Autonummer: *F-ZZ 1234.*

Als das Auto weg war, schlenderte Kai scheinbar völlig gelangweilt zu ihnen hinter die Mauer. Wie die Detektive im Fernsehen, dachte Felix.

»Nun, was hast du gesehen?«

»Wisst ihr, wer in dem *Testarossa* sitzt?«

»Nein. Etwa nicht der Rappke?«

»Nein, ganz sicher nicht, denn den Mann am Steuer kenne ich.«

»Und?«

»Es war Müller.«

»Der Geschäftsführer von dieser neuen Firma?«

»Genau der.«

»Verdammt«, sagte Peter. »Die beiden kennen sich.«

»Aber warum hat er uns das nicht gesagt? Wenn die beiden dasselbe Auto benutzen.«

»Die stecken unter einer Decke, ist doch klar. Und was machen wir jetzt?«

»Wir beobachten weiter«, sagte Kai. »Irgendwie müssen wir herausfinden, wo der Typ hingefahren ist. Wir bräuchten jemanden, der sich hier auskennt.«

»Sarah!«, rief Felix.

»Natürlich«, sagte Peter, »das musste ja jetzt kommen. Aber meinst du, ausgerechnet Sarah hilft uns, unser Geld wiederzufinden? Die findet doch alles doof, was mit Geld zusammenhängt.«

»Wir können sie ja wenigstens mal fragen ...«

»Jetzt ist es halb drei«, sagte Gianna. »Sarah müsste also schon von der Schule zurück sein.«

Peter holte sein Handy heraus und Felix wählte.

Sarah selbst hob ab. »Hallo Felix! Das ist aber eine Überraschung. Spielt ihr immer noch Geldverdienen?«

»Wir sind in Frankfurt.«

»Schön! Wollt ihr mich besuchen? Oder was macht ihr hier?«

»Das kann ich dir jetzt nicht sagen. Wir brauchen deine Hilfe. Kannst du mal kommen?«

»Klar. Wo seid ihr denn?«

»In der Gürtlerstraße. Vor der Nummer 37.«

»Mitten im Bankenviertel. In einer halben Stunde bin ich da.«

Felix bekam Herzklopfen, als er Sarahs Wuschelkopf um die Straßenecke kommen sah.

»Habt ihr heute keine Schule?«, fragte Sarah nach der Begrüßung.

»Doch, aber wir haben heute Wichtigeres vor«, sagte Peter.

Dann stellte Felix ihr Kai vor und erzählte in groben Zügen, wozu sie nach Frankfurt gekommen waren.

»Habe ich's nicht gesagt? Geld ist doof. Und Geldleute sind Verbrecher.«

»Ja, ja«, stöhnte Peter, »aber das hilft uns jetzt auch nicht weiter.«

»Und inwiefern, dachtet ihr, könnte ich euch helfen?«

»Du kennst dich doch in Frankfurt aus. Wir müssen herausfinden, wo der *Testarossa* hingefahren ist. Dann wissen wir vielleicht auch, wo Rappke steckt.«

»Einen Ferrari in Frankfurt finden? Du hast Nerven. Frankfurt ist ein bisschen größer als Schönstadt. Das habt ihr wohl vergessen. Uns bleibt nichts anderes übrig, als diesen Eingang hier zu bewachen, und zwar rund um die Uhr. Da fällt mir ein: Wo werdet ihr heute Nacht eigentlich schlafen?«

»Schlafen?«, sagte Felix. »Wir wollten eigentlich heute Abend nach Schönstadt zurückfahren.«

»Wenn ihr wirklich Verbrecher jagen wollt, könnt ihr nicht abends brav nach Hause fahren.«

»Daran haben wir noch gar nicht gedacht. Könnten wir denn bei dir ...?«

»Ich fänd's lustig, wenn ihr mit zu mir kämt. Aber dann könnt ihr auch gleich selbst euren Eltern sagen, wo ihr seid. Meine Mutter würde natürlich meinen Vater anrufen. Nein, wir brauchen eine andere Lösung.«

»Martha«, sagte Gianna.

»Die Karatefrau? Du spinnst«, erwiderte Peter. »Wir können doch nicht einfach so bei einer wildfremden Frau ankommen und sagen: Hast du mal ein Bett für uns? Und dann noch zu viert.«

»Was willst du sonst machen?«, fragte Gianna. »Gleich nach Hause fahren? Jetzt, wo wir eine Spur gefunden haben? Außerdem ist Martha keine wildfremde Frau.«

»Schon, schon. Aber was sagen wir unseren Eltern?«, meinte Peter. »Die holen doch die Polizei, wenn wir heute Abend nicht nach Hause kommen ...«

»Ich schlage vor, dass Felix bei seinen Eltern anruft und ihnen sagt, dass wir geschäftlich unterwegs sind und leider erst morgen zurückkommen können ...«

»Und dann werden sie sicher sagen: Ach, das ist aber nett, mein Junge, amüsier dich ruhig noch ein bisschen.«

»Felix soll gar nicht so lange warten, bis sie irgendwas antworten können. Er soll ihnen nur sagen, dass sie unseren Eltern Bescheid geben und dann legt er einfach auf.«

»Meine Mutter dreht durch«, sagte Felix.

»Was meinst du, wie sie erst durchdreht, wenn sie hört, dass dir 27.000 Mark durch die Lappen gegangen sind.«

Felix musste zugeben, dass Gianna Recht hatte. Er nahm das Handy und wählte schweren Herzens die Nummer seiner Eltern.

Es meldete sich seine Mutter: »Mensch, Felix, was fällt dir ein? Sag mir sofort, wo du steckst!« Felix sagte sein Sprüchlein auf und drückte auf den roten Knopf. Er durfte gar nicht daran denken, was passieren würde, wenn er sich wieder zu Hause blicken ließ.

»Siehst du, es war doch ganz einfach. Und jetzt rufen wir Martha an.« Gianna wählte und sprach kurz mit der Karatefrau. Dann sagte sie erleichtert: »Alles klar. In einer halben Stunde treffen wir uns bei dem Bullen und dem Bären. Wir können bei Martha übernachten, sagt sie. Sie ist sehr gespannt, was wir ihr erzählen. Einer sollte, finde ich, hier Wache schieben, falls der *Ferrari* wiederkommt.«

»Ich mach das«, sagte Kai. »Ihr müsst mich aber nachher wieder abholen.«

»Logisch, machen wir«, sagte Gianna.

Dann gingen sie zusammen zum Börsenplatz und schüttelten wenig später der Karatefrau die Hand.

»Ihr seid ja richtig oft in Frankfurt«, sagte sie. »Aber erzählt mal, was euch an einem ganz normalen Schultag hierher führt.« Dann hörte sie den Kindern aufmerksam zu. Ab und zu schüttelte sie den Kopf, und als Gianna, Felix und Peter fertig waren, meinte sie: »Ich muss schon sagen – es gibt intelligentere Methoden, sein Geld loszuwerden! Und jetzt seid ihr also von zu Hause durchgebrannt, um euern Schatz wiederzubekommen. Ihr habt wirklich Mut.«

Sie hatte heute nicht ihren Karateanzug an, sondern einen langen Mantel und darunter ein kurzes Kleid, an dem ihr Ausweis befestigt war. »Verrückt, verrückt, aber vielleicht kann ich euch wirklich helfen, diesen Rappke zu finden. Ob ihr allerdings euern Schatz wiederbekommt – da solltet ihr euch keine zu großen Hoffnungen machen. Der könnte weg sein.«

Bevor sie sich verabschiedeten, schrieb die Karatefrau noch etwas auf einen Zettel: »Das ist meine Adresse, kommt heute Abend um sieben, dann sehen wir weiter. Obwohl ich euch ja eigentlich direkt nach Hause schicken müsste.«

*

Die Wohnung der Karatefrau befand sich am Ende einer Buslinie in einem Hochhaus. Gianna drückte den Klingelknopf und zu fünft fuhren sie mit dem Aufzug in die 24. Etage hinauf. Dort erwartete sie Martha: »Kommt herein und macht es euch gemütlich, das heißt, so gut es eben geht. Meine Wohnung ist nicht auf Kinderbesuch eingerichtet.«

Es war eine sehr vornehme Wohnung, fand Felix. Auf dem Boden lag ein weicher Teppich, so dick, dass man ein bisschen einsank, wenn man drüberging. An der Wand hing ein riesiges Ölbild, auf dem man nichts erkennen konnte. Vor dem Fenster fehlten die Vorhänge, so dass man die Lichter der Stadt blinken sah. In einem tiefen Sessel saß ein junger Mann, der jetzt aufstand und den Kindern die Hand hinstreckte.

»Darf ich euch meinen Freund vorstellen: Max Färber. Er versteht ein bisschen was von eurem Problem, denke ich. Er ist nämlich Detektiv. Und spezialisiert auf den grauen Kapitalmarkt.«

»Ein Detektiv? So richtig mit Pistole und so?«, fragte Peter.

»Eine Pistole habe ich nicht«, sagte Max Färber und lachte. »Die habe ich bis jetzt auch nicht gebraucht. Die Verbrecher, mit denen ich es zu tun habe, die haben zum Glück meist keine Waffen. Die versuchen, ihre Opfer mit List und krummen Touren fertig zu machen. Erzählt mir doch mal von eurem Fall.«

Ohne sichtbare Regungen hörte sich der Detektiv die Geschichte von Herrn Rappke an. »Das ist ja wie im Bilderbuch«, sagte er hinterher. »Genau so machen sie es immer. Aber dass sie jetzt auch schon Kinder übers Ohr hauen, das ist mir neu.«

Dann sah er die Briefe von Herrn Rappke durch, die Peter mitgebracht hatte. »Habe ich mir's doch gedacht. Genau wie immer«, sagte er wieder. »Ihr seid auf einen Betrüger hereingefallen, und zwar auf einen von der übelsten Sorte. Übrigens glaube ich nicht, dass dieser Herr Rappke der wirkliche Boss in dem Laden ist. Meistens haben solche Leute Hintermänner, die die Fäden in der Hand halten. Es passt alles zusammen. Auch, dass die Firma plötzlich verschwunden ist.«

»Werden wir unseren Schatz denn wiederbekommen?«, fragte Felix.

»Das kann ich euch nicht versprechen. Ihr solltet mal lieber vom Schlimmsten ausgehen.«

»Haben die sich unser Geld einfach eingesteckt?«

»Nein, so dumm sind die heute nicht mehr. Was sie gemacht haben, nennt man in der Fachsprache *churning*. Sie haben wirklich Geschäfte gemacht. Aber viel zu viele und völlig unsinnige.

Das war ihnen jedoch egal, denn ihnen kam es nur darauf an, dass überhaupt Geschäfte gemacht wurden. Denn daran haben sie ja verdient.«

»Das verstehe ich nicht«, sagte Felix.

»Es ist aber ganz einfach. Die Leute von *Progress Investment* brauchen für ihre Geschäfte eine Warenterminbörse. Es gibt zwar neuerdings auch eine hier in Deutschland, nämlich in Hannover, aber die wichtigste ist die in Chicago. Sie rufen also zum Beispiel am Nachmittag, wenn es in Chicago neun Uhr morgens ist, bei einem Händler an, einem sogenannten Broker. Den beauftragen sie damit, zum Beispiel eine Tonne Kupfer per 1. April zu kaufen. Das macht der Broker, aber natürlich nicht umsonst. Er berechnet eine Gebühr, soviel ich weiß, sind das 25 Dollar pro Geschäft. Die *Progress Investment* hat euch aber für die Vermittlung jeweils 150 Dollar berechnet. Also mussten die nur ganz viele Geschäfte machen, um an euch zu verdienen. Und damit war euer Geld ganz schnell aufgebraucht. Einfach durch die Gebühren. Das sieht man auf den Abrechnungszetteln, die Rappke euch geschickt hat: Die haben bis zu drei Geschäfte am Tag gemacht. Völlig irrsinnig.«

»Aber das ist ja eine Riesensauerei. Ist das nicht verboten?«, sagte Felix.

»Vermittlungsgebühren sind erlaubt, aber natürlich nicht so hohe. Das ist kriminell. Doch die meisten Kunden durchschauen das nicht, genauso wenig wie ihr.«

»Warum steht darüber nichts in der Zeitung? Man müsste die Menschen warnen vor so etwas!«

Max Färber lachte: »Die werden doch gewarnt! Aber sie wollen es gar nicht wissen. Die hören etwas von 70 oder 100 Prozent Gewinn und dann schalten sie ihren Verstand einfach ab.

Es ist unglaublich, wie dumm die Menschen sein können, wenn die Geldgier sie packt.«

»Siehst du?«, sagte Sarah. »Geld ist doof. Es macht die Leute dumm.«

»Nicht immer, aber sehr oft«, pflichtete Max ihr bei.

»Und was ist jetzt mit der Firma *Progress Investment?*«, fragte Felix. »Warum ist die plötzlich verschwunden? Und warum fährt der Geschäftsführer von der neuen Firma mit dem Auto von Rappke herum?«

»Die Firma *Progress Investment* und die neue Firma stecken unter einer Decke, da bin ich mir ganz sicher. Ich glaube, dass der Geschäftsführer der neuen Firma genauso nur ein kleiner Fisch ist wie Rappke auch. Wahrscheinlich haben die so viele Leute reingelegt, dass ihnen die Sache zu heiß wurde. Deshalb haben sie die Firma aufgelöst. Und wenn sich jetzt jemand beschweren will, ist einfach niemand mehr da, bei dem man sich beschweren könnte. Dafür entsteht eine neue Firma, die keiner kennt, und das ganze Spiel beginnt von neuem. So ist das in dieser Branche.«

»Das heißt: Wir müssen die Hintermänner finden?«

»Genau, darum geht es.«

»Und wie machen wir das am besten?«

»Wir werden morgen das Haus beobachten, und zwar so lange, bis der *Testarossa* wieder auftaucht. Und dann sehen wir weiter. Der *Testarossa,* das ist die Spur, die uns zu den Hintermännern führt, da bin ich ganz sicher.«

In diesem Moment klingelte es an der Wohnungstür und Martha öffnete. Ein Mann übergab ihr einen Stapel mit sieben großen Pizza-Schachteln.

»Das Abendessen ist fertig«, sagte die Karatefrau. »Bitte kommt zum Essen in die Küche. Max saut immer so, wenn er Pizza isst. Und hier macht das nichts.«

Die Küche war sehr klein und es gab dort nur zwei Stühle. Deshalb setzten sich alle auf den Boden und stopften die Pizza in sich hinein.

»Sind Sie beide eigentlich verheiratet?«, fragte Gianna die Karatefrau.

»Heiraten, daran haben wir noch gar nicht gedacht. Ist das nicht reichlich unmodern?«

»Ich möchte mal heiraten, wenn ich groß bin«, sagte Gianna. »Und eine große Familie haben.«

»Darüber werden wir noch reden, Schatz«, sagte Peter. Gianna warf ihm einen bösen Blick zu. Aber der war nur gespielt. Felix wunderte sich, wie gut die beiden sich verstanden.

Max lehnte sich an den Kühlschrank, wischte sich den Mund ab und sagte: »Es hätte schon Vorteile zu heiraten. Dann müssten wir weniger Steuern zahlen ...« Mehr sagte Max nicht, denn Martha warf ihm einen nassen Spüllappen ins Gesicht. Aber auch sie schien nicht böse zu sein.

»Morgen wird ein anstrengender Tag für euch«, sagte sie dann. »Wer Verbrecher jagen will, der muss ausgeschlafen sein.«

Aus Wolldecken und Kissen bereiteten sie ein Nachtlager auf dem weichen Wohnzimmerteppich. Max brachte Sarah in seinem Auto nach Hause. Felix fand das schade. Er hätte gern neben Sarah gelegen, so wie Peter neben Gianna. Aber kaum hatte er sich neben Kai ausgestreckt, da war er auch schon eingeschlafen.

21. KAPITEL

Gefangene Haie

Das Haus in der Gürtlerstraße sah völlig unverdächtig aus. Menschen kamen und gingen. Durch die hell erleuchteten Fenster sah man Männer und Frauen an Bildschirmen arbeiten. In anderen Fenstern standen Weihnachtslichter. Es war ein grauer Tag, die Autos fuhren mit Licht, obwohl es schon neun Uhr vormittags war. Der Testarossa war noch nicht da, davon hatte Kai sich überzeugt.

Dicht gedrängt saßen sie mit Max in dessen Auto: Felix, Gianna, Peter und Kai. Sarah war in der Schule. Max hatte ein großes Auto, es besaß eine Standheizung und auf der Mittelkonsole war eine Mulde, in der eine Dose Cola stand. So saßen sie im Warmen und warteten und beobachteten die Hofeinfahrt. Draußen hasteten graue Menschen mit bunten Einkaufstüten und schwarzen Aktentaschen durch die Straßen. Auf den Alleebäumen saßen Krähen, genau wie im Schönstädter Forst. Felix ging das Warten ziemlich auf die Nerven. Plötzlich stieß Max Färber einen leisen Pfiff aus.

»He, seht mal, wer da kommt!«

Vor ihnen, bei einer Ampel, ging eine alte Frau, auf einen Stock, gestützt über die Straße. Und vor der Ampel wartete tatsächlich der rote *Ferrari*. Die Ampel sprang für die Autos auf Grün, der *Testarossa* fuhr an, drehte auf und bog dann in die Hofeinfahrt ein. Es war jetzt genau 9.35 Uhr.

»War das der ehrenwerte Herr Rappke?«, fragte Max.

»Ich weiß nicht, er sah eher aus wie Herr Müller, der Geschäftsführer der neuen Firma«, sagte Felix.

»Dann werden wir der Sache jetzt auf den Grund gehen. Das heißt, ich werde nach oben gehen, in die Firma, und mich ein wenig umsehen. Denn mich kennen die ja noch nicht. Ich werde euer Handy mitnehmen, wenn ihr nichts dagegen habt. Ihr wartet hier und behaltet die Hofeinfahrt im Auge. Falls der *Ferrari* wegfahren sollte, ruft ihr mich vom Autotelefon aus an. Es funktioniert wie ein Handy. Alles klar?«

»Alles klar«, sagte Felix und die anderen nickten.

Max stieg aus, schlug den Mantelkragen hoch, rannte über die Straße und verschwand im Eingang des Bürohauses.

»Jetzt bin ich gespannt«, sagte Gianna.

Felix klopfte das Herz. Komischerweise fiel ihm plötzlich ein, dass er ja eigentlich in der Schule sein müsste, dass eben der Mathematikunterricht bei Basilius Löwenstein begonnen hatte und dass seine Eltern sich vermutlich sehr große Sorgen machten.

»Glaubt ihr, unsere Eltern haben wegen uns die Polizei eingeschaltet?«, sagte er wie zu sich selber.

»Meine ganz sicher nicht«, murmelte Kai.

»Mein Vater wird toben. Aber zur Polizei rennt er nicht gleich«, sagte Peter.

»Bei Nonna bin ich mir nicht so sicher. Die ist zu den verrücktesten Dingen imstande«, sagte Gianna. »Ich hoffe, deine Mutter hat's ihr schonend beigebracht.«

»So oder so«, seufzte Felix, »unser Empfang zu Hause wird bestimmt nicht schonend.«

Dann schwiegen sie wieder und starrten hinaus auf die graue Straße, auf das Haus mit den hell erleuchteten Fenstern und auf die Hofeinfahrt.

»Mist!«, rief Peter plötzlich und schnappte sich das Autotelefon. Jetzt hörte auch Felix den dröhnenden Motor des *Testarossa*, er bog ruckartig um die Ecke und bremste in der Hofeinfahrt. Peter tippte hastig die Nummer ihres Handys. »Mensch, nun geh doch endlich ran!«, zischte er. Der *Testarossa* fuhr aufjaulend an. Nun ist die ganze Warterei vergebens gewesen, dachte Felix. Doch da sprang die Ampel wieder auf Rot. Mehrere kleine Kinder, begleitet von einer Kindergärtnerin, gingen in Reih und Glied über die Straße. Der *Ferrari* musste warten. In diesem Augenblick flog die Tür des Bürohauses auf und Max rannte quer über die Straße auf sie zu. Felix und Peter winkten aufgeregt und zeigten auf den wartenden *Ferrari*. Max hatte offenbar begriffen. Er riss die Tür auf, warf sich hinters Steuer und ließ den Motor anspringen.

»Der hat Verdacht geschöpft. Jetzt müssen wir ihm auf den Fersen bleiben.«

Max parkte aus, im selben Augenblick sprang die Ampel auf Grün. Der *Testarossa* startete. Jetzt waren noch zwei Autos zwischen ihm und seinen Verfolgern.

»Meinen Sie, der hat gesehen, wie Sie ins Auto gestiegen sind?«

»Sieht nicht so aus. Wenn wir Glück haben, führt er uns zu Rappke. Beziehungsweise zu seinen Hintermännern. Als ich den Geschäftsführer nach Rappke fragte, hat er zwar ganz normal geantwortet, das Gleiche wie bei euch. Aber ich habe genau gespürt, dass ihm die Sache nicht geheuer war. Schließlich haben ihn jetzt kurz hintereinander zwei Leute nach dem Mann gefragt.«

»Scheinbar will er geheim halten, dass er mit Rappke zusammensteckt. Aber warum fährt er dann mit dessen Auto rum?«, fragte Felix.

»Zum Glück machen alle Leute Fehler. Und Anlagebetrüger

sind so aufs Geld und den Luxus aus, dass sie manchmal ganz besonders dumme Fehler machen. Und die werden ihnen dann zum Verhängnis. Aber so weit sind wir noch nicht. Man soll nicht voreilig sein.«

Dieser Herr Müller schien wirklich nicht gemerkt zu haben, dass er verfolgt wurde. Der *Testarossa* ordnete sich ganz normal in den Verkehrsfluss ein. »Der hält sich sogar an Tempo 50«, sagte Max. »Er will wohl auf keinen Fall in eine Polizeikontrolle geraten.«

Sie fuhren auf breiten Straßen quer durch Frankfurt. Mit der Zeit schienen sie aus der Stadt herauszukommen. Sie fuhren ein Stück auf einer Autobahn, dann kamen sie auf eine Landstraße. Felix fiel auf, wie sicher Max dem *Ferrari* auf den Fersen blieb. Er kam ihm nie zu nahe, ließ meistens ein anderes Auto zwischen sich und dem Verfolgten, aber er verlor ihn auch nie aus den Augen.

Jetzt leuchteten die Bremslichter auf und das rote Auto bog in einen Parkplatz ein. Der lag am Rande eines großen Einkaufszentrums. Der *Ferrari* rollte langsam über den Parkplatz und dann in eine Tiefgarage hinein.

»Los, hinterher«, sagte Max. »Du, Kai, bleibst im Auto, Felix, Peter und Gianna, ihr seht euch in dem Einkaufszentrum um, vielleicht ist er ja nur einkaufen gegangen. Ich werde mir in der Tiefgarage mal das Auto näher ansehen. Felix nimmt das Handy mit. Und wenn irgendwas ist: Sofort anrufen! Dann drückt Kai zur Warnung auf die Hupe. Und nur beobachten. Keine Heldenaktionen. Ihr seid keine Polizisten, sondern Detektive. Alles klar?«

»Alles klar!«

Max ging mit schnellen Schritten über den Parkplatz und

verschwand in der Einfahrt zur Tiefgarage. Die drei Kinder gingen in das Einkaufszentrum. Aber wo sollten sie suchen?

»Kommt, wir teilen uns auf«, sagte Peter. »Gianna nimmt die Geschäfte hier links, ich nehme den Supermarkt und Felix den großen Kleiderladen dort hinten.«

Als Felix das Herrenbekleidungsgeschäft betrat, sah er, dass es zwei Etagen hatte. Überall hingen Anzüge und Mäntel auf Kleiderständern, dazwischen waren Truhen mit Hemden und Unterhosen. Das ganze Geschäft war sehr unübersichtlich. Felix ging sorgfältig von Reihe zu Reihe. Er sah allen möglichen Männern ins Gesicht, aber der Geschäftsführer Müller war nicht darunter. Er suchte die hintersten Winkel ab, er sah in Umkleidekabinen nach, er ging in das obere Stockwerk, alles vergeblich.

Felix wollte schon wieder zurück zu den anderen, da fiel ihm etwas auf: In einer Ecke neben den Ankleidekabinen war ein Aufzug. Über der Tür standen erleuchtete Zahlen, die gingen bis zur Ziffer »6«. Vielleicht wollte der Geschäftsführer ja gar nicht einkaufen. Vielleicht wohnte er hier! Felix zögerte nicht lange, er holte den Aufzug und fuhr in die sechste Etage. Oben betrat er einen schäbigen Flur.

Hier gab es drei Türen. Felix las die Türschilder: *Rolf Scheler & Dr. Hans Seidel, Rechtsanwälte*; *Marlies Merker, Psychotherapie* und *Karl Bart, Steuerberater*. Ob der Geschäftsführer zum Rechtsanwalt gegangen war? Oder zum Steuerberater? Felix beschloss, sein Glück eine Etage tiefer zu versuchen. Auch hier waren wieder drei Türen, ein Zahnarzt, ein Augenarzt und ein Türschild, mit dem Felix nichts anfangen konnte: *Transatlantic Trading Company GmbH*.

Er wollte gerade das Treppenhaus betreten, um noch ein Stockwerk hinunterzugehen, da hörte er, wie sich eine Tür öffnete.

Er drehte sich um und sah, wie aus der Tür der *Trading Company* drei Männer herauskamen. Felix war wie vom Schlag gerührt: Zwei dieser Männer kannte er. Einer war Müller, der Geschäftsführer, der andere war – Rappke. Der unbekannte Dritte schloss die Tür ab und sagte zu den anderen: »Also AX 1749, habt ihr euch das gemerkt?«

»Yes, Sir«, sagte Rappke auf Englisch. Dann drehte er sich um und entdeckte Felix: »Was machst du denn hier«, rief er überrascht.

Felix kam gar nicht dazu zu antworten, denn der Unbekannte herrschte Rappke an: »Wer ist das?«

»Das ist Felix Blum aus Schönstadt ...«

»Du und deine Scheiß-Kinder! Ich hab dir gleich gesagt, du sollst das bleiben lassen. Na warte ...«

Nun ging alles ganz schnell. Der Unbekannte lief auf Felix zu, holte mit der Faust aus, dann wurde es Felix schwarz vor den Augen.

*

Er wachte auf mit schmerzendem Kopf. Um ihn herum war es dunkel. Wo war er bloß? Er wollte seine Stirn anfassen, da merkte er, dass seine Hände am Rücken gefesselt waren. Er konnte auch nichts sagen, denn sein Mund war mit einem Klebestreifen zugeklebt. Was für ein Irrsinn! Er wollte nur seinen Schatz zurückholen und jetzt war er gefangen. Von echten Gangstern. So etwas gab es doch nur im Fernsehen.

Dann fiel Felix auf, dass sich sein Gefängnis bewegte, es ruckte hin und her. Gleichzeitig hörte er Verkehrslärm. Ich bin in einem Kofferraum!, schoss es ihm durch den Kopf. Wo würden ihn die Verbrecher hinbringen? Vielleicht fuhren sie mit ihm in einen Wald, um ihn zu erschießen. So etwas hatte er in Filmen schon gesehen. Aber Max hatte doch gesagt, Anlagebetrüger hätten keine Pistolen, die würden andere Methoden anwenden. Doch dieser Gedanke beruhigte ihn überhaupt nicht. Hätte ich nur nie den Schatz gefunden!, dachte Felix verzweifelt.

Seine Handgelenke taten ihm weh, und er versuchte, sich irgendwie umzudrehen. Seine Füße waren ebenfalls gefesselt, aber ein wenig Spielraum hatte er und es gelang ihm, sich etwas bequemer hinzulegen. Er lauschte auf den Verkehr. Das Auto fuhr jetzt sehr ruhig. Wahrscheinlich waren sie auf einer Autobahn. Ob die andern wohl schon gemerkt hatten, dass er fehlte? Sicher hatten sie das. Aber wie sollten sie ihn finden? Felix hätte gern gewusst, ob das Handy noch in seiner Jackentasche war. Aber er war so unglücklich gefesselt, dass er es nicht herausfinden konnte.

Wieder lauschte er auf die Geräusche. Was fehlte, waren menschliche Stimmen. Vielleicht fuhr der Autofahrer allein. Oder es gab keinen Grund für ihn, zu reden. Jetzt bremste das Auto ab und fuhr in eine Kurve, was Felix daran merkte, dass er im Kofferraum auf eine Seite kullerte. Dann kam noch eine Kurve und das Auto fuhr einen Berg hinauf. Plötzlich hielt es an und der Motor wurde abgestellt. Türen öffneten sich und schlugen wieder zu. Dann war Stille. Totenstille, dachte Felix.

Was sollte er jetzt tun? Ob die Verbrecher ihn vergessen hatten? Oder ob sie ihn mit Absicht verhungern ließen?

Felix zerrte an seinen Fesseln. Sie waren nicht so fest angezogen, wie er zuerst gedacht hatte. Ob sie die Fesseln mit Absicht locker gemacht hatten, um keinen Mord auf dem Gewissen zu haben? Felix zerrte noch mehr und nach und nach gelang es ihm, seine Arme hinter dem Rücken ein kleines bisschen zu bewegen. Das gab ihm Mut; er zerrte und rüttelte, dann verließen ihn die Kräfte und er musste eine Pause machen.

Nach ein paar Minuten versuchte er es noch einmal, er zerrte mit aller Kraft – und tatsächlich: Er hatte eine Hand frei bekommen. Jetzt war alles ganz einfach: Er zog die andere Hand aus der Schlinge, dann riss er das Klebeband von seinem Mund. Als Letztes machte er die Fußfesseln los und war frei. Das heißt – in dem Kofferraum war er natürlich immer noch.

Er begann, mit der Faust gegen den Kofferraumdeckel zu schlagen. Es dröhnte laut, doch draußen blieb alles still. Hatten sie das Auto tatsächlich in einem Wald abgestellt? Aber warum?

Das Handy! Er tastete seinen Körper ab und in seiner Anoraktasche steckte tatsächlich noch das Funktelefon. Bestimmt hatten sich die Verbrecher nicht vorstellen können, dass ein zwölfjähriger Junge so etwas bei sich hatte. Das war vielleicht die Rettung. Felix hatte noch in Erinnerung, wo ungefähr der Startknopf war. Sofort leuchtete die Bedienungsoberfläche des Handys auf. Er gab die PIN-Nummer ein und die Nummer von Max' Autotelefon. Zweimal läutete es, dann nahm jemand ab.

»Hallo, wer ist da?«, hörte er die Stimme von Max.

»Hier ist Felix, könnt ihr mich holen?«

»Felix, Mensch, wo steckst du denn? Wir haben dich überall gesucht. Ist dir was passiert?«

»Mir geht's gut, jetzt, wo ich die Fesseln abgemacht habe.«

»Die Fesseln?«

»Ich bin in einem Kofferraum, aber von den Fesseln habe ich mich befreit. Jetzt weiß ich nicht, wie ich hier rauskommen soll.«

»Bist du gefangen? Wo steht das Auto denn?«, rief Peter aus dem Hintergrund.

»Woher soll ich das denn wissen? Die Verbrecher haben es mir nicht gesagt, bevor sie verschwunden sind.«

»Versuch mal, ob du die Rückbank umtreten kannst. Und schalte das Handy nicht aus. Unter keinen Umständen«, sagte Max.

»Aber die Telefongebühren ...«

»Vergiss die Telefongebühren. Denk an euren Schatz.«

Felix trat mit beiden Beinen kräftig gegen die Rückbank. Tatsächlich schien sie sich zu bewegen. Währenddessen hielt er das Handy ans Ohr.

Er hörte die Stimme von Peter. »Aber ein *Testarossa* hat doch gar keinen Kofferraum hinter der Rückbank ...«

»Dass ich da nicht früher drauf gekommen bin«, sagte Max. »Die haben den *Ferrari* stehen lassen und sind mit einem anderen Auto weggefahren. Kommst du frei?«

»Ich versuch's«, sagte Felix und trat kräftig zu.

Nun gab die Rückenlehne endgültig nach und ein Spalt öffnete sich, durch den Tageslicht in den Kofferraum drang.

»Ich glaub, ich bin durch«, berichtete er. Dann trat er noch einmal zu und die Rückbank klappte nach vorne. Felix kroch aus seinem Gefängnis, er blinzelte in das Tageslicht. Als er sich an die Helligkeit gewöhnt hatte, sah alles verschwommen aus. Er merkte, dass er seine Brille nicht aufhatte. Felix legte das Telefon neben sich und tastete mit den Händen den Boden des Kofferraums ab. In einer Ecke fand er sie, setzte sie auf und blickte sich um. Das Erste, was er sah, war ein dicker Strich vor seinem linken Auge. Die Brille hatte bei der Fahrt einen Sprung bekommen.

»Ich glaub, ich bin in einem Parkhaus«, sagte Felix in das Handy.

»Und wo ist das?«, fragte Max. »Kannst du jemanden fragen?«

»Da ist niemand. Ich glaube, ich bin der einzige Mensch in dem ganzen Parkhaus.«

»Dann suche irgendeinen Hinweis, ein Schild oder so. Und sag mir, in was für einem Auto du bist und was für eine Nummer es hat.«

»Ich schau mal nach.« Felix krabbelte aus dem Kofferraum in den Fahrgastraum und öffnete eine der hinteren Türen. Draußen waren unglaublich viele Autos, aber keine Menschenseele. Felix lief um das Auto herum, immer mit dem Handy in der Hand.

»Hier ist die Nummer: *F-ZZ 1984*. Kommt mir vor, als hätte ich die schon irgendwo gesehen. *F-ZZ* ...«

»Die ist ganz ähnlich wie die von dem *Testarossa*. Was die sich wohl dabei gedacht haben ... Jetzt versuche herauszufinden, wo du bist.«

»Das Parkhaus hier ist bis auf den letzten Platz belegt. Und gleich daneben ist noch eines«, sagte Felix in das Telefon. »Aber hier sehe ich ein Schild: *Terminal 1*.«

»Der Flughafen! Auf dem Flughafen sind die!«, rief Max. »Die wollen sich absetzen. Und weil du sie dabei erwischt hast, haben sie dich in den Kofferraum gesperrt. Sie haben dich mit Absicht so gefesselt, dass du irgendwann wieder frei kommst. Sie wollten dich nicht aus dem Weg räumen, sondern Zeit gewinnen.«

»Wir müssen herausfinden, wo sie hingeflogen sind.«

»Es ist höchstens eine Stunde vergangen, seit wir dich verloren haben. Sie können unmöglich schon gestartet sein. Ich werde jetzt ein bisschen herumtelefonieren. Die Sache steht gar nicht so schlecht. Auf jeden Fall kommen wir so schnell wie möglich zum Terminal 1 des Flughafens. Dort werden wir uns treffen. Aber sage mir noch eines: Wer war es, der dich gefesselt hat?«

»Das waren Rappke und Müller und noch ein dritter Mann, den ich nicht kannte.«

»Wie sah dieser dritte Mann aus? Ist dir etwas an ihm aufgefallen?«

»Ich habe ja keine Zeit gehabt, ihn mir richtig anzusehen. Er sah irgendwie normal aus. Genauso alt wie die beiden anderen. ... Ach ja: Mir schien seine eine Augenbraue viel größer zu sein als die andere. Aber ich bin mir nicht ganz sicher.«

»Zwei unterschiedliche Augenbrauen? Nein, da kenne ich niemanden. Wir werden sehen. Bis gleich! Pass auf dich auf!«

»Mache ich. Ich werde im Terminal 1 sein.«

Felix klappte das Handy zusammen und steckte es ein. Dann ging er durch das Parkhaus auf den Ausgang zum Terminal 1 zu. Felix hatte einmal mit seinen Eltern eine Flugreise unternommen; daher wusste er ein bisschen, wie es auf einem Flughafen zugeht. Als er aus dem Parkhaus kam, ging er über eine Fußgängerbrücke, die über eine vierspurige Straße führte. Er betrat eine große Halle, in der unglaublich viele Menschen waren. Das war offensichtlich die Abflughalle. Aber wie sollte er hier die drei Verbrecher finden? Felix irrte durch die Menschenmassen, ohne richtig zu wissen, was er tun sollte. Er sah Menschen mit riesigen Koffern, mit Gepäckwagen oder auch nur mit kleinen Täschchen. Überall flimmerte es, hier war es unmöglich, einen Überblick zu bekommen.

Er ging weiter durch eine Schleuse. Ein Mann untersuchte Felix mit einem piepsenden Gerät.

»Na, junger Mann, ganz allein auf Reisen?«, sagte der Sicherheitsbeamte. Felix musste seinen Anorak auf ein Förderband legen, das durch einen Kasten führte. »Na so was, was hast du denn mit diesem Handy vor?«, fragte der Mann.

»Das gehört meinem Vater, er ist schon vorausgegangen«, log Felix.

»Und ich dachte schon, du wärst in eigenen Geschäften unterwegs.« Der Uniformierte lächelte gutmütig und ließ Felix weitergehen.

Aus dem Lautsprecher in der Halle ertönte eine Stimme: *Familie Windmöller, gebucht nach Barcelona, wird gebeten, sich umgehend zum Ausgang B 31 zu begeben.* Dann sagte die Stimme noch etwas auf Englisch und Spanisch. Felix ging weiter durch die Halle. Er hatte Herzklopfen, weil er unbedingt etwas tun wollte, um die Verbrecher aufzuhalten, aber nicht wusste, was. Er sah sich die Menschen in der Abflughalle an: Es gab weiße und farbige, große und kleine, Männer mit Turbanen und Frauen mit langen Gewändern. Die meisten Männer sahen so aus wie in der Börse. Unter ihren grauen Mänteln sah man dunkle Anzüge, viele von ihnen telefonierten mit ihren Handys. Einige saßen und lasen Zeitung, andere hatten sich über drei Sitze gelegt und schliefen.

Oben über dem Menschengewühl war eine große Tafel; sie sah so ähnlich aus wie die Kursanzeigetafel, die sie bei ihrem Besuch in der Frankfurter Börse gesehen hatten. Dort standen offensichtlich die Abflugzeiten der Flugzeuge: *Barcelona 14.30 Uhr; Rom 14.30 Uhr; Dresden 14.40 Uhr* und so weiter. Hinter einigen Flügen blinkte ein grünes Licht und es erschien die Aufschrift: *Boarding*. Das bedeutete wohl, dass diese Maschinen jetzt gleich losflogen. Felix ging weiter durch die Halle. Dann wandte er sich um und blickte nochmals auf die Anzeigetafel. Irgendetwas hatte ihn stutzig gemacht. Und jetzt wusste er es: Überall vor den Flugzielen waren Nummern. *LH345, LH8921, BA7865, AX7634 ...*

AX? AX, das hatte er schon irgendwo mal gehört. Dann las er: *AX1749*. Das war es: Die Nummer, die sich die Verbrecher zugerufen hatten, kurz ehe sie ihn entdeckten. *AX1749 Kingston B 37* stand auf der Anzeigetafel. Und in diesem Augenblick begann das grüne Lämpchen dahinter zu leuchten und die Aufschrift *Boarding* erschien.

Jetzt oder nie, dachte Felix und rannte los. Er rannte, wie er noch nie gerannt war, schlängelte sich zwischen Trauben von Menschen durch, dann hinein in einen langen Gang. Rechts und links waren überall Ausgänge mit Nummern: *B 30, B 31* und so weiter. Der Gang schien kein Ende zu nehmen. *B 34, B 35* ... schließlich stand er vor einer Glastür mit der Nummer *B 37*. Oben drüber die Aufschrift *AX1749 Kingston*. Das grüne Lämpchen daneben blinkte. Vor der Tür stand eine junge Frau in einer Stewardessen-Uniform und kontrollierte die Bordkarten der Fluggäste. Durch die Glasscheibe sah man die wartenden Passagiere: Einige saßen, einige tranken Kaffee, andere standen am Ausgang Schlange. Der Ausgang führte direkt zu einem Jumbo-Jet. Er trug hinten auf der Schwanzflosse die Aufschrift *All Island Airways*. Felix musterte scharf die einzelnen Passagiere – und dann hatte er sie: In der Schlange vor der Gangway standen Rappke und der Geschäftsführer und vor ihnen der unbekannte Dritte, der mit der dicken Augenbraue.

Felix überlegte nicht lange. Er stürmte auf die Glastür zu.

»He, junger Mann, so einfach geht das nicht. Erst muss ich deine Bordkarte sehen.«

»Ich hab keine Bordkarte«, stieß Felix hervor. »Ich muss da rein, da sind drei Männer, die unsern Schatz gestohlen haben!«

»Nun mach mal langsam, für Abenteuerspiele ist ein Flughafen wirklich nicht der richtige Ort.« Die junge Frau war immer noch sehr freundlich.

»Ich spiele nicht, ich muss da rein! Die haben ganz viel Geld gestohlen und jetzt wollen sie abhauen.«

»Hör mal, du kannst doch nicht einfach unsere Fluggäste als Diebe beschimpfen ...«

«Und gefesselt haben sie mich auch ...«

»Ich finde, du solltest erst mal deine Eltern suchen. Ich muss diesen Flug jetzt schließen.«

Die Schlange vor der Gangway hatte sich jetzt in Bewegung gesetzt und nach und nach verschwanden die Passagiere. Rappke und seine beiden Kumpane rückten langsam nach vorne. Sie redeten miteinander und hatten Felix offenbar noch nicht entdeckt. Irgendetwas musste geschehen! Und zwar sofort! Aber er dachte einen Augenblick zu lange nach. Denn jetzt rief die junge Frau vom Eingang *B 37* quer über den Gang: »Hallo, können Sie uns bitte helfen!«

Zwei Polizisten in grünen Uniformen und mit umgehängten Maschinenpistolen kamen näher.

»Der junge Mann hier behauptet, in dem Flugzeug säßen drei Verbrecher, und er will unbedingt, dass ich den Flug aufhalte. Vielleicht können Sie den Fall ja klären. In einer Minute muss ich den Flug hier schließen.«

Die beiden Polizisten blickten Felix durchaus freundlich an

und einer der beiden sagte: »Drei Verbrecher, sagst du? Wie heißen sie denn, deine drei Verbrecher?«

»Der eine heißt Rappke, der zweite Müller und den Namen des dritten kenne ich nicht. Bitte, es muss ganz schnell gehen.« Felix sah, dass die Schlange verschwunden war. Im Warteraum waren keine Passagiere mehr.

»Nur keine Aufregung, wir kümmern uns schon darum. Was haben die Verbrecher dir denn angetan?«

»Sie haben mich geschlagen und gefesselt. Und mich um ganz viel Geld betrogen!«

»Aha, gefesselt«, sagte einer der Polizisten sehr ernsthaft. »Und um wie viel hat man dich denn betrogen?«

»Um 27.000 Mark! Bitte beeilen Sie sich doch!« Das grüne Lämpchen über dem Ausgang hörte auf zu blinken und die Aufschrift *AX1749 Kingston* verschwand.

Der andere Polizist nahm sein Funkgerät und sprach hinein: »Hier haben wir einen jungen Mann, der behauptet, im Flug *AX1749* säßen drei Verbrecher, einer davon heiße Rappke. Haben wir da irgend jemanden auf den Fahndungslisten? ... Aha, das habe ich mir gedacht ... Ja, ein junger Mann ... Stimmt, er hat eine Brille.« Und zu Felix gewandt sagte der Polizist: »Wie heißt du, mein Junge? Und wie alt bist du?«

»Felix Blum aus Schönstadt, und ich bin fast dreizehn ...«

»Alles klar, wir bringen ihn«, sagte der Polizist, lächelte und steckte sein Funkgerät weg. »Da haben wir ja einen kleinen Ausreißer gefasst ... Auf Verbrecherjagd gehen – also, was sich die Kinder heute alles ausdenken. Deine Eltern haben sich ziemliche Sorgen gemacht, Felix Blum.«

Die Eltern! Die hatten doch tatsächlich die Polizei eingeschaltet. Und jetzt vermasselten sie alles. Sie waren schuld, wenn der

Schatz nun endgültig verloren war, schoss es Felix durch den Kopf.

»Kann ich den Flug jetzt schließen?«, fragte die Stewardess. »Wir sind schon zehn Minuten über der Zeit.«

»Ja, natürlich, schließen Sie.« Und zu Felix sagte der Polizist: »Wo sind denn deine drei Freunde?«

In diesem Moment ertönte ein Schrei durch den Gang: »Feeelix!« Es war die Stimme von Gianna. Ganz hinten im Gang sah er sie winken. Sie rannte auf ihn zu und neben ihr liefen Max, Peter, Kai und Sarah.

»Halten Sie den Flug auf!«, rief Max schon von weitem den Polizisten zu. »Da sitzt einer drin, der wird steckbrieflich gesucht!«

»Sind das die vermissten Kinder?«, fragte einer der Polizisten. »Können Sie mir eine Erklärung geben, welche Rolle Sie bei der Sache spielen?«

»Ja, später. Hören Sie: Da drin in dem Flugzeug sitzt Johann Zay, der größte Anlagebetrüger Deutschlands. Und der will sich jetzt absetzen. Tun Sie was! Sonst kriegen Sie riesigen Ärger.«

»Also, wenn hier einer Ärger bekommt, dann sind Sie es. Wegen Kindesentführung«, sagte der Polizist und holte wieder sein Funkgerät heraus – ganz langsam.

Felix sah, wie die Stewardess den Warteraum mit einer Kette abschloss und zum Flugzeug ging. Jetzt oder nie, dachte Felix. Er machte einen Schritt rückwärts, zwinkerte Peter zu, dann schwang er herum, tauchte unter der Kette durch und rannte auf den Zugang zum Flugzeug zu. Hinter sich hörte er aufgeregte Rufe. Er rannte durch die Gangway und sah jetzt die Flugzeugtür, gerade war die Stewardess dabei, einen großen Hebel umzulegen und die Tür zu schließen.

»Was ist denn jetzt noch los?«, rief sie, aber da war Felix schon an ihr vorbei ins Flugzeug gestürmt. »... *begrüßen wir Sie auf unserem Flug nach Kingston. Die voraussichtliche Flugzeit wird 7 Stunden und 40 Minuten betragen. Wir bitten Sie nun...*«, sagte eine Stimme aus dem Lautsprecher. »Verdammter Bengel! Mach sofort, dass du hier rauskommst«, kreischte die Stewardess dazwischen. Sie war jetzt gar nicht mehr freundlich. Felix ließ sich nicht beirren: Er suchte die Reihen der Fluggäste ab, die ihn alle erstaunt anblickten. Er musste nicht lange suchen – schon in einer der ersten Reihen saßen sie: Rappke am Gang, in der Mitte Müller, rechts am Fenster der Unbekannte mit der dicken Augenbraue.

»Geben Sie mir mein Geld wieder!«, schrie Felix sie an.

Rappke schien ehrlich überrascht. Er strich die Zeitung auf seinem Schoß glatt und sagte äußerst höflich: »Dein Geld? Kennen wir uns? Ich fürchte, da liegt eine Verwechslung vor.«

In diesem Augenblick fühlte sich Felix von hinten am Arm gepackt. »Und jetzt, Freundchen, wirst du das Flugzeug verlassen. Und zwar ohne weitere Mätzchen«, sagte eine Männerstimme. »Sonst wird die Sache für deine Eltern sehr teuer.« Jemand in einer blauen Uniform bugsierte Felix aus dem Flugzeug heraus. Der Griff war so stark, dass es gar keinen Zweck hatte, sich zu wehren. Wahrscheinlich war es der Pilot oder der Co-Pilot. Jetzt war alles verloren.

In der Gangway kamen ihnen die beiden Polizisten mit den Maschinenpistolen entgegen. Aber was bedeutete das? Sie nahmen ihn gar nicht in Empfang, wie er erwartet hatte, sondern rannten an ihnen vorbei. »Lassen Sie den Jungen los!«, rief einer der beiden. Dann verschwanden sie im Flugzeug.

Keine Minute später kamen sie wieder heraus. Zwischen sich

führten sie Rappke, Müller und den Unbekannten. Die drei trugen Handschellen.

Felix hörte, wie der Unbekannte zu Rappke sagte: »Du mit deinen Scheißkindern!«

Dann hörte er gar nichts mehr. Denn jetzt stürmten alle auf ihn ein – Sarah, Peter, Gianna, Kai und Max.

»Mensch, das hast du toll gemacht«, sagte Peter. »Dafür, dass du sonst so brav bist ...«

»*Porca miseria*«, sagte Gianna. »War das eine Aufregung!«

Kai schlug ihm mit der flachen Hand auf die Schulter und Max fragte besorgt: »Ist bei dir auch wirklich alles in Ordnung?«

Sarah hatte bisher nur dabei gestanden. Jetzt ging sie einen Schritt auf Felix zu und sagte: »Schön, dass dir nichts passiert ist!« Und dann gab sie ihm einen Kuss, mitten auf den Mund. Felix spürte, wie sein Gesicht dunkelrot wurde.

»Kommt, wir gehen jetzt mal zur Wache, da müssen wir der Polizei alles erzählen«, sagte Max.

Sie machten sich auf den Weg.

Felix ging neben Sarah, aber er wusste nicht, was er zu ihr sagen sollte.

»Warum bist du denn nicht in der Schule?«, fragte er schließlich. Etwas Besseres war ihm nicht eingefallen.

»Du stellst Fragen«, antwortete sie und ergriff seine Hand.

Als Felix zurückzuckte, flüsterte sie ihm zu: »Stell dich nicht so an! Du warst doch bis jetzt so mutig.« Und Hand in Hand gingen sie weiter.

»Siehst du, Mädchen mögen eben reiche Männer«, flüsterte ihm Peter von links ins Ohr.

*

Auf der Flughafenwache saßen sie den beiden Polizisten mit den Maschinenpistolen gegenüber und einem freundlichen Herrn, der sich als Hauptkommissar Samuel vorstellte. Ehe der aber noch etwas sagen konnte, fragte Felix: »Wie kam es denn, dass Sie die Verbrecher doch noch verhaftet haben, im letzten Augenblick?«

»Tja«, sagte Herr Samuel, »das war wirklich Glück. Ausschlaggebend war deine Information, dass der dritte Mann zwei ungleiche Augenbrauen hat und eine Autonummer mit lauter Z's.«

»Woher wussten Sie das denn?«

»Das hat uns Herr Färber erzählt. Wir kannten zwar niemanden mit unterschiedlich dicken Augenbrauen. Aber dann kam plötzlich einem Kollegen die Erleuchtung: Das war keine dicke Augenbraue, sondern ein Muttermal direkt über dem Auge. Und so ein Muttermal hat nur einer: Johann Zay, der ungekrönte König des grauen Kapitalmarkts.«

»Daher auch die ganzen Z's in den Autonummern?«

»Genau. Zay ist noch eitler, als er vorsichtig ist. Deshalb hat er sich Autonummern mit lauter Z's ausgesucht. Wir wussten schon lange, dass Zay ein Verbrecher ist. Er hat die Leute schon um Millionen betrogen, allerdings konnten wir ihm nie etwas nachweisen. Sein letzter Trick war ein Schneeball-System ...«

»Ich glaube, das sollten Sie den Kindern erklären«, sagte Max.

»Ein Schneeballsystem ist so etwas Ähnliches wie ein Kettenbrief: Einer, in diesem Fall Hans Zay, sagt zu einem Kumpel: Wenn du jemanden dazu überredest, bei mir 1.000 Mark zu investieren, dann bekommst du davon 200 Mark. Der sagt zum nächsten genau das Gleiche: Suche jemanden, der 1.000 Mark investiert, dann gehören dir 200 Mark, und so geht das immer weiter, wobei der, der als Erster den Schneeball geworfen hat, steinreich wird ...«

»Das funktioniert aber nur, wenn immer neues Geld eingezahlt wird, oder?«

»Genau, und deshalb ist das ganze Betrug. Weil die Menschen aber dumm sind, haben sie Zay immer gedeckt, denn sie hofften, von ihm doch noch ihr Geld zurückzubekommen. Und deshalb hatten wir nichts gegen ihn in der Hand. Aber jetzt, wo wir wissen, dass er auch hinter der *Progress Investment* steckt, ist das anders. Jetzt wird es dem Staatsanwalt leicht fallen, ihn ins Gefängnis zu bringen.«

»Und wann bekommen wir unser Geld wieder?«, fragte Gianna.

»Tja, euer Geld«, sagte der Kommissar. »Wie viel habt ihr denn an die *Progress Investment* gezahlt?«

»27.000 Mark.«

»27.000 Mark? Wollt ihr mich verkohlen? Wo bekommen denn Kinder 27.000 Mark her?«

»Wir haben einen Schatz gefunden.«

»Einen Schatz? Das müsst ihr mir erzählen. Aber wehe euch, ihr schwindelt mich an, dann lasse ich euch sofort verhaften.«

Felix, Peter und Gianna erzählten ihm nun alles von den *Heinzelmännchen*, von der Klarinette, dem Schatz, der Börse und von *Telekid*. Als dann die Rede auf Rappke kam, schüttelte der Kommissar den Kopf. »Wie kann man nur?«, sagte er. »So jemandem gibt man doch nicht sein Geld.«

Felix schloss die Erzählung ab: »Und weil wir Rappke ausfindig machen wollten, mussten wir nach Frankfurt fahren.«

»Wann bekommen wir denn nun unser Geld zurück?«, fragte Peter ungeduldig.

»Tja, euer Geld. Das wird nicht so einfach sein. Zur Zeit untersuchen unsere Leute das Geheimbüro über dem Supermarkt, das ihr entdeckt habt. Ich habe aber Zweifel, ob wir bei Zay und seiner Bande noch so viel finden werden.«

»Wieso?«, fragte Peter. »Sie haben ihn verhaftet. Dann können Sie ihm doch auch sein Geld abnehmen.«

»Schon, schon. Aber was ist, wenn das Geld verschwunden ist?«

»Wo soll es denn sein? Meinen Sie, er hat es schon ausgegeben?«

»Das ist gut möglich. Leute wie Zay und Rappke haben einen aufwendigen Lebensstil, wie ihr an dem *Ferrari* seht. Dafür muss man viel Geld ausgeben. Außerdem wollten sie sich gerade in die Karibik absetzen. Es ist also zu vermuten, dass sie einen Teil des Geldes dort bei irgendeiner obskuren Bank angelegt haben. An die kommen wir wahrscheinlich nicht ran. Das Geld werden sie dort liegen lassen für den Tag, an dem sie wieder aus dem Gefängnis herauskommen.«

»Aber das ist doch ungerecht!«, rief Gianna.

»Stimmt. Aber so ist das Leben.«

»Halt! Da ist doch noch der *Testarossa!* Der ist bestimmt viel wert«, sagte Peter.

»Den *Ferrari* werden wir natürlich beschlagnahmen. Aber damit werden wir nicht weit kommen. Zay und seine Leute haben ja viele Anleger betrogen, um mehrere Millionen Mark geschädigt. Und die wollen jetzt alle ihr Geld zurück. Ich an eurer Stelle wäre erst mal froh, dass Felix nichts passiert ist. Ihr habt großes Glück gehabt. Die Sache hätte schlimmer ausgehen können.«

Nun meldete sich Max zu Wort: »Wir müssen eure Eltern benachrichtigen. Seid ihr einverstanden, wenn ich das mache?«

Felix war sehr einverstanden. An die kommenden Gespräche zu Hause dachte er mit großem Unbehagen.

»Hallo, Herr Blum?«, sagte Max ins Telefon, »hier spricht Max Färber aus Frankfurt. Ich wollte Ihnen nur mitteilen, dass die Kinder hier sind. Und dass es ihnen gut geht ... Was sie hier gemacht haben? Nun, sie haben eine Bande von Anlagebetrügern gejagt. Die Polizei hat sie dann verhaftet ... Nein, nein, die Betrüger wurden verhaftet, nicht die Kinder ... Jetzt sofort? ... Nein, ich würde sagen, es ist besser, wenn sie die Nacht noch einmal hier bleiben, damit sie richtig ausschlafen können ... Felix? Der sitzt hier neben mir ... Ja, ich glaube, das geht schon ...« Max reichte den Hörer an Felix weiter.

»Hallo, Papa«, sagte er kleinlaut.

»Felix!«, rief sein Vater mit brüchiger Stimme. Dann räusperte er sich. »Geht es dir wirklich gut?«

»Ja wirklich, mir geht es gut. Macht euch keine Sorgen.«

»Nein, Sorgen, machen wir uns jetzt keine mehr. Dieser Max soll sich darum kümmern, dass ihr richtig ausschlaft. Und den Rest erzählt ihr mir morgen.«

»In Ordnung, Papa.«

Als Felix das Telefongespräch beendet hatte, sagte Max: »Jetzt haben wir uns, glaube ich, wirklich ein gutes Abendessen verdient. Ich schlage vor, dass wir uns mit Martha im Restaurant *Bulle & Bär* treffen.«

*

Im Restaurant saßen sie an einer langen Tafel. Sie war mit einer weißen Tischdecke gedeckt und in der Mitte gab es zwei silberne Kerzenleuchter. Vor ihnen waren gestärkte Servietten aufgestellt.

»Sucht euch aus, was ihr wollt. Heute seid ihr unsere Gäste«, sagte Martha.

Felix war so hungrig, dass er schon keinen Hunger mehr hatte. Außerdem beschäftigten ihn andere Sachen: Neben ihm saß Sarah und hielt unter der Tischdecke seine Hand.

»Ohne diesen Rappke hättest du dich wohl gar nicht mehr bei mir gemeldet. Warum eigentlich?«, fragte sie.

»Ich habe geglaubt, dass du mich doof findest. Du findest doch alle doof, die sich mit Geld abgeben.«

»Aber bei dir ist das etwas anderes.«

Felix wusste plötzlich nicht, was er sagen sollte. Doch unter dem Tisch drückte er ganz leicht Sarahs Hand

Jetzt schlug die Karatefrau mit einer Gabel an ihr Glas.

»Lieber Felix, liebe *Heinzelmännchen*. Wenn jemand eine Heldentat vollbracht hat, dann muss er Reden über sich ergehen lassen. So ist das heute Abend bei euch. Aber ich kann euch versprechen, dass meine Rede sehr kurz sein wird. Mit eurer Beharrlichkeit habt ihr einen der gefährlichsten Anlagebetrüger hinter Gitter gebracht. Das ist keine Kleinigkeit. Ihr seid füreinander eingestanden und das ist vielleicht das Wichtigste. Aber noch etwas anderes ist auch sehr wichtig: Ihr habt in den letzten Stunden mehr über Geld und Wirtschaft gelernt, als viele in einem ganzen Erwachsenenleben lernen. Bitte denkt immer daran: *There is no such thing like a free lunch.* Das heißt, wenn euch einer das Blaue vom Himmel verspricht, dann lügt er. Aller Reichtum muss letztlich erarbeitet werden, auch das, was wir hier an der Börse verdienen. Risikolose Traumrenditen, so etwas gibt es einfach nicht ...«

»Gerade du musst das sagen, liebe Martha«, rief Max. »Du

hast in *Telekid* investiert und verdammtes Glück gehabt. Zwei Tage später, und du hättest viel mehr Geld verloren als die Kinder hier mit ihrem Schatz.«

»Max, dass du auch immer alles verraten musst. Na ja, niemand ist vollkommen. Und warum soll man nicht auch mal ein bisschen Glück haben?«

Alle lachten und stießen dann mit ihren Gläsern an.

»Auf die Zukunft!«, sagte Max.

»Auf die *Heinzelmännchen*«, sagte Martha.

22. KAPITEL

Rhapsody in Blue

Mit einem Ruck hielt der Zug im Bahnhof von Schönstadt. Schon durch das Fenster sah Felix, wer alles auf dem Bahnsteig stand: seine Eltern, die Eltern von Peter, Giannas Großmutter und Herr Schmitz. Wie ein Empfangskomitee standen sie da, trotz der Kälte des Dezembertages.

Felix fühlte sich sehr unbehaglich, aber als er ausgestiegen war, rannte er auf seine Mutter zu und umarmte sie.

»Warum habt ihr denn die Polizei gerufen? Habt ihr wirklich gedacht, wir seien alle davongelaufen?«

»Was hätten wir tun sollen? Nach deinem komischen Anruf.«

»Ihr hättet ein bisschen Vertrauen in mich haben können.«

»Ach ja?«, sagte sein Vater. »Hast du etwa Vertrauen bewiesen, als du uns von euren Warentermingeschäften nichts erzählt hast?«

»Ich hatte Angst, du würdest sagen, dass ich alles auf mein Sparbuch einzahlen soll.«

»Ich hätte dich auf jeden Fall daran gehindert, dein Geld Betrügern in den Rachen zu werfen. 27.000 Mark!«

»Ihr wisst das alles schon?«

»Ja, Herr Schmitz hat uns ein bisschen aufgeklärt. Ich kann nur sagen, wenn du dein Geld aufs Sparbuch eingezahlt hättest, würdest du jetzt mehr haben.«

»Auf dem Sparbuch wäre es gar nicht erst so viel geworden«, wandte Felix' Mutter ein .

»Außerdem findet die Polizei das Geld vielleicht wieder«, sagte Felix.

»Da würde ich mir keine so großen Hoffnungen machen. Jetzt sollten wir aber nach Hause gehen, damit du dich noch ein bisschen ausruhen kannst, ehe heute Abend dein Besuch kommt.«

»Besuch? Was für ein Besuch?«

»Na, dieser Amerikaner, Martin Friedmann. Du hast uns doch erzählt, dass er irgendwas mit der Klarinette und dem Goldschatz zu tun hat.«

Martin Friedmann, den hatte er ganz vergessen. Wie sollten sie ihm das alles bloß erklären? Wenigstens hatten sie noch den Diamanten.

Bevor die Freunde sich nun trennten, sagte Felix noch zu Kai: »Du hast die Mutprobe bestanden. Ich finde, du gehörst jetzt dazu.«

*

Abends um fünf standen sie wieder am Bahnhof und warteten auf Martin Friedmann. Der Zug aus der Kreisstadt fuhr ein und die Leute stiegen aus. Felix sah sich jeden der Fahrgäste an. Es waren Berufstätige, die von der Arbeit heimkamen. Alle waren zu jung, um Martin Friedmann zu sein, sie strebten eilig zum Ausgang hin.

Der Bahnsteig war schon fast leer, da sah Felix, wie hinten bei der ersten Klasse der Schaffner jemandem aus dem Zug half. Erst nahm er einen Koffer ab und stellte ihn auf den Boden, dann half er einem alten Mann aus dem Zug. Der Reisende war ziemlich groß, aber über einen Stock gebeugt. Er hatte einen beigen Mantel an und kam nun mit einem großen Koffer langsam auf sie zu. Das Auffallendste an ihm war ein breiter, schwarzer Hut, wie ihn sonst in Schönstadt niemand trug.

»Guten Abend«, begrüßte er sie. »Könnt ihr mir sagen, wo ich hier ein Taxi finde?« Der Mann sprach mit einem merkwürdigen Akzent, er rollte das »R« auf eine komische Weise.

»Sind Sie Herr Friedmann?«

»Der bin ich, ja. Woher wisst ihr das? Seid ihr etwa ...«

»Gianna, Peter, Kai, und ich bin Felix.«

»Aber ihr seid ja noch Kinder ...«

»Ja, wussten Sie das nicht?«

»Woher hätte ich das wissen sollen? Ihr habt es mir ja nicht geschrieben.«

»Willkommen, Herr Friedmann«, sagte Felix und streckte ihm die Hand entgegen. Die anderen taten es ihm gleich.

»Ich bin sehr müde von der langen Reise und würde jetzt am liebsten in das *Weiße Kreuz* gehen. Und morgen früh würde ich dann gerne die Klarinette sehen. Glaubt ihr, dass sich das machen lässt?«

317

»Klar«, sagte Peter. Und zu Felix gewandt: »Dann müssen wir bis morgen warten, bis wir ihm alles erzählen.«

Felix dachte, dass Herr Friedmann wahrscheinlich nicht mehr so freundlich dreinschauen würde, wenn er die Geschichte mit dem Schatz hörte.

Am anderen Morgen holten sie Martin Friedmann im *Weißen Kreuz* ab und gingen mit ihm quer durch die Stadt.

»Sieh mal an. Hier schaut ja noch alles so aus wie damals«, sagte er, als sie vor dem Musikalienladen von Herrn Schmitz standen. »Da war früher mal ein Papiergeschäft drin, Papierhandlung Müller oder so. Gibt es dahinten noch den Obstgarten mit den guten Zwetschgen?«

»Kirschen sind es«, sagte Peter.

»Kirschen? Na ja, es sind ja auch ein paar Jahre vergangen seither.«

»Außerdem haben wir dort unseren Hühnerstall«, sagte Gianna.

»Ihr habt Hühner? Ihr scheint mir ja ein paar bemerkenswerte Kinder zu sein.«

Die Tür ging auf und Herr Schmitz kam aus dem Geschäft. »Sie sind Herr Friedmann, nicht wahr?« Er führte den alten Herrn und die Kinder in sein Hinterzimmer. Dort war es überraschend aufgeräumt und in der Mitte stand das Notenpult, auf dem die Klarinette lag.

Herr Friedmann sagte nichts. Er lehnte seinen Stock an den Schreibtisch und ging auf das Notenpult zu. Er nahm die Klarinette in seine Hände, ganz vorsichtig, als sei sie aus Glas und könnte bei einer unbedachten Bewegung zerspringen. Mit den Fingerkuppen strich er über die Klappen. Dann löste er den schwarzen Faden, mit dem das Blättchen oben am Mundstück festgemacht war, befeuchtete das Blättchen mit der Zunge und band es neu fest, blies zweimal kräftig in das Mundstück und setzte die Klarinette an.

Zuerst hörte man fast nichts, dann setzte ganz leise ein tiefer Ton ein, er wurde langsam lauter, schliff nach oben, ging in einen Triller über und leitete dann in eine Kaskade von Tönen über, wie sie Felix noch nie gehört hatte, wie ein merkwürdiges Jazz-Stück, das dann lustig ausplätscherte.

Herr Friedmann setzte die Klarinette ab. Im Zimmer herrschte erst mal ehrfürchtiges Schweigen.

»*Rhapsody in Blue*«, sagte Herr Schmitz. »Dass Sie das noch können, in Ihrem Alter.«

Herr Friedmann schien das Kompliment nicht gehört zu haben. Er strich wieder mit den Fingerkuppen über die Klappen der Klarinette. »Ich möchte die Klarinette gerne wiederhaben. Wie viel muss ich Ihnen dafür bezahlen?«

»Ich glaube, darüber werden wir uns schon einig. Aber zuerst haben wir Ihnen noch etwas zu erzählen. Mögen Sie Popcorn?«

Herr Friedmann sah verblüfft auf. »Popcorn? Und ob! Ich hätte gar nicht gedacht, dass es so etwas in Schönstadt gibt.«

»Die Zeiten haben sich eben doch ein bisschen geändert, seit Sie die Stadt verlassen haben.«

Herr Schmitz ging hinaus und kam mit zwei großen Tüten Popcorn zurück. Er bot Herrn Friedmann den einzigen Stuhl im Zimmer an, die anderen setzten sich auf den Schreibtisch und auf Zeitungs- und Notenstapel auf dem Boden. Herr Schmitz griff in die Schreibtischschublade und holte die Aktie der *Süddeutschen Maschinenbau AG* heraus.

»Sagt Ihnen diese Aktie etwas?«

»*Süddeutsche Maschinenbau AG* ... Merkwürdig. Ich habe den

Namen irgendwann schon mal gehört. Es scheint mir fast, als habe mein Vater einmal ein paar Anteile besessen. Wo haben Sie die Aktie her?«

»Sie war in der Verkleidung Ihres Klarinettenkastens versteckt. Wir haben sie zufällig entdeckt.«

»In dem Kasten? Das ist ja unglaublich!«

»Aber da war noch mehr drin.« Und nun erzählten Herr Schmitz und die Kinder ziemlich durcheinander die ganze Geschichte mit den Goldmünzen, mit den *Heinzelmännchen*, den Spekulationen und Herrn Rappke; auch wie sie die Verbrecher gefunden hatten und dass ihr Geld wahrscheinlich trotzdem weg war.

»Lauter Gold-Vreneli, im Klarinettenkasten ... Da wäre ich nie drauf gekommen. Dort also hat Vater sein Vermögen versteckt ...«, murmelte Herr Friedmann wie zu sich selber.

»Sind Sie uns jetzt böse?«, fragte Gianna.

»Böse, warum böse?«

»Na, weil der Schatz jetzt weg ist. Wenn er doch Ihrem Vater gehört hat.«

»Nein, nein, ich bin euch nicht böse. Im Gegenteil. Heute brauche ich das Geld nicht mehr. Damals, da hätte ich es gut brauchen können ... So, aber jetzt müsst ihr euch etwas Zeit nehmen. Denn ich will euch eine Geschichte erzählen. Sie wird wohl ein bisschen länger dauern. Wollt ihr?«

»Natürlich«, sagte Felix. »Bitte erzählen Sie!«

Herr Friedmann machte eine längere Pause, dann begann er langsam und mit leiser Stimme zu erzählen: »Ein paar Dinge über mich habt ihr ja schon herausgefunden. Dass ich im *Schönstädter Tanzorchester* Klarinette gespielt habe. Und dass mein Vater Zahnarzt war.«

»Stimmt«, sagte Felix, »und dass die ganze Stadt sich bei ihm die Zähne richten ließ.«

»Jedenfalls hat mein Vater dabei nicht schlecht verdient. Und mit dem Geld hat er dann an der Börse sein Glück versucht. Er hat uns nicht viel davon erzählt. Er war wohl der Meinung, dass sich Kinder und Frauen mit solchen Dingen nicht befassen sollten. Ein bisschen was habe ich aber doch mitbekommen. Einmal muss er durch eine Pleite viel Geld verloren haben, ich glaube, es handelte sich um die *Süddeutsche Maschinenbau AG*, daher kommt mir der Name wohl so bekannt vor. Aber ich habe keine Ahnung, warum er die Aktie aufbewahrt hat. Vielleicht war er ein wenig sentimental.

Als Hitler an die Macht kam, hat mein Vater die Nazis zuerst nicht recht ernst genommen. Er hielt sie für dumm und ungebildet, wie die Betrunkenen, die am Stammtisch im *Weißen Kreuz* Parolen gegen die Juden grölten. Wenn sie wieder nüchtern waren, kamen sie dann doch in seine Praxis und ließen sich die Zähne flicken. Die sind doch nur ›Pack‹, sagte mein Vater immer über die Nazis, ›die können sich kein halbes Jahr halten. In Italien ist so was vielleicht möglich, aber in Deutschland nicht.‹ Als die Nazis sich dann doch länger als ein halbes Jahr an der Macht hielten, begann er sich Sorgen zu machen, vor allem um unser Vermögen. Den Juden war ja auch in früheren Zeiten immer mal wieder ihr Hab und Gut weggenommen worden. Was dann wirklich noch alles passiert ist, hätte er wahrscheinlich selbst dann nicht geglaubt, wenn man es ihm vorhergesagt hätte.

›Ich habe vorgesorgt. Unser Vermögen ist in guten Händen‹, sagte er zu meiner Mutter und lächelte zufrieden. Ich sehe ihn noch am Küchentisch sitzen, als wäre es erst gestern gewesen.

Nie im Traum hätte ich daran gedacht, *wo* Vater sein Vermögen versteckt hatte. Kurz ehe die Nazis an die Macht kamen, hatte er mir eine Klarinette mit einem neuen Klarinettenkasten geschenkt. Zwar mochte er die Musik nicht besonders, die wir machten. ›Das ist mir zu atemlos‹, sagte er. Aber er ließ mich gewähren, weil er meinte, dass die Jugend sich austoben muss, damit sie keinen Unfug macht. Und als wir dann mit dem Tanzorchester öffentlich aufgetreten sind, da war er wohl auch ein bisschen stolz auf seinen Sohn. Dass er sein Vermögen in meinem Klarinettenkasten versteckte, hat er mir nie gesagt, vielleicht wollte er mich nicht belasten. Ich erinnere mich, dass er sehr häufig sagte: ›Und lass deine Klarinette nirgendwo liegen.‹ Aber das ist mir damals nicht aufgefallen.

Dann starb mein Vater, ganz plötzlich. An einem Herzinfarkt. Er lag einfach morgens tot im Bett, ohne dass er sich noch hätte von uns verabschieden können oder uns sagen, wo sein Vermögen war. Nach der Beerdigung beschloss meine Mutter, dass wir nach Amerika auswandern sollten. Sie glaubte, dass Vater mit seinem Vermögen geflunkert hatte und dass in Wirklichkeit gar nichts mehr da war. Und sie wollte fort aus einem Deutschland, in dem die Leute immer mehr durchdrehten. Es war unser Glück, denn wenig später durften Juden nicht mehr ausreisen. Eine Kusine meines Vaters lebte in Philadelphia und dort konnten wir erst mal hinziehen.«

»Aber warum haben Sie die Klarinette denn in Deutschland gelassen?«, fragte Felix.

»Ja, die Klarinette. Um das zu erklären, muss ich noch mal auf das Tanzorchester zurückkommen. Wir waren ziemlich gut, muss ich sagen. Und das kam auch gut an ...«

»Ja, das hat uns Herr Böhme schon erzählt«, sagte Peter.

»Was, der Frank lebt noch?«

»Natürlich, über den haben wir doch Ihren Namen herausgefunden.«

»Ausgerechnet der ... der hat euch meinen Namen gesagt?«

»Es war ein bisschen mühsam«, meinte Herr Schmitz.

»Ist ja auch egal ... Jedenfalls hatte ich damals eine besonders gute Freundin: Paula. Sie war mehr als eine Freundin. Wir waren richtig verliebt. Das konnten wir in der Öffentlichkeit nicht zeigen, denn Paula war keine Jüdin, sie war ›arisch‹, wie die Nazis sagten. Und Liebe zwischen Arierinnen und Juden galt damals als ›Rassenschande‹ und war streng verboten. Deshalb mussten wir uns immer heimlich treffen. Wir beschlossen zu heiraten, sobald die Nazis nicht mehr an der Macht waren. Dann wanderten meine Mutter und ich aus, aber das änderte nichts an unserem Versprechen. Und als Unterpfand ließ ich ihr das Wertvollste, was ich hatte: meine Klarinette. Sie wollte sie aufbewahren, für bessere Zeiten. Das hatte übrigens auch einen ganz praktischen Grund: Wer auswanderte, musste damit rechnen, dass ihm die Polizei alles abnahm, was irgendwie wertvoll war.

Ja, und damit ist die Geschichte eigentlich schon fast erzählt. Wir zogen nach Amerika, ich ging ins College, dann begann der Krieg. Die Nazis wurden besiegt und ich kam wieder nach Schönstadt zurück.«

»Sie waren wieder hier? Ich dachte ...«, sagte Herr Schmitz.

»Ich kam wieder zurück – als Sergeant der US-Army. Es war grauenvoll zu erfahren, welche Verbrechen in Deutschland passiert waren. Ich freute mich aber, dass Schönstadt nicht so kaputt war wie all die Städte, die ich vorher gesehen hatte: Frankfurt, Nürnberg, München. Ich fand auch Paula wieder. Aber sie freute sich gar nicht, mich zu sehen. Sie brach in Tränen aus und gestand mir, dass sie geheiratet hatte. Sie glaubte, die Nazis würden den Krieg gewinnen, und wollte nicht ewig unverheiratet bleiben. Und so heiratete sie eben ...«

»... Herrn Weber?«

»Ja, so hat er wohl geheißen. Ich wollte jedenfalls nichts mehr wissen – von Paula, von Schönstadt und von Deutschland. An die Klarinette habe ich erst wieder gedacht, als ich schon zurück in Amerika war, und da war sie mir egal. Ich kaufte mir eine neue. Dann arbeitete ich bei einer Bank, später heiratete ich, gründete eine kleine Firma und wir bekamen zwei Kinder. Die sind längst erwachsen, vielleicht so alt wie eure Eltern. Ich habe mich vor ein paar Jahren aus der Firma zurückgezogen und meinen Ruhestand in New Jersey genossen. Bis euer Brief kam. Jetzt bin ich hier und kann nur noch das Grab von Paula besuchen. So geht es im Leben.«

Martin Friedmann verstummte. Felix war ergriffen von der Geschichte, die er soeben gehört hatte. Es war die Geschichte einer Liebe, aber einer unglücklichen.

Da meldete sich Peter zu Wort: »Sagen Sie, Herr Friedmann ...«

»Ja, was ist denn?«

»Also ...« Peter zögerte. »Ich wollte mal fragen ... Sind Sie eigentlich reich?«

Der alte Herr schien ein wenig verwirrt und blickte ins Leere. »Ob ich reich bin? Wie meinst du das?«

»Na, ob Sie viel Geld haben.«

»Das kommt auf den Maßstab an. Es gibt Leute in Amerika, an denen gemessen bin ich bettelarm, und es gibt andere, die würden mich für steinreich halten. Sagen wir mal: Mir ist es in Amerika nicht schlecht gegangen. Ich habe eine kleine Brokerfirma* aufgemacht und hatte damit ein wenig Erfolg. Warum fragst du?«

»Ich dachte, wegen des Schatzes. Weil wir den ja nicht mehr haben ...«

»Der Schatz? Du meinst, ob ich ihn brauche?«

»Ja, das Geld ist ja nun weg. Aber vielleicht können wir irgendwas für Sie tun. Immerhin, den Diamanten haben wir ja noch, den könnten wir verkaufen.«

»Der Schatz!« Herr Friedmann schloss die Augen. Er lächelte, dann lachte er in sich hinein, ganz leise, aber so, dass die Tränen unter seinen Augenlidern hervorkamen. Felix wusste nicht mehr, ob Herr Friedmann nun lachte oder weinte.

Der alte Mann wischte sich die Tränen aus den Augen, dann sagte er: »Nein, den Schatz, den brauche ich wirklich nicht. So viel wirft meine Firma immer noch ab, dass ich mir einen guten Lebensabend davon leisten kann. Ich glaube, es hat mir Glück gebracht, dass wir das Geld bei unserem Start in Amerika *nicht* hatten, meine Mutter und ich. Deshalb weiß ich heute, dass alles, was ich habe, wirklich aus meiner eigenen Arbeit hervorgegangen ist. Ich glaube, es ist gar nicht so schlecht, wenn einem der Start ins Leben ein bisschen schwer gemacht wird. Dann ist man für die Stürme des Lebens besser gerüstet. Vielleicht wird es euch ebenfalls Glück bringen, dass ihr so viel Geld erst gewonnen und dann verloren habt.«

»Wenigstens haben wir ja noch den Diamanten.«

»Ach ja, der Diamant. Wie viel Karat hat er denn und wie viel habt ihr für ihn gezahlt?«

»Fast tausend Mark. Und er hat sechs Karat.«

»Ich fürchte, auch da habt ihr euch reinlegen lassen.«

»Aber er ist wirklich echt!«, rief Gianna.

»Schon, aber ihr habt dafür den Endverkaufspreis bezahlt, also das, was man im Laden für einen Diamanten ausgeben muss. Wenn ihr ihn wieder verkauft, bekommt ihr aber nur den Großhandelspreis, also das, was die Juweliere bezahlen, wenn sie Diamanten kaufen, in diesem Fall vielleicht sechshundert Mark. Den Rest hat euer Herr Rappke eingesteckt. Einer der vielen Tricks unter Anlagebetrügern.«

»Aber ein Diamant ist doch so hart.«

»Was heißt schon hart? Hart bedeutet nichts. Mit diesem Argument sind schon viele Leute hereingelegt worden. Der Preis muss stimmen, allein darauf kommt es an. Behaltet euren Diamanten als Erinnerung an euer großes Abenteuer. Und da wir gerade von Abenteuern reden: Gibt es im Krebsbach eigentlich noch Krebse?«

Durch Peter ging ein Ruck. »Krebse habe ich noch keine gefangen. Aber Forellen. Unten an der Weide bei der Ziegelei stehen sie immer im Wasser. Man muss nur ...« Peter verstummte, weil ihm Gianna einen Stoß in die Rippen verpasst hatte.

Herr Friedmann lachte wieder still in sich hinein. »Du kannst sie also auch mit der Hand fangen?«

»Klar«, sagte Peter. »Man muss die Hand ganz still ins Wasser halten und jemand anders treibt einem die Forellen zu.«

»Mit der Hand im Wasser ... Genau so haben wir es damals auch gemacht. Aber drunten bei der Ziegelei, sind da nicht zu viel Leute? Bist du da noch nie erwischt worden?«

»Warum denn? Da ist doch niemand. Wenn nicht zufällig der alte Becker vorbeikommt ...«

»Die Ziegelei ist stillgelegt?«

»Klar, das ist doch unser Geheimtreff. Da halten wir immer unsere Vorstandssitzungen ab.«

Herr Friedmann dachte einen Augenblick nach, dann sagte er: »Wollt ihr mir den Krebsbach zeigen? Morgen? Wenn ich Frank Böhme besucht habe und das Grab von Paula?«

»Dort ist es jetzt aber sehr kalt«, sagte Peter.

»Ein bisschen Kälte halte ich schon noch aus. Auch wenn ich so klapprig aussehe.«

Peters Augen leuchteten: »Finde ich klasse, dass Sie sich für so was interessieren.«

»Wie meinst du das?«

»Ich meine, so in Ihrem Alter ...«

»Nun hört endlich mit meinem Alter auf. Ich bin doch kein Fossil.«

Friedmann schien sich einen Augenblick richtig zu ärgern. Dann nahm er seinen Stock, stützte sich auf und verließ das Zimmer.

23. KAPITEL

Junge Unternehmer

»Der alte Herr will die Ziegelei ansehen? Da bin ich mit dabei.«

»Du?« Felix war über seinen Vater ehrlich überrascht.

»Ich will endlich mal sehen, wo mein Sohn immer seine verrückten Ideen ausbrütet. Außerdem könnt ihr einen Mann von 85 Jahren doch nicht zu Fuß durch den Schönstädter Forst jagen. Ihr braucht einen Chauffeur. Stimmt's?«

Und so kam es, dass sie Herrn Friedmann nachmittags mit ihrem alten, klapprigen Auto am *Weißen Kreuz* abholten. Zu viert fuhren sie durch den dämmrigen Wald: Gerold Blum, Martin Friedmann, Peter und Felix.

Unten bei der Ziegelei sagte Friedmann: »Eigentlich sieht noch alles so aus wie früher. Von außen sieht man gar nicht, dass hier nicht mehr gearbeitet wird. Hier, wo jetzt die Holunderbüsche sind, da waren früher die großen Stapel mit den fertigen Ziegeln. Und da hinten an dem See, da wurde der Ton abgebaut. Von den Ziegeln haben wir manchmal welche mit nach Hause genommen. Das war gar nicht einfach, denn die hatten einen Wächter mit einem Hund ...«

»Sie haben Ziegel geklaut?«

»Na ja, das ist sehr hässlich ausgedrückt. Eigentum ist Diebstahl, haben wir damals gesagt.«

»Das sagen wir heute auch noch«, meinte Peter.

»So, so. Dann zeig mir doch mal, wo deine Forellen sind.« Peter grinste. »Meine Forellen? Aber klar.« Die beiden verschwanden in der Dämmerung.

Felix ging mit seinem Vater die Treppe hinauf in das Geheimzimmer der *Heinzelmännchen*. Felix zündete eine Kerze an und sein Vater blickte sich amüsiert um.

»Hier also verbringt ihr eure Zeit. Ganz schön gemütlich, muss ich sagen. Die Apfelsinenkisten und die Matratzen. Und sogar ein Ofen ist da. Sollten wir nicht ein Feuer anzünden, damit es ein bisschen warm ist, wenn die anderen wiederkommen?«

Felix fand, das sei eine gute Idee. Zusammen machten sie sich auf die Suche nach dürren Zweigen und Ästen. Und kurz darauf roch es in dem Geheimzimmer nach einem frischen Holzfeuer. Felix und sein Vater standen um den Ofen und wärmten sich die klammen Finger.

»Du, Papa«, sagte Felix nach einer Weile vorsichtig.

»Ja, was willst du fragen?«

»Wegen deiner Arbeit – müssen wir jetzt nach Berlin umziehen?«

»Gut, dass du mich hier fragst und nicht zu Hause. Ich habe mit deiner Mutter noch gar nicht richtig darüber geredet. Aber ich glaube, es bleibt mir eigentlich gar nichts anderes übrig, als nach Berlin zu gehen. Die Redaktion dort will mich einstellen. Es ist eine Zeitung, die in ganz Deutschland gelesen wird, ich werde mehr Geld verdienen, was will ich mehr?«

»Ja, aber unser Haus ... Ich will nicht wegziehen.«

»Das kann ich gut verstehen, mein Sohn. Aber ich kann nicht auf ewig arbeitslos sein. Das musst du begreifen. Ein paar Tage habe ich noch Zeit, um darüber nachzudenken.«

Dann hörten sie Schritte und Stimmen auf der Eisentreppe draußen. Peter und Martin Friedmann kamen zurück.

»Ganz schön anstrengend hier«, sagte Herr Friedmann. »Darf ich mich auf eure Apfelsinenkiste setzen? Die Matratze ist mir doch etwas zu niedrig. Vielleicht kann mir jemand helfen?«

Felix reichte dem alten Herrn seinen Arm, dann bemerkte er, wie ihn Peter angrinste.

»Wir dachten, vielleicht hat noch jemand Hunger ...« Und mit diesen Worten hielt Peter eine wunderschöne, besonders lange Forelle am Schwanz in die Höhe.

Felix staunte. Einen 85-jährigen Herrn zum Schwarzfischen zu bewegen ... Sein Vater dagegen wusste nicht recht, was er sagen sollte. Er stammelte nur: »Also wirklich, Herr Friedmann. Ich weiß gar nicht, was ich jetzt sagen soll ...«

»Eigentum ist Diebstahl«, sagte Herr Friedmann versonnen. »Alte Leute werden kindisch, da kann man nichts machen. Leider macht der Körper derartige Lausbubereien nicht mehr so recht mit.«

Erst jetzt sah Felix, dass der Mantel von Martin Friedmann unten voller Erde, Moos und Tannennadeln war. Aus seinem Ärmel triefte Wasser.

»Menschenskind, Herr Friedmann, Sie werden sich ja noch eine Lungenentzündung holen. Setzen Sie sich bloß ans Feuer und wärmen Sie sich auf.«

Martin Friedmann zitterte ein wenig und wandte sich dem Feuer zu. »Ja, man ist eben nicht mehr achtzehn. Aber sagen Sie, Herr Blum, ich höre, dass Sie als Wirtschaftsjournalist arbeiten ... Stimmt das?«

»Ja, das stimmt. Oder besser: Ich habe bisher als Wirtschaftsredakteur gearbeitet, beim *General-Anzeiger*.«

»Was, den *General-Anzeiger* gibt es immer noch? Die haben sich damals in den dreißiger Jahren auch nicht gerade mit Ruhm bekleckert. Aber warum sagten Sie, Sie *haben* dort gearbeitet? Hat man Sie entlassen?«

»Ja, so kann man sagen. Den *General-Anzeiger* gibt es nämlich seit dem Sommer nicht mehr.« Dann erzählte Felix' Vater dem Gast aus Amerika die ganze Geschichte von dem ärgerlichen Verkauf an die *Allgemeine Zeitung*.

»Solche Idioten! Mit einer Zeitung Verluste machen, wenn man in der Stadt das Monopol hat! Da lässt sich doch bequem das Geld verdienen, das man für Zukunftsinvestitionen braucht.«

»Meinen Sie, die hätten die Abo-Preise häufiger erhöhen sollen?«

»Nein, das nicht. Aber wenn man keine Konkurrenz hat, dann muss man zum Beispiel weniger für Werbung ausgeben, dann bekommt man alle Familienanzeigen, ohne sich anzustrengen, man spart viel Geld im Marketing*.«

»Marketing?«, fragte Felix.»Was heißt das?«

»Entschuldigt bitte. Marketing heißt eigentlich Marktpflege. Ich würde mal sagen, es ist die Kunst, herauszufinden, was die Kunden wollen und wie man ihre Wünsche erfüllt.«

»Das klingt ja so, als würde Ihnen auch eine Zeitung gehören«, sagte Peter.

»Nein, nein, so weit ist es noch nicht gekommen. Aber wenn man im Geldgeschäft arbeitet, muss man von vielen Branchen etwas verstehen. Außerdem ist das ja die selbstverständlichste Sache der Welt. Aber es bestätigt sich eben die alte Weisheit: Wenn die Unternehmer es zu leicht haben, werden sie träge. Und dann verspielen sie alles. Doch was soll's? Irgendwie geschieht's ihnen recht, so linientreu, wie der *General-Anzeiger* früher mal war.«

»Aber das ist doch nicht gerecht«, sagte Felix.»Die Verleger haben das Geld für den Verkauf gekriegt und die Journalisten sind arbeitslos.«

»Da hast du auch wieder Recht. Es müssen immer die falschen Leute die Suppe auslöffeln, die dumme Unternehmer eingebrockt haben. Das ist wirklich ungerecht ... Und, Herr Blum, haben Sie denn Aussicht auf eine neue Arbeit?«, fragte Herr Friedmann.

»Vielleicht, in Berlin ...«

Felix sagte nichts, sondern warf ein Stück Holz in den Ofen. Peter hatte inzwischen die Forelle in ein Stück Aluminiumfolie eingewickelt, die er offenbar immer bei sich hatte. Er legte das Päckchen oben auf die heiße Ofenplatte.

Inzwischen war es draußen vor dem Fenster stockdunkel geworden. Plötzlich hörten sie unten vor der Ziegelei Motorengeräusche und Türenschlagen.

»Das darf doch nicht wahr sein!«, rief Peter. »Kaum brät man mal eine Forelle, da kommt der blöde Becker schon wieder. Langsam habe ich's satt.«

Felix öffnete ein wenig die Tür und lugte zu dem Spalt hinaus. »Das ist nicht der Becker«, sagte er, »das sind ganz viele Leute.«

»Hat er etwa gleich die Polizei mitgebracht? Wegen einer Forelle ...«

»Nein, nein, da ist Herr Schmitz mit dabei ...« Felix zog die Tür auf und dann kamen sie alle herein: Herr Schmitz, Felix' Mutter, Gianna, Kai und Max aus Frankfurt. Und den Abschluss der Gesellschaft bildeten die Karatefrau und – Sarah. Felix war sprachlos.

»So schnell sehen wir uns wieder – da staunst du, was?«, sagte Sarah und drückte Felix die Hand.

»Wir haben dir noch etwas zu erzählen«, sagte Max.

»Und da dachten wir, am schönsten wäre es, wenn wir dir die Nachricht persönlich mitteilen könnten«, sagte Martha. Sie trug eine riesengroße Flasche unter dem Arm. »Ich habe was zum Trinken mitgebracht, für den Fall, dass wir gerne feiern möchten.«

Felix stellte die Neuankömmlinge Herrn Friedmann und seinem Vater vor.

»Das ist aber schön, dass ich Sie alle mal kennen lerne«, sagte sein Vater. »Ich habe schon so viel von Ihnen gehört. Und Sie müssen die ›Karatefrau‹ sein – es tut mir Leid, mein Sohn hat mir nie Ihren richtigen Namen gesagt.«

»Das macht nichts. Ich habe mich inzwischen längst mit dem Namen angefreundet«, sagte Martha.

»Eine schöne Magnum haben Sie da«, mischte sich jetzt

Friedmann ein. »Wenn es Champagner gibt, dann muss es ja wirklich etwas zum Feiern geben.«

»Ja, ich denke, das gibt es. Max, erzähl du!«

Max zog ein Blatt Papier aus seiner Westentasche. Er stellte sich etwas näher an den Ofen. »Als Zay verhaftet wurde«, begann er, »da erinnerte ich mich an etwas, was ich vor kurzem irgendwo gelesen hatte. Zay war nämlich so berüchtigt, dass eine Gemeinschaft zum Schutz von Anlegern eine Belohnung ausgesetzt hatte für alle Hinweise, die zu seiner Verhaftung führen. Ich habe bei dieser Gemeinschaft angerufen und als Antwort schickten sie mir folgenden Brief, ich zitiere ...« Max hielt den Brief in den Schein der Kerze und las:

Sehr geehrter Herr Färber,

vielen Dank für Ihren Hinweis auf die Festnahme von Johann Zay, von der wir bereits aus der Tagespresse erfahren hatten. Tatsächlich hat unsere Gemeinschaft für sachdienliche Hinweise, die zur Festsetzung dieses Großbetrügers führen, eine Belohnung ausgesetzt. Wir haben durch Rücksprache mit dem Landeskriminalamt Frankfurt feststellen können, dass die Ermittlungsarbeiten von Ihnen sowie den von Ihnen genannten Kindern aus Schönstadt zweifellos den Ausschlag bei der Festnahme gegeben haben. Deshalb ist es uns eine große Freude, wie von Ihnen vorgeschlagen, den ausgelobten Betrag in Höhe von 20.000 DM diesen Kindern zu überweisen. Bitte teilen Sie uns eine Bankverbindung mit. Es würde uns freuen, wenn wir über die Umstände der Ergreifung von Zay in unserem Mitteilungsdienst berichten dürften.

Mit freundlichen Grüßen.

Max schwieg und blickte in die Runde. Ein paar Augenblicke

lang sagte keiner etwas. Dann flüsterte Felix: »Der Schatz ist wieder da.«

Peter wiederholte seufzend: »Der Schatz ist wieder da.«

Gianna ließ sich auf eine Matratze fallen. »Ich halt's nicht mehr aus«, sagte sie, dann stieß sie einen Schrei aus, der allen durch Mark und Bein ging.«

»Genau«, meinte Max. »Besser als Gianna hätte ich es auch nicht ausdrücken können. Und deshalb wollen wir nun mit euch anstoßen.« Er nahm Martha die riesengroße Flasche ab und entfernte das Papier um den Korken. Dann gab es einen lauten Knall, der Korken flog in die Luft und der Champagner floss Max über die Hände. Er drückte die Flasche Felix in die Hand. Dieser tauschte einen kurzen Blick mit seinem Vater, der zustimmend nickte. Dann nahm er einen Schluck und gab die Flasche zurück an Max. Und so machte sie die Runde unter der ganzen Gesellschaft.

Felix spürte die Hand seines Vaters auf der Schulter. »Ich bin stolz auf dich« ,sagte er leise. »Das habt ihr gut gemacht. Ich glaube, ich kann noch was von dir lernen.«

Felix verkniff sich die Rührung, die ihn bei diesen Worten überkam, und sagte stattdessen: »Aber eigentlich ist es ja der Schatz von Herrn Friedmann ...«

»Red keinen Unsinn.« Herr Friedmann war richtig unwirsch. »Das Thema haben wir doch schon abgehandelt. Okay? – Ich denke gerade über etwas anderes nach: Gibt es in Schönstadt schon ein Anzeigenblatt?«

»Keine Ahnung«, sagte Felix. »Was ist das?«

»Ein Anzeigenblatt«, erklärte sein Vater, »ist eine Zeitung, die umsonst verteilt wird. Die Redaktion und der Verlag verdienen ihr Geld nicht durch Einzelverkauf und Abos, sondern ausschließlich durch Anzeigen. Dadurch wird der Vertrieb* der Zeitung sehr billig, also die Art und Weise, wie sie zu den Lesern kommt. Man braucht keine Abrechnungsabteilung, man muss sich nicht darum kümmern, dass die Leser auch bezahlen, man steckt ihnen die Zeitung einfach ungefragt in den Briefkasten.«

»Und das funktioniert jeden Tag?«, fragte Felix.

»Nicht jeden Tag, aber jede Woche. Doch in Schönstadt hat es noch nie jemand probiert, so ein Blatt herauszubringen. Der *General-Anzeiger* erschien allen zu mächtig.«

»Das ist ja nun vorbei« sagte Herr Friedmann. »Ich finde, Schönstadt braucht ein Anzeigenblatt, besonders jetzt, wo der *General-Anzeiger* kaputtgewirtschaftet wurde.«

»Das stimmt schon, das würde der Stadt gut tun«, antwortete Felix' Vater. »Man könnte die unbequemen Berichte aus dem Rathaus bringen, die sich jetzt keiner zu drucken traut, man könnte alle Veranstaltungen ankündigen und einen großen Sportteil machen. Aber wer lässt sich in Schönstadt schon auf so ein Abenteuer ein?«

»Sie!«, sagte Herr Friedmann.

»Wie bitte?«

»Sie sind Journalist, Sie kennen Schönstadt. Sie werden das Schönstädter Anzeigenblatt machen.«

»Aber ich habe kein Geld.«

»Sie nicht, aber ich«, sagte Herr Friedmann.

»Sie?«

»Ja. Wie viel Startkapital ist für ein Anzeigenblatt nötig?«

»So zwei, drei Millionen werden es schon sein.«

»Gut.«

»Was heißt ›gut‹?« Felix Vater wurde nervös.

»Drei Millionen sind kein Problem. Sie machen den Chefredakteur und überlegen sich, welche Leute Sie noch brauchen.«

»Haben Sie mir gerade eben einen Job angeboten?«

»Wollen Sie ihn nicht?«

»Aber da gibt es unheimlich viele Probleme. Wo wollen wir die Zeitung drucken ...«

»Hören Sie mal, junger Mann, wenn man so ein Angebot bekommt, dann redet man nicht lange von Problemen. Dann greift man zu. Okay?« Man merkte Martin Friedmanns Stimme an, dass er gewohnt war, Anordnungen zu geben.

Felix' Mutter hatte bisher geschwiegen. Jetzt boxte sie ihrem Mann mit dem Ellbogen in die Seite und zischte: »Was gibt es denn da noch zu zögern?«

»Sag ja, Papa!«, rief Felix. »Dann bleiben wir in Schönstadt. Ich will nicht nach Berlin.«

»Na gut, wenn ihr meint.«

»Vielleicht können wir unseren Schatz ja auch noch in die Firma einbringen.«

»Keine schlechte Idee«, sagte Herr Friedmann. »Eine stille Beteiligung an der neuen *Stadtanzeiger GmbH*. Dann kommen die Kinder nicht in Versuchung, ihr Geld irgendwelchen Anlagehaien in den Rachen zu werfen. *Verlagshaus Blum, Friedmann & Co.* Klingt nicht schlecht.«

»Ich könnte auch noch was beitragen.«, sagte Kai. »Ich habe 1.200 Mark gespart. Die würde ich gerne in die Firma einbringen.«

»Aber du gehörst doch zur Firma dazu«, sagte Felix.

»Ich will aber, ich hab noch was gut zu machen.«

Nun meldete sich wieder Herr Friedmann zu Wort: »Darüber könnt ihr euch später noch unterhalten. Jetzt müssen wir erst mal den neuen Chefredakteur des *Stadtanzeigers* fragen, ob er den Job überhaupt will.«

Sein Vater stand da wie ein Schuljunge, fand Felix.

»Ich weiß gar nicht, ob ich das kann. Ich war ja noch nie Chefredakteur.« – »Jetzt ist aber wirklich genug!«, rief Herr Friedmann. »Felix, dein Vater hat ja gesagt. Auf Ihr Wohl, Herr Chefredakteur. Gebt mir die Magnum!« Er nahm die Flasche von Max und trank einen großen Schluck.

»Das sieht ja nach einem richtigen Happy End aus«, sagte Martha. »Und wenn der *Stadtanzeiger* an die Börse geht, dann müssen Sie mir rechtzeitig Bescheid sagen. In so ein Zukunftsunternehmen will ich investieren.«

»Aber keine Manipulationen beim Kurs«, sagte Max streng.

»Worauf Sie sich verlassen können«, antwortete Felix.

»Wenn wir ein Stück vom *Stadtanzeiger* kaufen, dann ist Felix gewissermaßen der Chef von seinem Vater«, meinte Peter. »Dann hat er ihm eigentlich nichts mehr zu sagen.«

»Man soll das Fell des Bären nicht verteilen, ehe er erlegt ist«, erwiderte Felix' Vater.

Nun wickelte Peter die Forelle aus der Folie und zerteilte sie mit seinem Taschenmesser. Jeder nahm ein kleines Stück. Man konnte nicht sagen, dass sie besonders gut schmeckte: ohne Salz, dafür mit Sand und Moos.

Felix merkte, dass ihn jemand am Arm beiseite zog. Es war Sarah. »Ich wollte dir noch etwas sagen: Ich finde euch in Ordnung. Geld verdienen muss nicht immer doof sein.«

»Das ist nett von dir. Aber ich habe selbst gemerkt, dass Geld auch ganz schön gefährlich ist.«

»Am schönsten ist es wohl, wenn man es hat und nichts dafür tun muss.«

»Stimmt, Geld ist ein Versprechen ...«

»Wie meinst du das?«

»Ach, das ist eine andere Geschichte. Die erzähle ich dir später einmal.«

Das Feuer im Ofen war inzwischen niedergebrannt und sie verließen alle zusammen das Geheimzimmer. Inzwischen hatte es draußen angefangen zu schneien. Nasse, schwere Flocken hefteten sich an die Kleider.

»Seht mal den Schnee«, sagte Herr Friedmann. »Höchste Zeit, dass wir aufbrechen. Sonst müssen wir zu Fuß nach Schönstadt.«

Felix fuhr mit seinen Eltern nach Hause zurück. Vorne neben seinem Vater saß Herr Friedmann.

»Ich kann's immer noch nicht fassen«, sagte sein Vater.

»Das kommt dann schon im Lauf der Zeit«, erwiderte Friedmann.

»Jetzt, wo du wieder eine feste Arbeit in Aussicht hast, sollten wir bald mal an ein neues Auto denken«, sagte Felix' Mutter.

»Also wirklich! Wir sollten erst mal abwarten, wie das Projekt läuft. Und nicht schon jetzt das Geld ausgeben, das wir noch gar nicht haben.«

»Abwarten, abwarten! Willst du, dass das Auto unter uns zusammenbricht? Wir können doch nicht immer nur ...«

Plötzlich unterbrach sie sich und sah ihren Mann im Rückspiegel an. Der stutzte ebenfalls und blickte zurück. Dann brachen beide in schallendes Gelächter aus.

Felix ließ sich erleichtert in seinen Sitz zurückfallen.

Und so fand schließlich und zum Schluss alles ein gutes

ENDE

Gewinn- und Verlustrechnung der
Firma Heinzelmännchen & Co
für den Dezember

Aufwendungen		Erträge	
Fahrten nach		Belohnung	20.000,00
Frankfurt	102,00	Eier	16,00
Abschreibg. Hühner	55,00		
Abschreibg. Diamant	499,00		
Gewinn	**19.360,00**		
	20.016,00		20.016,00

Bilanz
Firma Heinzelmännchen & Co
für den Dezember

Aktiva		Passiva	
Einlage Stadtanz.	20.000,00	Eigenkapital	2.116,90
Kasse	217,20		
Hühner	55,00		
Diamant	499,00		
Girokonto	705,70	Gewinn	19.360,00
	21.476,90		21.476,90

Kleines Lexikon der Wirtschaft

oder

Ein paar Wörter, die man kennen muss, um sich in der
Wirtschaft auszukennen

Abschreibungen: Die meisten Dinge verlieren im Laufe der Zeit
an Wert: Sie nutzen sich ab, gehen kaputt oder veralten, weil
es inzwischen modernere und bessere Dinge gibt. Deshalb
ist zum Beispiel ein gebrauchtes Auto oder Fahrrad billiger
als ein neues. Ein Unternehmer muss aus diesem Grund den
Wert seiner Maschinen in der →*Bilanz* laufend herabsetzen
(solange er keine neuen kauft). Man sagt auch: *Er schreibt
die Maschinen ab.* Bei diesen *Abschreibungen* wählt er genau
festgesetzte Verfahren. Von einer Maschine, die neu 100.000
Mark wert war, werden zum Beispiel fünf Jahre lang jeweils
20.000 Mark abgeschrieben. Nach dieser Zeit ist sie, wenigstens in der → *Bilanz* des Unternehmens, nichts mehr wert.
Wenn man vom →*Bruttoinlandsprodukt* die Abschreibungen aller Unternehmen eines Landes abzieht, bekommt man
das Nettoinlandsprodukt.

Aktie: So nennt man ein Stück Papier, das jemandem bescheinigt, dass ihm der Anteil an einem Unternehmen gehört, an
einer →*Aktiengesellschaft.* Auf jeder Aktie ist ein Wert aufge-
druckt, entweder fünf oder 50 Mark. Der wirkliche Wert
der Aktie wird aber beim Handel an der → *Börse* ermittelt.
Er kann sehr stark schwanken, je nachdem, wie gut es der
Aktiengesellschaft geht. Meist liegt der wirkliche Wert jedoch deutlich über dem aufgedruckten Wert. Wenn das Unternehmen →*Gewinne* macht, bekommen die Aktionäre einen →*Zins* auf die Aktie, die so genannte →*Dividende.* Die

meisten Aktionäre haben ihre Aktien nicht selbst zu Hause. Sie bekommen den Besitz von ihrer Bank bescheinigt, aber die Papiere selbst befinden sich bei einer Wertpapier-sammelstelle. Den Aktienbesitz verwaltet in der Regel die Bank, bei der der Kunde ein →*Depot* einrichtet.

Aktiengesellschaft: ein Unternehmen, das Aktionären gehört.

Aktienhändler: besonders ausgebildete Leute, die sich das Recht erworben haben, an der →*Börse* mit Wertpapieren zu handeln.

Aktiva: als Aktiva bezeichnet man all die Dinge, für die ein Unternehmen sein Kapital angelegt hat: Maschinen, Gebäude, Aktien anderer Unternehmen, Bargeld.

Analysten: Experten, die, meist im Auftrag von Banken, die Entwicklung von Märkten und Wertpapieren untersuchen. Eigentlich ist das Wort eine unkorrekte Übersetzung des englischen Wortes *analyst* für »Analytiker«.

Angebot: die Gesamtheit der Waren, die die Verkäufer auf einem →*Markt* absetzen wollen. Je höher der Preis, desto höher das Angebot und umgekehrt. Sind Angebot und Nachfrage gleich groß, ist der Markt im Gleichgewicht. Bleiben die Verkäufer auf ihren Waren sitzen, ist das Angebot zu groß und die Preise müssen sinken.

Anleihen: Papiere, auf denen jemand anerkennt, dass er von jemand anderem Geld geliehen hat. Solche Anleihen werden von Regierungen und Unternehmen ausgegeben. Kaufen kann man Anleihen an der →*Börse*. Wer eine Anleihe besitzt, bekommt jedes Jahr einen festen Betrag als →*Zins*. Auf der Anleihe steht immer ein genauer Tag, an dem sie zu ihrem vollen Wert zurückgezahlt wird. Für 100 Mark bekommt man also am Ende immer 100 Mark. Ehe es so weit ist, kann der Kurs der Anleihe aber stark schwanken.

Annoncen: sind Texte in Zeitungen, für die die Auftraggeber etwas bezahlt haben. Man nennt sie auch Kleinanzeigen. Es gibt sie zu den unterschiedlichsten Zwecken: Häuser werden zum Verkauf annonciert, aber auch Arbeitsplätze, Autos, junge Hunde und Viehfutter. Andere Menschen annoncieren, dass sie eine Wohnung suchen, eine Arbeit oder einen Ehepartner.

Arbeitgeber: ein Unternehmen, das Menschen einen Arbeitsplatz bietet und ihnen für ihre Arbeit ein Gehalt bezahlt. Der Begriff ist etwas missverständlich. Denn in Wirklichkeit *gibt* der Arbeitgeber ja keine Arbeit, sondern einen Arbeitsplatz. Er *nimmt* die Arbeit von seinen Beschäftigten; die aber nennt man Arbeit*nehmer*, obwohl sie ja eigentlich ihre Arbeit *geben*. Die Bezeichnungen haben sich, obgleich sie falsch sind, längst eingebürgert.

Die meisten Arbeitgeber haben sich in Deutschland zu *Arbeitgeberverbänden* zusammengeschlossen. Sie verhandeln zusammen mit den Verbänden der Arbeitnehmer, den →*Gewerkschaften*, die Löhne für die Mehrzahl der Beschäftigten aus. Das nennt man *Tarifverhandlungen*. Der oberste Verband der Arbeitgeber heißt *Bundesvereinigung der Deutschen Arbeitgeberverbände*.

Arbeitnehmer: alle Berufstätigen, die nicht selbstständig sind, sondern in einer Firma arbeiten, die ihnen nicht selbst gehört. Sie heißen daher auch *abhängig Beschäftigte*. Arbeitnehmer teilt man ein in *Arbeiter*, die vor allem in Fabriken und Werkstätten arbeiten, und *Angestellte*, die vornehmlich in Büros beschäftigt sind.

Arbeitslosigkeit: Dabei handelt es sich um das schlimmste Problem der modernen Wirtschaft. Arbeitslos ist jemand, der einen Arbeitsplatz sucht, ihn aber nicht findet. Wenn er sich bei einem Arbeitsamt als Arbeitssuchender eintragen lässt, dann wird er offiziell als Arbeitsloser gezählt. In Deutschland gab es im Januar 1998 insgesamt 4,8 Millionen offiziell gemeldete Arbeitslose. Wer in der Bundesrepublik arbeitslos ist, bekommt zunächst in der Regel für ein knappes Jahr *Arbeitslosengeld*, es macht zwischen 63 und 68 Prozent seines letzten Lohns aus. Hätte also Herr Blum zum Beispiel als Redakteur 5000 Mark im Monat verdient, dann würde er als Arbeitsloser noch 3400 Mark bekommen. Würde er nach einem Jahr immer noch keine Arbeit finden, dann würde er *Arbeitslosenhilfe* bekommen, was nochmals deutlich weniger wäre.

Wie kommt es überhaupt zur Arbeitslosigkeit? Das lässt sich scheinbar einfach erklären, wenn man die Arbeit wie eine ganz normale Ware betrachtet: Arbeitslosigkeit bedeutet, dass Arbeitskraft überschüssig ist; die Nachfrage nach Arbeit ist also kleiner als das Angebot. Das Problem ist, dass sich die Fachleute (Wissenschaftler und Politiker) nicht einig sind, wie dieser Zustand am besten zu beenden wäre.

Die erste Gruppe von Fachleuten sagt: Wenn die Nachfrage nach Arbeit zu niedrig ist, liegt das daran, dass die Arbeit zu teuer ist. Also muss man die Löhne senken, auf jeden Fall dürfen sie aber nicht mehr steigen. Das hilft nichts, sagen die anderen. Denn wenn die Löhne sinken, haben die Leute auch weniger Geld zum Ausgeben, dann sinkt die Nachfrage nach Waren, man braucht weniger Arbeit, um diese Waren herzustellen, und die Arbeitslosigkeit steigt noch mehr. Daher, so argumentiert diese zweite Gruppe, muss der Staat mehr Geld ausgeben und Waren kaufen, so dass die Firmen neue Arbeitskräfte einstellen. Andere schlagen vor, die Steuern und Abgaben zu senken, die die Arbeiter und Angestellten von ihrem Lohn bezahlen müssen. Dann haben diese mehr Geld zum Ausgeben, ohne dass die Firmen ihnen mehr Lohn zahlen müssen. Wieder andere schlagen vor, nicht die Nachfrage nach Arbeit zu erhöhen, sondern das Angebot zu senken: Etwa indem alle Arbeitnehmer weniger arbeiten (35-Stunden-Woche), indem ältere Arbeitnehmer früher in den Ruhestand gehen (Vorruhestand) oder indem man ausländischen Arbeitnehmern die Einreise erschwert. Manche Leute sind sogar schon auf die Idee gekommen, es helfe gegen die Arbeitslosigkeit, wenn weniger Frauen beschäftigt wären.

Baisse: Mit diesem Wort, von frz. »sinken«, bezeichnet man einen kräftigen Rückgang der Kurse an der →*Börse*.

Bargeld: das, was man im alltäglichen Sprachgebrauch »Geld« nennt, also Münzen und Banknoten. In Deutschland werden Banknoten von der →*Deutschen Bundesbank* in Frankfurt ausgegeben. Sie gehört dem Staat, muss aber Anweisungen der Regierung grundsätzlich nicht befolgen. Diese Bestimmung wurde eingeführt, um die Regierung daran zu hindern, für ihre Zwecke Geld drucken zu lassen, so wie das früher immer wieder geschehen ist. Münzen werden dagegen von der Regierung ausgegeben, genauer vom Bundesfinanzministerium. Das erkennt man daran, dass auf den Münzen, im Gegensatz zu den Banknoten, der Name des Staates eingeprägt ist: »Bundesrepublik Deutschland«. Früher wurden sie aus Silber und Gold gemacht, heute werden billigere Metalle verwendet: Nickel, Zink, Kupfer. In Deutschland gibt es Münzen über 1, 2, 5, 10 und 50 Pfennig sowie über 1, 2 und 5 Mark. Die Münzen werden in besonderen Münzprägeanstalten hergestellt, wobei man der einzelnen Münze ansieht, aus welcher sie kommt. Ist auf einem Markstück unter dem Adler ein »F« geprägt, dann kommt die Münze aus Stuttgart, steht dort ein »A«, ist sie aus Berlin. D bedeutet München, G Karlsruhe und J Hamburg.

Vom 1. Januar 2002 an werden in den meisten Ländern Europas, darunter auch Deutschland, neue Münzen und Banknoten ausgegeben, die auf »Euro« und »Cent« lauten. Die Banknoten werden dann von der neuen →*Europäischen Zentralbank* in Frankfurt ausgegeben, die Münzen weiter von den Finanzministern der einzelnem Staaten.

Bilanz: darunter versteht man die Zusammenstellung des Vermögens eines Unternehmens an einem bestimmten Tag, dem so genannten *Bilanzstichtag*. Häufig ist dies der 31. Dezember eines Jahres, es kann aber auch ein anderer Tag sein. Gianna in unserem Roman hat alle paar Tage eine neue Bilanz aufgestellt; das ist in der Wirklichkeit nicht üblich, weil es zu viel Arbeit machen würde. Die Bilanz wird in Form eines T-Kontos dargestellt. Auf der rechten Seite steht, wo das Geld des Unternehmens herkommt (*Passiva*), auf der linken, wofür es verwendet wurde (*Aktiva*). Beide Seiten einer Bilanz müssen immer gleich sein; wenn nicht, hat man sich verrechnet. Macht ein Unternehmen *Gewinn*, dann steht dieser auf der rechten Seite der Bilanz, macht es *Verlust*, findet sich der auf der linken Seite. Die Bilanz der *Pulp AG* in Schönstadt könnte ungefähr so aussehen (übrigens ist jede Bilanz eines deutschen Industrieunternehmens ähnlich aufgebaut):

Pulp AG		Bilanz zum 31.12.1999	
Aktiva			*Passiva*
Anlagevermögen: Fabrik und Maschinen	200 Mio.	Eigenkapital	150 Mio.
Umlaufvermögen: Vorräte an Holz, Papier, Aktien, Bargeld	900 Mio.	Kredite	1050 Mio.
Bilanzverlust	100 Mio.		
	1200 Mio.		*1200 Mio.*

Der hohe Verlust und das geringe Eigenkapital zeigen, dass die *Pulp AG* in großen Schwierigkeiten ist.

Boom: So nennt man die guten Zeiten an der →*Börse*, wenn die Kurse sehr schnell steigen. Darin steckt das amerikanische Wort *to boom* für »summen« oder »brausen«. Man sagt daher auch: »Die Börse brummt«.

Börse: ein regelmäßig stattfindender Markt für bestimmte, genau festgelegte Güter, vor allem für →*Aktien*, →*Anleihen* und andere Wertpapiere. Der Name kommt von dem niederländischen Wort für Geldbeutel: *beurs*. Darin steckt wiederum das lateinische Wort *bursa* (Lederbeutel). Es kann aber auch sein, dass die Anfänge des Börsenwesens auf ein regelmäßiges Kaufmannstreffen zurückgehen, das im 16. Jahrhundert im Haus einer Familie *van der Burse* in Brügge (Belgien) stattfand.

Die berühmteste Aktienbörse der Welt ist heute jene von New York an einer Straße namens *Wall Street*, die *New York Stock Exchange*. Weitere große Wertpapierbörsen sind in London, Tokio, Frankfurt, Zürich und Hongkong. In Deutschland gibt es neben Frankfurt noch sieben Regionalbörsen in Berlin, Hamburg, Bremen, Hannover, Düsseldorf, Stuttgart und München. Neben dem Handel in Börsensälen, so wie ihn die drei Freunde erlebt haben, dem so genannten Parketthandel, wird der Handel über den Computer immer wichtiger. In Deutschland wurde das Computersystem *Xetra* eingeführt, über das auch außerhalb des Börsensaales Geschäfte abgewickelt werden können. Einige Börsen haben den Parketthandel bereits ganz abgeschafft, etwa London, Mailand und Stockholm. Es gibt auch in Frankfurt Bestrebungen, irgendwann nur noch über *Xetra* zu handeln. Die Börsenzeiten waren bis zum 30. Juni 1998 von 10.30 bis 13.30 Uhr; seither kann man auf dem Parkett von 8.30 bis 17.00 Uhr handeln.

Broker: So nennt man in Amerika Firmen, die mit Aktien und Anleihen handeln.

Bruttoinlandsprodukt (BIP): Zahl, die den Wert aller Waren und Dienstleistungen angibt, die *im Inland* produziert werden. Es heißt »Brutto«, weil in ihm auch der Verschleiß an Maschinen und Gebäuden enthalten ist (→*Abschreibungen*). Die müsste man eigentlich herausrechnen, wenn man wissen will, um wie viel der Reichtum eines Landes zugenommen hat. Das Bruttoinlandsprodukt der Bundesrepublik Deutschland betrug 1996 3,5 Billionen Mark.

Manchmal wird auch der Begriff *Bruttosozialprodukt* verwendet. Das BSP ist die Summe aller Waren und Dienstleistungen, die von *Inländern* produziert wurden. Den Unterschied zwischen BIP und BSP kann man sich an einem Beispiel klar machen: Würde Herr Blum einen Artikel für eine französische Zeitung schreiben, dann ginge sein Honorar in das französische BIP ein, denn die Zeitung erscheint ja in Frankreich. Weil Herr Blum aber in Deutschland wohnt, würde das Honorar gleichzeitig im deutschen BSP verbucht.

Buchführung: *Buchführung* oder *Rechnungswesen* nennt man die Methode, alle Vorgänge in einem Unternehmen in Büchern oder heutzutage per Computer festzuhalten. Ziel ist es, dass man immer ganz genau weiß, wie viel Geld im Unternehmen ist, womit es verdient wurde und wofür man es ausgibt. Erst durch Buchführung wird es möglich, genau auszurechnen, was eine Ware kostet, und so deren Preis zu kalkulieren.

Bullen und Bären: die Wahrzeichen für Optimisten und Pessimisten an der →*Börse*. Optimisten (Bullen) rechnen mit steigenden Kursen, Pessimisten (Bären) mit fallenden. Woher diese Wahrzeichen kommen, dazu gibt es viele abenteuerliche Geschichten. Eine davon geht so:
Im 19. Jahrhundert führten England und Russland einen blutigen Krieg gegeneinander, den Krimkrieg. An der Londoner Börse sagte man über die Optimisten, die an einen Sieg Englands glaubten, sie »setzen auf John Bull« – John Bull ist das Symbol für den typischen Engländer. Die Pessimisten setzten auf den Bär, das Symbol Russlands. So standen sich also Bullen und Bären gegenüber.

Bundesschatzbriefe: Wertpapiere, die die Bundesregierung ausgibt. Das Besondere an ihnen ist, dass die →*Zinsen* Jahr für Jahr steigen, je länger man sie besitzt (höchstens sechs oder sieben Jahre).

Courtage: So nennt man den Lohn von Maklern. Börsenmakler bekommen in Deutschland 0,04 Prozent vom Wert der ge- oder verkauften Aktien.

Dax: →*Deutscher Aktienindex*

Depot: das Konto, auf dem die Bank notiert, wie viel die Aktien und Anleihen eines Kunden wert sind. Für die Unterhaltung des Depots verlangt die Bank eine Gebühr.

Deutscher Aktienindex (Dax): die Zusammenfassung der Kurse der 30 wichtigsten deutschen →*Aktien*. Der Dax wird während der Börsenzeiten jede Minute neu berechnet. Es gibt ihn seit 1987. Damals hatte er den Wert 1000. Im März 1998 hat er die Marke von 5000 überschritten. Andere wichtige Indices sind der →*Dow Jones* (New York), der *Nikkei* (Tokio) und der *Euro Stoxx*, in dem wichtige europäische Aktien zusammengefasst sind.

Deutsche Bundesbank: eine staatliche Bank mit Sitz in Frankfurt, die in der Bundesrepublik Deutschland als einzige das Recht hat, Geldscheine auszugeben. Zur Bundesbank gehört ein Rat von Experten, der *Zentralbankrat*; er bestimmt, wie schnell die Menge an umlaufendem Geld wachsen soll. Dazu kann er die so genannten *Leitzinsen* erhöhen oder senken, das sind die Zinsen, die Banken zahlen müssen, wenn sie sich von der Bundesbank Geld borgen: der *Diskontsatz*, der *Lombardsatz*, außerdem der Zins für *Wertpapierpensionsgeschäfte*. Damit kann die Bank indirekt bestimmen, wie viel Geld es gibt und wie schnell die Wirtschaft wächst. Vom 1. Januar 1999 an wird diese Aufgabe von der →*Europäischen Zentralbank* wahrgenommen.

Dividende: der Teil des Gewinns einer Aktiengesellschaft, der an die Aktionäre ausgeschüttet wird. Diese Ausschüttung wird von der *Hauptversammlung* beschlossen. Auf ihr kommen, in der Regel einmal im Jahr, die Aktionäre zusammen. Jede Aktie (und nicht jeder Aktionär) hat dabei eine Stimme. Für

Aktionäre, die nur wenige Aktien besitzen, lohnt es sich meistens nicht, selbst zur Hauptversammlung zu fahren. Sie beauftragen entweder ihre Bank mit der Wahrnehmung ihrer Interessen oder sie nehmen es stillschweigend hin, dass die Vertreter der Bank auf der Hauptversanmmlung nach eigenen Gutdünken abstimmen.

Doppelte Buchführung: Bei diesem Verfahren wird jeder Vorgang in einem Unternehmen doppelt verbucht. Wichtigste Instrumente der doppelten Buchführung sind die →*Bilanz* und die →*Gewinn- und Verlustrechnung.* Als Erfinder der doppelten Buchführung gilt der italienische Mönch *Luca Pacioli* (1445–1514). Das Prinzip war aber vermutlich in Italien und Arabien noch früher bekannt. Siehe auch: →*Buchführung.*

Dow Jones: ein Aktienindex wie der →*Deutsche Aktienindex.* In ihm sind die 30 wichtigsten amerikanischen Industrieaktien zusammengefasst. Es gibt ihn seit 1897.

Eigenkapital: Wenn man eine Firma aufmacht, braucht man Geld. Dazu kann man sowohl eigenes Geld nehmen als auch geliehenes. Das eigene Geld, das in eine Firma einbezahlt wurde, nennt man *Eigenkapital,* das geliehene *Fremdkapital.* Die meisten Firmen haben beides.

Eigentum: der Besitz einer Sache und das Recht, mit ihr tun und lassen zu können, was man will. Wenn mir zum Beispiel ein Fahrrad gehört, dann kann ich es nutzen, also damit herumfahren, ich kann es auch in den Keller stellen oder verkaufen oder sogar zerstören. Dass es Eigentum überhaupt gibt, ist nicht selbstverständlich. Vor Jahrtausenden, als die Menschen noch als Jäger und Sammler durch die Wälder streiften, gehörte wahrscheinlich allen alles, soweit man das heute noch feststellen kann. Vielleicht gehörte dem Häuptling auch ein bisschen mehr als anderen. Im 19. Jahrhundert gab es viele Philosophen, die das Privateigentum wieder abschaffen wollten, die *Kommunisten* und *Anarchisten*. Der Satz »Eigentum ist Diebstahl« stammt von dem französischen Anarchisten *Pierre-Joseph Proudhon* (1809–1865). Er wollte damit ausdrücken, dass es Unrecht ist, wenn wenige Menschen viel besitzen, während viele Menschen wenig besitzen, und dass alles, was jemandem gehört, jemand anderem weggenommen wurde. Die meisten Ökonomen glauben jedoch heute, dass eine Wirtschaft ohne Eigentum nicht funktionieren kann. Denn Menschen kümmern sich nur richtig um die Dinge, die ihnen gehören. Wenn eine Sache, zum Beispiel eine Fabrik, allen gehört, dann gehört sie in Wirklichkeit niemandem und keiner fühlt sich dafür verantwortlich.

Erbschaft: ein Vermögen, das man von seinen Eltern, anderen Verwandten oder Bekannten bekommt (*erbt*), meistens nach deren Tod. Einen Teil dieses Vermögens muss man als *Erbschaftsteuer* an den Staat abführen.

Europäische Zentralbank (EZB): Die EZB ist vom 1. Januar 1999 an zuständig für den Wert des Geldes in Europa. Vom 1. Januar 2002 an gibt sie Euro-Banknoten aus.

Federal Reserve Board (Fed): die Bundesbank der Vereinigten Staaten von Amerika (→*Deutsche Bundesbank*)

Fonds: auch »Investmentfonds« genannt; dies sind Unternehmen, die das Geld anderer Leute anlegen. Das funktioniert so: Die Fondsgesellschaft verkauft Anteilsscheine an Sparer, das Geld investiert sie dann in →*Aktien*, →*Anleihen* oder Häuser, und zwar so, dass es möglichst hohen Gewinn abwirft. Die Fondsanteile kann man als Sparer jederzeit verkaufen, allerdings mit einem Abschlag. Die meisten Anleger bauen darauf, dass ihre Fondsanteile immer mehr wert werden, weil die Wertpapiere, in denen sie angelegt sind, immer mehr wert werden. Dann kommt es auf den Abschlag nicht mehr an.

Gewinn: das Geld, das einem Unternehmer nach Abzug aller Kosten am Ende eines Jahres übrig bleibt. Zu diesen Kosten gehören Materialkosten, Löhne und Gehälter, Zinsen für Kredite, die er aufnehmen musste, Miete für Büros und Fabrikgebäude. Der Gewinn wird in der →*Gewinn- und Verlustrechnung* ermittelt.

Gewinn- und Verlustrechnung: Diese Rechnung muss jedes große Unternehmen einmal im Jahr erstellen. Sie zeigt an, wie erfolgreich gewirtschaftet wurde. Bei einer Gewinn- und Verlustrechnung (GuV) steht auf der linken Seite der Aufwand, also die Posten, für die Geld ausgegeben wurde. Auf der rechten Seite stehen die Einnahmen. Ein bisschen verwirrend ist, dass der Gewinn auf der linken Seite steht, der Verlust auf der rechten. Die Gewinn- und Verlustrechnung der *Pulp AG* könnte so aussehen:

Pulp AG Gewinn- u. Verlustrechnung

Aufwand		*Ertrag*	
Löhne und Gehälter	500 Mio.	Erlös aus dem Verkauf von Papier	900 Mio.
Materialverbrauch	300 Mio.		
Abschreibungen	200 Mio.	Verlust	100 Mio.
	1000 Mio.		*1000 Mio.*

Meistens wird die Gewinn- und Verlustrechung heute in der Staffelform dargestellt:

Pulp AG Gewinn- und Verlustrechnung

Erlös aus dem Verkauf von Papier	900 Mio.
– Löhne und Gehälter	-500 Mio.
– Materialverbrauch	-300 Mio.
– Abschreibungen	-200 Mio.
Verlust	100 Mio.

Gewinnmitnahmen: Wenn jemand →*Aktien* besitzt, die im Wert sehr stark gestiegen sind, kann er versuchen, sich diese Wertsteigerung zu sichern, indem er die Aktien zu den gestiegenen Kursen verkauft – er nimmt den Gewinn mit. Manchmal gibt es so viele derartiger *Gewinnmitnahmen*, dass in der Folge die Kurse ein wenig zurückgehen.

Gesetzliche Kündigungsfrist: Ein Sparbuch mit gesetzlicher Kündigungsfrist kann man innerhalb von 30 Tagen kündigen, das heißt, man bekommt sein ganzes Geld zurück, wenn man will. Beträge bis zu 2000 Mark kann man auch sofort abheben.

Gewerkschaften: Dies sind Organisationen, die die Interessen der → *Arbeitnehmer* vertreten. Sie handeln mit den →*Arbeitgebern* Verträge aus, in denen steht, wie viel die Arbeitnehmer mindestens verdienen müssen. Wenn die Gewerkschaften zu keiner Einigung mit den Arbeitgebern kommen, organisieren sie →*Streiks*. Die größte deutsche Gewerkschaft ist die *Industriegewerkschaft Metall (IG Metall)*; fast alle Gewerkschaften sind im *Deutschen Gewerkschaftsbund (DGB)* zusammengeschlossen.

Girokonto: ein Konto bei einer Bank, auf das man sein Gehalt bekommt und von dem man jederzeit Geld abheben kann, indem man am Schalter einen Scheck einreicht, an den Geldautomaten geht oder Geld an jemand anders überweist. In dem Begriff steckt das italienische Wort für Kreis: *il giro*.

Grauer Kapitalmarkt: der Handel mit Wertpapieren und anderen Formen der Geldanlage ohne Einschaltung einer Bank. Die Anbieter von Anlagen auf dem grauen Kapitalmarkt verkaufen ihre Produkte meist, indem sie direkt bei möglichen Kunden anrufen oder indem sie Prospekte verschicken. Das alles ist nicht verboten. Weil das Geschäft aber selbst für Fachleute schwer zu durchschauen ist, tummeln sich auf dem grauen Kapitalmarkt viele Betrüger.

Haben: So heißt die rechte Seite auf einem →*Konto*.

Hausse: Das heißt auf Französisch »Anstieg«; dieses Wort wird meist für einen kräftigen Anstieg der Kurse an der →*Börse* verwendet.

Hypothek: Das Wort stammt aus dem Griechischen und bedeutet »Unterlage« oder »Unterpfand«; es bezeichnet ein Pfandrecht an einem Grundstück. Wer ein Haus baut oder kauft und das nötige Geld dafür nicht hat, der leiht es sich bei der Bank. Dafür verpfändet er das Grundstück. Das heißt: Wenn er seine Schulden nicht zurückzahlen kann, dann gehört das Grundstück automatisch der Bank. Die kann es dann ihrerseits verkaufen, um das Geld wiederzubekommen, das sie dem Hausbauer ausgeliehen hat.

Industrie- und Handelskammern (IHKs): Interessenvertretungen für Unternehmer, in der alle Betriebe Mitglied werden müssen. Sie regeln zum Beispiel die Ausbildung der Lehrlinge. Alle IHKs sind im *Deutschen Industrie- und Handelstag (DIHT)* zusammengefasst.

Inflation: Das Wort stammt aus dem Lateinischen und bedeutet »sich aufblasen«; heute ist es ein anderes Wort für Geldentwertung. Die Menge des Geldes, das in Umlauf ist, wird aufgeblasen; und weil die Menge der Waren nicht gleichzeitig aufgeblasen werden kann, verliert das Geld immer mehr an Wert. Ein bisschen Inflation ist normal, sie wird in Prozent angegeben. Wenn die *Inflationsrate* 1,5 Prozent beträgt, dann bedeutet das, dass eine bestimmte Menge Waren, die heute 100 Mark kostet, in einem Jahr 101,50 Mark kostet.

Die schlimmste Inflation hat Deutschland 1922 und 1923 erlebt. Damals hatte Frankreich das Ruhrgebiet besetzt, aus Protest dagegen streikten dort die Arbeiter. Die Regierung in Berlin beschloss, ihnen trotzdem ihren Lohn weiterzuzahlen. Und weil sie das Geld dafür nicht hatte, lieh sie es sich von der Deutschen Reichsbank. Die Reichsbank musste immer mehr Geld drucken. Das führte schließlich so weit, dass die Leute morgens ihren Lohn bekamen und noch vor der Arbeit die nötigen Sachen zum Leben kauften, weil der Lohn am Abend nur noch die Hälfte wert war.

Institutionelle Anleger: Dies sind Firmen (im Gegensatz zu Einzelpersonen), die ihr Geld, oder das anderer Leute, an der Börse anlegen – zum Beispiel große →*Fonds.* Zu den größten institutionellen Anlegern gehören amerikanische Fonds, die die Ersparnisse verwalten, die Millionen von Menschen in den USA für ihr Alter gebildet haben, so genannte *Pensionsfonds.*

Investition: Das Wort stammt aus dem Lateinischen und bedeutet »Einkleidung«. Heute heißt investieren, sein Geld »einzukleiden«, also für Dinge auszugeben, die einen Ertrag bringen: ein Haus, Maschinen in einem Unternehmen, →*Aktien*, →*Anleihen*.

Kapital: Geld, das →*investiert* wird. In dem Wort steckt das lateinische *caput*, und das bedeutet »Haupt« oder »Kopf«. In früheren Zeiten setzte man den Reichtum eines Mannes gleich mit der *Kopf*zahl seiner Viehherde.

Kapitalismus: Eine Gesellschaftsordnung, die auf dem Privatbesitz an →*Kapital* aufbaut und in der die Preise auf dem →*Markt* gebildet werden. Der Begriff wurde am Ende des 19. Jahrhunderts gebräuchlich. Man verwendete ihn vor allem, um die herrschenden Verhältnisse von einer Gesellschaftsordnung zu unterscheiden, die damals viele Menschen anstrebten, dem *Sozialismus*. In einer sozialistischen Gesellschaftsordnung sollte das Kapital der Allgemeinheit oder dem Staat gehören. (Siehe auch →*Eigentum*)

Kapitalisten: so bezeichnet man Personen, die Kapital besitzen, also etwa ein Unternehmen. Das Wort wird oft abwertend benutzt.

Kaufoptionen: So nennt man bei Termingeschäften das Recht, eine Ware oder ein Wertpapier an einem bestimmten Tag und zu einem bestimmten Kurs zu kaufen. Kaufoptionen werden auf Englisch *calls* genannt. (Siehe auch →*Verkaufsoptionen*)

Konto: Das Wort kommt aus dem Italienischen und bedeutet eigentlich »Rechnung« (*il conto*). In der Wirtschaft versteht man darunter die zahlenmäßige Gegenüberstellung von Einnahmen und Ausgaben. (Siehe auch →*Girokonto*)

Kontrakt: ein anderes Wort für →*Vertrag*.

Kostenvoranschlag: Wer einen Handwerker mit einer Arbeit beauftragt, möchte vorher wissen, was die Arbeit kosten wird:

Er verlangt einen Kostenvoranschlag. An diesen ist der Handwerker dann gebunden; er darf hinterher nicht mehr Geld verlangen.

Kredit: In diesem Begriff steckt das lateinische und italienische Wort für »glauben« - *credere*. Wer jemandem einen Kredit gibt, der leiht ihm Geld und glaubt, dass er sein Geld wiederbekommt. *Il credito* heißt »die Leihwürdigkeit«. Deshalb nennt man denjenigen, der einen Kredit gegeben hat, auch *Gläubiger*, und denjenigen, der den Kredit genommen hat, *Schuldner*. Es gibt mehrere Formen von Krediten. Wenn man zum Beispiel mehr Geld ausgibt, als man auf seinem →*Girokonto* hat, dann *überzieht* man sein Konto. Das ist dann ein *Überziehungskredit* oder *Kontokorrentkredit*. Wenn man ein Haus kauft, dann nimmt man einen so genannten *Hypothekarkredit*: Man verspricht der Bank, dass sie das Haus bekommt, falls man seinen Kredit nicht zurückzahlen kann; dies nennt man »eine →*Hypothek* aufnehmen«. Wenn man ein Auto kauft und bezahlt es nicht sofort, sondern nach und nach in monatlichen Beträgen, dann ist dies ein *Ratenkredit*.

Kurs: der Preis einer →*Aktie* oder →*Anleihe* oder auch einer ausländischen Währung (im letzteren Fall spricht man von einem *Wechselkurs)*.

Kurstabellen: Tabellen, in denen die derzeitigen Kurse von Wertpapieren aufgelistet sind. Es gibt sie in den Wirtschaftsteilen der Tageszeitungen. Für die Aktie der *Pulp AG* könnten dort zum Beispiel folgende Angaben enthalten sein:

	31.5.	30.5.	Jahreshoch	Jahrestief
Pulp	25,75	25,95 B	49,50	25,50

Das bedeutet, dass die *Pulp*-Aktie am 31. Mai 25,75 Mark kostete, zwanzig Pfennig weniger als am Tag zuvor. Während des laufenden Jahres war der höchste Kurs 49,50 Mark, der tiefste 25,50. Das »B« hinter dem Kurs vom 30. Mai steht für »Brief«. Das bedeutet, dass zu diesem Kurs Aktien angeboten, aber nicht nachgefragt wurden. Stünde dort ein »G« (für »Geld«), dann wären Aktien zu dem Kurs nachgefragt, aber nicht angeboten worden. Dass am 31. Mai kein Buchstabe hinter dem Kurs steht, zeigt an, dass zu diesem Kurs die Aktien wirklich gehandelt wurden. Das Kürzel »bB« steht für »bezahlt/Brief« – ein Teil des Angebots wurde zu diesem Kurs abgesetzt. Entsprechend wurde bei »bG« (bezahlt/Geld) ein Teil der Nachfrage befriedigt.

Limit: das englische Wort für »Grenze«. An der →*Börse* kann man Aufträge zum Kauf von →*Aktien* mit einem Limit versehen. Man sagt also zum Beispiel: Ich will 100 *Pulp*-Aktien kaufen, aber nicht mehr als 25 Mark für das Stück zahlen. Oder : Ich will 100 Stück verkaufen, aber nicht für weniger als 24 Mark.

Liquidität: Das Wort stammt aus dem Lateinischen und heißt eigentlich »Flüssigkeit«. In der Wirtschaft bedeutet es »frei verfügbares Geld«. Jemand, der *liquide* ist, also flüssig, hat Geld, über das er verfügen kann, weil es nicht gebunden ist (zum Beispiel in Sachwerten angelegt).

Makler: Kurzform für *Börsenmakler*. Sie setzen die Kurse fest. Es gibt amtliche Makler und solche, die eine eigene Firma besitzen. Diese nennt man *Freimakler*. Die Arbeit der Makler wird mehr und mehr von Computern übernommen. Das Computersystem an den deutschen Börsen heißt *Xetra*.

Markt: der Ort, an dem Angebot und Nachfrage zusammenkommen und wo sich die Preise bilden. Ursprünglich fanden Märkte immer an *wirklichen* Orten statt, vor allem auf Marktplätzen. Heute sind Märkte meistens *gedachte* Orte. Zum Beispiel der Markt für Haareschneiden in Schönstadt: Es wäre unpraktisch, wenn alle Friseure und alle Menschen, die sich die Haare schneiden lassen wollen, sich jeden Tag auf dem Kartoffelmarkt treffen würden, um den Preis für einmal Schneiden und Waschen auszuhandeln. Einen Markt gibt es aber trotzdem, denn in den Schaufenstern der Friseursalons hängen Preistafeln. Und sowohl die Friseure als auch ihre Kunden *wissen*, dass es Konkurrenten gibt. Ist ein Friseur teurer als die anderen und seine Kunden finden nicht, dass er auch besser ist, dann gehen sie eben nicht mehr zu ihm. Das Wort Markt kommt aus dem lateinischen Wort *mercatus* für »Handel«.

Marktpreis: Dies ist der Preis, der sich durch den Ausgleich von Angebot und Nachfrage gebildet hat, im Gegensatz zu einem Preis, den zum Beispiel die Regierung festgesetzt hat.

Marketing: Dieses englische Wort bedeutet »auf den Markt bringen«. Damit meint man alle Anstrengungen, die dem Verkauf eines Produktes dienen: die Erforschung der Kundenwünsche, Werbung und vieles mehr.

Monopol: Wenn ein Unternehmer keine *Konkurrenz* hat, das heißt, wenn er eine bestimmte Ware als Einziger anbietet, dann ist er *Monopolist*, er hat das *Monopol*. Dieses Wort kommt aus dem Griechischen und bedeutet »Recht auf Alleinhandel«. Wie ein Monopol entsteht, zeigt das Spiel *Monopoly*. Ziel ist es dabei, so viele Straßen zu kaufen, dass man möglichst als einziger Besitzer übrig bleibt – als *Monopolist*.

Nachfrage: Die Menge an Waren, die die Kunden zu einem bestimmten Preis kaufen wollen, nennt man Nachfrage. Je niedriger der Preis, desto höher ist normalerweise die Nachfrage, und umgekehrt. Ein →*Markt* ist im Gleichgewicht, wenn Nachfrage und →*Angebot* gleich groß sind. Bilden sich vor den Geschäften regelmäßig lange Schlangen, dann bedeutet das, dass die Nachfrage zu groß und der Preis also zu niedrig ist.

Neuer Markt: jener Bereich der Frankfurter →*Börse*, in dem besonders →*Aktien* kleiner und mittlerer Unternehmen gehandelt werden, die höhere Risiken, aber auch höhere Chancen bieten. Weil es von den einzelnen Aktien nicht so viel Exemplare gibt wie im normalen Börsengeschäft, schwanken die Kurse am Neuen Markt viel stärker.

Passiva: In einer →*Bilanz* sind dies Posten, die bezeichnen, woher das Geld in einem Unternehmen herkommt: Eigenkapital, Fremdkapital, Gewinne.

pleite: Wenn eine Firma pleite ist, heißt das, sie kann ihre Rechnungen nicht mehr bezahlen. Sie ist *zahlungsunfähig*. Ein anderes Wort dafür ist *bankrott*. Wenn ein Unternehmer merkt, dass ihm das Geld fehlt, das er braucht, um alle seine Rechnungen, Löhne und Zinsen zu bezahlen, dann muss er dies einem Richter mitteilen.

Dieser Richter eröffnet dann den *Vergleich*. Das heißt, er vergleicht das restliche Vermögen der Firma mit dem, was diese zu zahlen hat. Wenn das Firmenvermögen nicht zu klein ist, wird die Firma unter Aufsicht eines so genannten *Vergleichsverwalters* weitermachen.

Die Banken, die der Firma einen →*Kredit* gegeben haben, müssen sich dann damit abfinden, dass sie nur einen Teil ihres Geldes zurückbekommen. Ist das Restvermögen der Firma zu klein, dann eröffnet der Richter den *Konkurs* der Firma. Dann wird das Vermögen der Firma unter die Gläubiger aufgeteilt.

Profit: das englische Wort für *Gewinn*, das oft auch im Deutschen verwendet wird. Etwas, das Gewinn abwirft, ist *profitabel*.

Rendite: der Gewinn, den man aus seinem Geld ziehen kann. Bei einem Sparbuch ist die Rendite einfach der →*Zins*. Bei einer →*Aktie* sind es →*Dividende* und Kurssteigerung zusammen. Die Rendite wird immer in Prozentzahlen angegeben. Ein Beispiel: Ich habe eine Aktie für 150 Mark gekauft. Nach einem Jahr habe ich dafür 5 Mark Dividende bekommen, außerdem ist der Kurs auf 160 Mark gestiegen. Auf mein eingesetztes Geld habe ich also eine Rendite von 15 Mark oder zehn Prozent erhalten.

Saldo: Dieses Wort kommt aus dem Italienischen und heißt dort »fest«. In der →*Buchführung* ist es der feste Bestandteil, der nach dem Abzug beider Seiten eines →*Kontos* verbleibt.

Schumpeter, Joseph: ein berühmter österreichischer Ökonom, der von 1883 bis 1950 lebte. Er beschrieb, wie die Wirtschaft durch den →*Wettbewerb* der Unternehmer vorankommt. Er nannte diesen Wettbewerb »schöpferische Zerstörung«: Ein Unternehmer denkt sich ein neues Produkt aus und bringt es auf den Markt. Dadurch zerstört er gleichzeitig die Verdienstmöglichkeiten anderer Unternehmer. Zum Beispiel hat die Produktion von Autos den Markt für Kutschen zerstört.

Service: Mit dem englischen Wort für »Dienst« bezeichnet man in der Fachsprache alle Dienstleistungen, etwa das Haareschneiden beim Friseur oder die Beratung in einer Bank. In der Umgangssprache ist mit Service einfach Kundenfreundlichkeit gemeint. »Der Service einer Autowerkstatt ist gut« bedeutet: Man wird als Kunde schnell und zuvorkommend bedient und die Werkstatt macht keine überflüssigen und teuren Reparaturen.

Smith, Adam: Er war der berühmteste aller Ökonomen und lebte von 1723 bis 1790 in Schottland. In seinem wichtigsten Buch, »Der Wohlstand der Nationen«, beschrieb er, wie der →*Wettbewerb* dazu führt, dass die Menschen zwar ihren Eigennutz verfolgen, dabei jedoch ungewollt dem Gemeinwohl dienen.

Soll: So heißt die linke Seite auf einem →*Konto*.

Sozialplan: So nennt man alle Maßnahmen, mit denen der Schaden für Arbeitnehmer begrenzt wird, wenn ein Betrieb schließt oder Arbeitnehmer aus einem anderen Grund in großer Zahl entlassen werden. Im Idealfall bekommt man bei einem Sozialplan mehrere Monatsgehälter ausbezahlt, und zwar umso mehr, je länger man in der Firma gearbeitet hat.

Sparbuch: die einfachste Form, sein Geld anzulegen. Man bekommt es bei fast jeder Bank. Die Zinsen sind ziemlich niedrig, dafür kann man schnell bis zu 2000 Mark abheben.

Spekulation: Das Wort stammt aus dem Lateinischen und bedeutet »Ausspähung«. Man bezeichnet damit Geschäfte, bei denen jemand Gewinne allein aus Preisänderungen erwartet. An der →*Börse* sagt man von jemandem, der steigende Preise erwartet, er spekuliert auf →*Hausse*; wer sinkende Preise erwartet, spekuliert auf →*Baisse*.

Steuern: Abgaben an den Staat, zu denen die Bürger von Gesetz wegen verpflichtet sind. Die wichtigsten Steuern sind die *Einkommensteuer* (ein bestimmter Teil des verdienten Einkommens), die *Körperschaftsteuer* (für Aktiengesellschaften), die *Mehrwertsteuer* (16 Prozent von jeder verkauften Ware; bei Lebensmitteln und Büchern 7 Prozent) und die *Mineralölsteuer* (für Benzin und Diesel).

Streik: So nennt man es, wenn die Belegschaft eines Betriebes oder einer ganzen Industrie die Arbeit niederlegt, zum Beispiel, um die Forderung nach höheren Löhnen durchzusetzen. Streiks werden meist von →*Gewerkschaften* organisiert. Für das Streikrecht mussten die Gewerkschaften lange kämpfen. Eine der wichtigsten Parolen dieses Kampfes lautete: »Alle Räder stehen still, wenn dein starker Arm es will.« In der Bundesrepublik Deutschland ist das Streikrecht im Gesetz garantiert.

Unternehmen: Organisationen, die darauf gerichtet sind, →*Gewinn* zu erzielen. Unternehmen werden häufig auch als *Firmen* bezeichnet. Es gibt unterschiedliche Formen von Unternehmen: Die größten sind meistens →*Aktiengesellschaften (AG)*, weitere Formen sind die *Offene Handelsgesellschaft (OHG)*, die *Gesellschaft mit beschränkter Haftung (GmbH)* oder die *Kommanditgesellschaft (KG)*.

Verlust: das Gegenteil von →*Gewinn*. Ein →*Unternehmen* macht dann Verluste, wenn seine Ausgaben höher sind als die Einnahmen. Die meisten Unternehmen können eine Zeit lang Verluste machen und von ihrem Ersparten leben oder sogar →*Kredite* aufnehmen, um die Verluste zu decken. Gelingt es jedoch nicht, irgendwann wieder Gewinn zu machen, dann ist das Unternehmen →*pleite*.

Verkaufsoptionen: das Recht, eine Ware oder eine Aktie an einem bestimmten Tag und zu einem bestimmten Preis zu verkaufen. Verkaufsoptionen bezeichnet man auch mit dem englischen Wort *puts*. (Siehe auch →*Kaufoptionen*).

Vermögen: So nennt man alles, was man in seinem Besitz hat und was einen Ertrag bringt oder bringen könnte. Die Goldmünzen, die Felix und seine Freunde gefunden haben, sind Vermögen, ebenso wie die Aktien, die sie später kaufen. Das Haus, in dem Felix und seine Eltern wohnen, gehört zum Vermögen der Familie Blum, wobei der Ertrag in der Miete besteht, die sie *nicht* bezahlen müssen, weil sie im eigenen Haus wohnen. Zum Vermögen kann auch ein wertvolles Kunstwerk oder ein Auto gehören.

Vertrag: ein Schriftstück, in dem zwei Menschen oder Gruppen von Menschen sich im gegenseitigen Interesse zu etwas verpflichten. →*Arbeitnehmer* und →*Arbeitgeber* schließen zum Beispiel einen *Arbeitsvertrag*. In diesem steht, was der Arbeitnehmer zu tun hat und wie viel Geld er vom Arbeitgeber dafür bekommt. Wer ein Haus kauft, schließt mit dem Verkäufer einen *Kaufvertrag*, wer eine Wohnung mietet, einen *Mietvertrag*.

Wahrscheinlichkeitsrechnung: Die Mathematiker haben Methoden entwickelt, um exakt auszurechnen, wie wahrscheinlich ein Ereignis ist, von dem man nicht genau weiß, ob es eintritt. Das klingt wie ein Widerspruch, ist es aber nicht. Im Prinzip funktioniert Wahrscheinlichkeitsrechnung so: Etwas, was absolut sicher ist, also etwa, dass am 24. Dezember Weihnachten ist, hat die Wahrscheinlichkeit 1. Entsprechend hat ein unmögliches Ereignis (dass das Wasser den Berg hinauffließt) die Wahrscheinlichkeit 0. Viele andere Ereignisse haben einen Wahrscheinlichkeitswert dazwischen. Beispiel Münzenwerfen: Die Wahrscheinlichkeit, dass die

Münze auf den Rand fällt, ist fast 0, die Wahrscheinlichkeit, dass sie auf eine der beiden flachen Seiten fällt, fast 1. Aber wie ist es mit der Wahrscheinlichkeit, dass »Wappen« kommt? Wenn keiner der Spieler schummelt, ist die Wahrscheinlichkeit 1 geteilt durch 2, also 0,5, denn es ist gleich wahrscheinlich, dass »Zahl« oder »Wappen« dran kommt. Wichtig ist: Dies bedeutet nicht, dass nach jedem »Wappen«-Wurf ein »Zahl«-Wurf kommen muss; aber wenn man das Spiel sehr lange spielt, wird die eine Hälfte der Würfe »Zahl« sein und die andere Hälfte »Wappen«.

Die Formel, nach der Herr Schmitz die Wahrscheinlichkeit ausgerechnet hat, sechs Richtige im Lotto zu haben, ist sehr viel komplizierter. Das genaue Ergebnis lautet jedenfalls: 1 geteilt durch 13.983.816.

Wall Street: eine kleine Straße in New York, in der sich die größte →*Börse* Amerikas befindet, die *New York Stock Exchange.*

Warentermingeschäft: der Kauf oder Verkauf von Waren zu einem bestimmten Preis an einem bestimmten Tag in der Zukunft. Ein Kaffeehändler kann zum Beispiel im Frühjahr beschließen, bereits jetzt den Kaffee zu kaufen, den er im Herbst braucht. Das ist für ihn von großem Vorteil, denn jetzt weiß er, zu welchem Preis er dann Kaffee bekommt, und damit hat er eine größere Sicherheit. Aber auch dem Verkäufer nützt das Warentermingeschäft, denn er weiß nun sicher, wie viel er im Herbst für seinen Kaffee erlöst, und kann sich darauf einstellen. Natürlich kann es sein, dass der wirkliche Preis im Herbst viel niedriger ist, dann hat der Kaffeekäufer Pech gehabt; ist der Preis jedoch höher, dann hat der Verkäufer Pech gehabt, denn er hätte ja viel mehr

Geld bekommen können. Warentermingeschäfte betreiben aber auch Spekulanten, die selber gar nicht Kaffee besitzen wollen, sondern nur darauf setzen, dass sie ihre Kaufrechte zum richtigen Zeitpunkt gewinnbringend verkaufen können (siehe auch →*Spekulation*).

Warentermingeschäfte werden auf großen Börsen abgewickelt. Die wichtigsten sind in Chicago und London. Eine kleine deutsche *Warenbörse* ist in Hannover. Termingeschäfte kann man für die unterschiedlichsten Waren abschließen: Öl, Kupfer, Schweinebäuche, lebende Rinder, Erdnussöl, Orangensaft, Kakao und vieles andere.

Termingeschäfte kann man aber auch mit Rechten auf den Kauf und Verkauf von Aktien abschließen. Dieser Terminhandel findet bei der *Deutschen Terminbörse* in Frankfurt statt.

Werbung: alle Anstrengungen von Unternehmern, ihre Waren anzupreisen. Das kann über Anzeigen in Zeitungen geschehen, über Werbespots im Fernsehen, Radio oder Kino oder über Plakate. Mit der Gestaltung der Werbung beauftragen die Unternehmen meistens eigene Firmen, so genannte *Werbeagenturen*. Ein anderer Begriff für Werbung ist *Reklame*.

Wertpapiere: Urkunden, die dem Besitzer bescheinigen, dass ihm ein bestimmtes Vermögen gehört. Dazu zählen →*Aktien*, →*Anleihen*, aber auch Schecks.

Wettbewerb: eine gebräuchliche Bezeichnung für den Wettkampf aller Beteiligten in der Wirtschaft um Gewinn, Ansehen und Anteile am →*Markt*. Ein anderes Wort dafür ist *Konkurrenz*. Wird der Wettkampf unterbunden, zum Beispiel wenn der Staat die Preise vorschreibt oder wenn ein Unternehmer als Einziger den Markt beherrscht, dann werden meist die Waren schlechter oder die Preise höher. Wettbewerb ist also vor allem gut für die Nachfrager der Waren, die *Verbraucher*.

Wirtschaftsteil: Die meisten Tageszeitungen sind in Unterabteilungen oder Ressorts aufgeteilt: für Politik, für Kultur, Sport, Lokales und Wirtschaft. Den *Wirtschaftsteil* erkennt man meistens daran, dass sich dort eine große Tabelle mit den Kursen ausgewählter →*Aktien* findet (siehe auch →*Dax*). Außerdem wird im Wirtschaftsteil aus wichtigen Unternehmen berichtet, von Beschlüssen der Regierung, die das Geld der Bürger betreffen, über Renten, Löhne, das Wachstum der Wirtschaft, Fragen der Geldanlage und über Probleme, die man beim Einkaufen als Verbraucher hat.

Zins: Wenn sich jemand in der Videothek einen Film ausleiht, muss er dafür eine Leihgebühr bezahlen. Wenn er bei der Bank Geld ausleiht, ist es genauso. Die Leihgebühr für Geld nennt man *Zins*. Ebenso *bekommt* jemand einen Zins, wenn er spart, das heißt, wenn er der Bank Geld leiht. Der Zins ist umso höher, je länger das Geld ausgeliehen wird und je größer das Risiko ist, dass es nicht mehr zurückgezahlt wird. Deshalb gibt es für ein →*Sparbuch*, bei dem man das Geld jederzeit wieder abheben kann, nur sehr niedrige Zinsen. Für →*Anleihen* der Bundesregierung, die erst nach zehn Jahren zurückgezahlt werden, ist der Zins schon höher. Noch höher ist er, wenn man einem Unternehmen für ein sehr riskantes Geschäft Geld leiht. Denn ein Unternehmen kann, im Gegensatz zum Staat, auch →*pleite* gehen.

Viele kluge Leute haben es jahrhundertelang für verwerflich gehalten, dass Zins überhaupt erhoben wird. Man hielt das Zinsnehmen für »Wucher« und für »leistungsloses Einkommen«. In der Bibel ist der Zins sogar ausdrücklich verboten:

»Wenn du Geld verleihst an einen aus meinem Volk, an einen Armen neben dir, so sollst du an ihm nicht wie ein Wucherer handeln; du sollst keinerlei Zins von ihm nehmen.« (2.Mose 22,24) Strenggläubige Moslems nehmen das Zinsverbot bis heute wörtlich.

Warum der Zins trotzdem notwendig und gerechtfertigt ist, zeigt ein Gedankenexperiment: Stell dir vor, dir stehen zwanzig Mark zu, weil du zum Beispiel eurem Nachbarn den Rasen gemäht hast. Nun sagt der Nachbar: »Vielen Dank, aber ich zahle dir das Geld erst in einem Jahr, weil ich vorher noch etwas anderes damit vorhabe.« Würdest du dich darauf einlassen? Sicher nicht. Oder du würdest dich zumindest für das Warten entlohnen lassen. Und dieser Lohn des Wartens ist der Zins. Etwas ganz anderes ist es, wenn ein guter Freund dich um Geld bittet, weil er in Not ist. Wenn er wirklich dein Freund ist, solltest du keinen Zins nehmen, sonst ist er bald nicht mehr dein Freund.

· **Zinseszins**: der Zins, den man auf den Zins bekommt. Wenn man die Zinsen auf sein Sparbuch nicht ausgibt, sondern auf dem Sparbuch stehen lässt, wird ja der Betrag um die Höhe der Zinsen in jedem Jahr höher. Und dieses Plus wird natürlich auch verzinst. Felix könnte zum Beispiel 100 Mark auf sein Sparbuch einzahlen und jedes Jahr die Zinsen abheben und sich davon ein Eis kaufen. Er könnte die Zinsen aber auch auf seinem Sparbuch stehen lassen, zum Beispiel für fünf Jahre. Dann passiert Folgendes:

Jahr	1	2	3	4	5	6
Fall 1: Sparsumme	100	100	100	100	100	100
Zinsen	5	5	5	5	5	
Fall 2: Sparsumme	100	105	110,25	115,76	121,55	127,63
Zinsen	5	5,25	5,51	5,79	6,07	

Zu Beginn des sechsten Jahr besitzt er also im ersten Fall immer noch 100 Mark, rechnet man die erhaltenen Zinsen dazu, sind es 125 Mark. Im zweiten Fall sind es 127,53 Mark.

Geld regiert die Welt

Sprichwörter, Bibelzitate und Aussagen
berühmter Leute rund ums Geld

Sprichwörter:

Geld regiert die Welt.

Geld stinkt nicht.

Zeit ist Geld.

Von reichen Leuten kann man sparen lernen.

Beim Gelde hört die Freundschaft auf.

Das Geld liegt auf der Straße – man muss es nur aufheben.

Der eine ist des Geldes Herr, der andere sein Sklave.

Der Reiche wird nicht ärmer, wenn man auf das Geld schimpft.

Drei Heller sind auch Geld.

Geld gefällt.

Geld ist ein guter Diener, aber ein böser Herr.

Geld ist weder bös noch gut, es liegt an dem, der's brauchen tut.

Geld macht nicht glücklich, aber es beruhigt.

Wo Geld ist, da kommt Geld hin.

Reichen gibt man, Armen nimmt man.

Geld zerrinnt, wie man's gewinnt.

Wer Geld hat, hat auch Freunde.

Wer täglich sieht nach seinem Feld, findet täglich ein Stückchen Geld.

Wie die Ware, so das Geld.

Der Arme fängt den Fuchs, der Reiche trägt den Pelz.

Großer Reichtum, wenig Schlaf.

Jäher Reichtum, wenig Schlaf.

Reichtum macht nicht reich.

Zitate aus der Bibel:
Geldgier ist eine Wurzel allen Übels.

1. Brief des Paulus an Timotheus 6,10

Seid nicht geldgierig und lasst euch genügen an dem, was da ist.

Brief des Paulus an die Hebräer 13,5

Wer Geld liebt, wird von Geld niemals satt. Und wer Reichtum liebt, wird keinen Nutzen davon haben.

Prediger Salomo 5,9

Denn wie Geld beschirmt, so beschirmt auch Weisheit, aber die Weisheit erhält das Leben dem, der sie hat.

Prediger Salomo 7,12

Denn du sollst ihm dein Geld nicht auf Zinsen leihen noch Speise geben gegen Aufschlag. *3. Mose 25,37*

Ihr könnt nicht Gott dienen und dem Mammon.

Matthäus-Evangelium 6,24

Es ist leichter, dass ein Kamel durch ein Nadelöhr gehe als dass ein Reicher ins Reich Gottes komme.

Matthäus-Evangelium 19,24

Zitate berühmter Leute:
Geld ist Mist – nur gut, wenn es verteilt wird.   *Francis Bacon*

Geld ist geprägte Freiheit.   *Fjodor Dostojewski*

Reichtum macht das Herz schneller hart als kochendes Wasser ein Ei.   *Ludwig Börne*

Am Ende ist das Geld doch das Zeichen aller Notwendigkeiten und Bequemlichkeiten des Lebens.

Johann Wolfgang Goethe

Danksagung

Zum Entstehen dieses Buches haben viele Menschen durch Anregung und Kritik beigetragen. Besonders danke ich: Dr. Waltraud Berle-Piper, Benedikt Burkhard, Medard Fuchsgruber, Barbara Gelberg, Frank Griesheimer, Wolfgang Hupp (Vereins- und Westbank), Hans-Joachim Kiehn (Landeskriminalamt Hamburg), David Piper, Antonella Romeo, Dr. Jeanne Rubner und dem Redaktionsarchiv der Süddeutschen Zeitung.

Alle handelnden Personen und Firmen in diesem Buch sind frei erfunden. Ähnlichkeiten mit lebenden Personen oder existierenden Firmen wären rein zufällig.

Klaus Kordon
Der erste Frühling
Roman. Mit einem Nachwort des Autors
Gebunden, 524 Seiten *ab 14*
Buxtehuder Bulle, Evangelischer Buchpreis

Berlin, Frühjahr 1945. Die zwölfjährige Änne, die bei den Großeltern
wohnt, erlebt die letzten Monate des Krieges und wie die sowjetische
Armee die Stadt besetzt. Eines Tages steht ein Mann vor der Tür, den sie
noch nie gesehen hat; es ist ihr Vater, der das KZ überlebt hat.
»Hinter Kordons Nüchternheit leuchtet Wärme. Ergreifende Szenen
beherrschen den Roman ...« *Reinhard Osteroth, DIE ZEIT*
»Kordon hat die Lebensläufe seiner Figuren über mehrere Generationen
hinweg verfolgt und in einer spannenden Familiensaga zugleich
Weltgeschichte eingefangen. Ein beachtliches Werk ... Kordon, der zu den
wenigen genau schreibenden Romanciers eines sozialkritischen Realismus
gezählt werden muss, ist wie Kästner ein engagierter Aufklärer und wie der
Fallada der zwanziger Jahre ein genauer Schilderer des sozialen Milieus.«
Klaus Doderer, Frankfurter Rundschau

Klaus Kordon
1848
Die Geschichte von Jette und Frieder
Roman. Mit einem Nachwort des Autors
Gebunden, 528 Seiten *ab 14*

Berlin 1847/48. Die fünfzehnjährige Jette lebt mit ihrer älteren Schwester
und dem kleinen Fritzchen in einem armseligen Loch über dem Haustor.
Jeden Morgen legt ihr der Zimmergeselle Frieder drei Kartoffeln vor die Tür.
So beginnt eine zarte Liebesgeschichte. In den 38 deutschen Staaten aber
gärt es. Freiheit, Gleichheit und Demokratie sollen das Gottesgnadentum
der Fürstenhäuser ablösen. Auf die Hungerrevolution
folgt die Revolution von 1848, in die auch Jette, Frieder und
ihre kleine ›Familie‹ mitten hineingeraten.
»Diese Geschichte ist ein Paradigma für Menschenmut und Menschen-
mögliches. Es ist der Appell, das hart Erkämpfte zu verteidigen,
sich einzumischen und gleichzeitig wachsam zu sein gegen Autoritäten.«
Süddeutsche Zeitung
»Farbiger und lebendiger lässt sich Geschichte kaum vermitteln.« *Brigitte*
»Wer dies gelesen hat, braucht kein Geschichtsbuch mehr.« *Buchmarkt*

Beltz & Gelberg
Beltz Verlag, Postfach 10 01 54, 69441 Weinheim

Karla Schneider
Die Reise in den Norden
Roman. Gebunden, 400 Seiten *ab 14*
Nominiert für den Deutschen Jugendliteraturpreis

»Was zwar als beschwerliche, aber auch eindeutige Forschungsreise
durch Skandinavien begann, wird für Isak Zettervall zusehends zu einem
lebensgefährlichen Abenteuer. Geheimen Botschaften von höchster Stelle
kann er nicht ausweichen, und dass die fünfzehn Jahre alte Stemma ihn
begleitet, war auch nicht vorgesehen ... Im Genre des Abenteuerromans
kennt sich Karla Schneider aus. Auf den vierhundert Seiten ihres Romans
kommt Langeweile nie auf.« *Maria Frisé, Frankfurter Allgemeine Zeitung*
»Ein faszinierender, packender Roman.« *Heilbronner Stimme*
»Karla Schneider, versierte Autorin im Kinder- wie im Erwachsenenbuch,
beherrscht ihr Metier: Vom lateinischen Namen der Bärentrauben bis
zur hochpolitischen Staatsaffaire, von der Besinnlichkeit der Natur-
beschreibung bis zum dramatischen Showdown im Schneesturm entwickelt der
stattliche Roman ein Gespinst aus feingewobener Spannung.«
Konrad Heidkamp, DIE ZEIT

Reinhold Ziegler
Version 5 Punkt 12
Roman. Gebunden, 240 Seiten *ab 14*
Nominiert für den Deutschen Jugendliteraturpreis

In der Silvesternacht zum Jahr 2000 beginnt die Geschichte des Tubor Both,
der die Welt nie verändern wollte und es doch getan hat. Unter dem
Druck der Wirtschaftskrise verändert er sein bisher unauffälliges Leben
und sucht sein Glück in der neuen Welt der virtuellen Realität. Ausgerechnet
ein Computerspiel bringt ihn in die Wirklichkeit zurück. Er gerät in eine
Krise, aus der er nur noch einen Ausweg sieht.
»Ein hochspannendes, sehr anspruchsvolles Buch. Science Fiction von
übermorgen, die erwachsene Leser vermutlich mehr ängstigen wird als
Jugendliche.« *BuchMarkt*
»Eine unglaublich spannende Gänsehaut-Geschichte – und wie alle guten
Zukunftsromane durchaus nicht unrealistisch.« *Saarbrücker Zeitung*
»Ein beklemmend aktueller Science-fiction-Thriller ... Zieglers Bücher
machen süchtig.« *Börsenblatt*

Beltz & Gelberg
Beltz Verlag, Postfach 10 01 54, 69441 Weinheim